W9-CUI-056

VISTA HISPÁNICA

ALLYN AND BACON, INC.
Boston · Rockleigh, N. J. · Atlanta · Dallas · San Jose
London · Sydney · Toronto

VISTA HISPÁNICA

ANGELA M. HEPTNER
SHELDON G. STERNBURG
Ruth R. Ginsburg
Robert J. Nassi

ABOUT THE AUTHORS

MRS. ANGELA M. HEPTNER is a native of Spain and received a graduate degree from the University of Granada. She has taken post-graduate courses in Spanish Literature at the "Universidad Complutense", Madrid, and has an M.A. in Spanish Language and Literature from Middlebury College. Since 1961 she has been teaching Spanish in the United States at different levels. She has also conducted teacher-training programs involving techniques and methodology for teaching Spanish. In 1980, The Spanish Government named Mrs. Heptner a recipient of the Isabel la Católica award. In addition to this distinguished recognition, she was elected president of the Massachusetts Bay Chapter of the AATSP and has been active as a director of The Spanish Cultural Institute of New England.

SHELDON G. STERNBURG received his B.A. degree from Northeastern University and his M.Ed. degree from the State College in Boston, Massachusetts. He is presently teaching Spanish in the Weston Public Schools, Weston, Massachusetts. He has also taught several graduate courses in foreign language methods for Boston College. He is an active member of several modern language associations including ACTFL and the AATSP.

MRS. RUTH GINSBURG, co-author of the original text, PRIMERA VISTA, was formerly an instructor in Spanish and Education at California State College at Los Angeles and Supervisor of Foreign Languages for the Los Angeles City Schools. She served on state and national committees on foreign language and has acted as a consultant for television study courses.

ROBERT J. NASSI, co-author of PRIMERA VISTA, was Dean of Admissions and Guidance and Spanish Instructor at Los Angeles Valley College in Van Nuys, California. He also taught in private and public schools in California and New York and acted as a consultant for television study courses.

LIBRARY OF CONGRESS NUMBER 80-71028
ISBN 0-205-06982-7

Printed in the United States of America
5 6 7 8 89 88 87 86 85 84

PREFACE

Vista Hispánica is designed to increase listening and speaking skills and continues the development of reading comprehension and writing skills begun in **Nueva Vista.** Enhanced by an integrated multi-media program including overhead transparencies, verb charts, display maps, filmstrips with accompanying cassettes, and a separate cassette program, the series offers a totally new dimension in language acquisition. A more comprehensive view of Hispanic life is included in the conversational and reading selections with an aim toward broadening the student's insight and appreciation of Spanish customs and traditions.

Vista Hispánica opens with a preliminary lesson which serves both as a review of selected structural patterns and idiomatic expressions and as an introduction to the twenty lessons in the text. Each group of five lessons is followed by a review unit or Repaso.

Although the early lessons are based on material previously learned, the review material is presented in a new context within the range and maturity level of secondary school students.

The dialogue lessons have been prepared especially for the purpose of strengthening conversational skills. The topics were selected to maintain student interest and deal with a variety of subjects. Activities in school and after school, relations with families and friends, plans for the future, and discussions with young visitors from Spanish-speaking countries are included.

The reading selections have been chosen to give students a deeper insight into Hispanic civilization as it is exemplified in the history, social institutions, traditions, and culture of Spanish-speaking peoples.

The oral and writing exercises following the dialogue and reading selections reflect the most modern trends of language teaching and provide great flexibility in meeting student interests.

Grammatical structures (*Aspectos gramaticales*) are followed by a variety of exercises and pattern drills which enable students to apply the concepts involved in a functional and logical way.

The *Variedades* units provide a varied assortment of enrichment materials such as word studies, personalized questions, English to Spanish writing exercises and prose or poetry selections.

Maps and culturally oriented illustrations and photographs (*Perspectivas Culturales*), complete the body of the text. A supplementary unit of readings follows the text proper and serves to enhance the cultural aspects of the program.

The appendix includes a section on English grammar as an aid for studying Spanish, a dictionary of grammatical terms, verb summaries, translations of the poems and Spanish-English and English-Spanish vocabularies. A detailed index concludes the text.

TABLA DE MATERIAS

P

1

2

3

4

5

6

7

9

10

11

12

13

14

15

16

17

18

19

20

SUPLEMENTO

LECCIÓN PRELIMINAR 

El club de español

José Moreno, a student in second-year Spanish, wishes to organize a Spanish club. His teacher and several of his classmates are very enthusiastic about the idea.

JOSÉ: Señorita, ¿podemos organizar un club de español este año?

PROFESORA: ¡Por supuesto°!

GLORIA: ¿Qué vamos a hacer en las reuniones del club?

JOSÉ: Hay muchas cosas interesantes que hacer. Los socios° pueden aprender canciones populares, ver películas en español y oír programas de música latinoamericana.

JORGE: De vez en cuando° podemos comer en algún restaurante mexicano.

GLORIA: Pues, ¿por qué no organizamos el club ahora mismo°?

JOSÉ: Yo creo que los alumnos de las otras clases de español también deben participar en la organización del club.

DOROTEA: Sí, tienes razón.

JAIME: Estoy de acuerdo también.

ELSA: Podemos invitarlos a la primera reunión.

PROFESORA: Veo que hay mucho entusiasmo. José, creo que su club de español va a tener mucho éxito°.

JOSÉ: Así parece°.

¡por supuesto! *of course!*
socios *members*
de vez en cuando *from time to time*
ahora mismo *right now*
tener mucho éxito *to be very successful*
así parece *so it seems*

Modern gaucho from Argentina

Preguntas

1. ¿Qué quiere organizar José? 2. ¿Qué pueden hacer los socios en las reuniones? 3. ¿Adónde pueden ir de vez en cuando? 4. ¿Quién quiere organizar el club ahora mismo? 5. ¿Por qué cree la profesora que va a tener éxito el club?

Escriba

Hay un club de español en su escuela y Ud. es socio. Escriba un parrafito describiendo el club. (Use the following questions as a guide.)

1. ¿Qué hacen Uds. en el club?
2. ¿Son interesantes las reuniones?
3. ¿Qué discuten Uds.?
4. ¿Invita Ud. a sus amigos de vez en cuando a los programas?
5. ¿Quién es el presidente del club? ¿el vicepresidente? ¿la secretaria? ¿el tesorero?

tendrá lugar *will take place*
Día de la Raza *Columbus Day*
salón de actos *auditorium*

INVITACIÓN A UNA REUNIÓN DEL
CLUB DE ESPAÑOL

Estimado socio:

El "Club de Español" tiene el gusto de invitar a Ud. a la próxima reunión que tendrá lugar° el próximo doce de octubre, Día de la Raza°, a las cuatro de la tarde en el salón de actos° de nuestra escuela. Vamos a presentar un programa muy interesante. Después se servirán refrescos.

Esperamos contar con su presencia.

La saluda atentamente,
Gloria Mendoza, Secretaria

ASPECTOS GRAMATICALES

A. Tiempo presente de verbos irregulares (Repaso)

Ir (*to go*) voy, vas, va, vamos, vais, van
Ser (*to be*) soy, eres, es, somos, sois, son
Tener (*to have*) tengo, tienes, tiene, tenemos, tenéis, tienen
Venir (*to come*) vengo, vienes, viene, venimos, venís, vienen
Decir (*to tell, say*) digo, dices, dice, decimos, decís, dicen
Oír (*to hear*) oigo, oyes, oye, oímos, oís, oyen
Poder (*to be able, can, may*) puedo, puedes, puede, podemos, podéis, pueden
Querer (*to want, wish*) quiero, quieres, quiere, queremos, queréis, quieren

B. Verbos irregulares solamente en la primera persona singular del presente (Repaso)

Poner (*to put, place*)
pongo, pones, pone, ponemos, ponéis, ponen
Hacer (*to do, make*)
hago, haces, hace, hacemos, hacéis, hacen
Salir (*to leave, go out*)
salgo, sales, sale, salimos, salís, salen
Traer (*to bring*)
traigo, traes, trae, traemos, traéis, traen

Caer (*to fall*)
caigo, caes, cae, caemos, caéis, caen
Dar (*to give*)
doy, das, da, damos, dais, dan
Estar* (*to be*)
estoy, estás, está, estamos, estáis, están
Saber (*to know*)
sé, sabes, sabe, sabemos, sabéis, saben
Ver (*to see*)
veo, ves, ve, vemos, veis, ven

Sustitución

1. Ud. tiene que discutirlo.
   Yo ________________.
   Nosotros ________________.
   Los alumnos ________________.

2. Los muchachos son de Chile.
   Nosotros ________________.
   Yo ________________.
   Alfredo ________________.

3. Tú vas al club los viernes.
   Uds. ________________.
   Yo ________________.
   Nosotros ________________.

4. Juan viene a ver a María.
   Yo ________________.
   Los señores Pérez ________________.
   Tú ________________.

5. Yo quiero ver la película.
   Tú y Dorotea ________________.
   Ud. ________________.
   Ana y yo ________________.
   Ella ________________.

6. No puedo asistir a la reunión.
   Mi amiga ________________.
   Algunos socios ________________.
   Nosotras ________________.
   Tú ________________.

7. ¿Quién no ve el mapa?
   Tú ________________.
   Gloria y Ana ________________.
   Yo ________________.

8. ¿Quién lo hace?
   Tú ________________.
   Yo ________________.
   Nosotros ________________.

* The verb **estar** has an accent mark on all of its present tense forms except **estoy** and **estamos.**

The Tucson Sky, a professional volleyball team in Tucson, Arizona

9. ¿Quién sale de la escuela tarde?
   Yo ____________.
   Luisa y yo ____________.
   Mis amigas ____________.
   Ud. ____________.

10. ¿Quién pone los papeles aquí?
    Los alumnos ____________.
    Yo ____________.
    Nosotros ____________.
    Tú ____________.

11. ¿Quién da un libro a la alumna?
    Tú ____________.
    Yo ____________.
    Uds. ____________.
    Nosotros ____________.

12. ¿Quién está detrás de la puerta?
    Dos muchachos ____________.
    Yo ____________.
    Enrique y yo ____________.
    Tú ____________.

Traduzca (Traduzca al español las palabras en inglés.)

1. El profesor *brings* una revista mexicana a la clase. 2. *We are* en la escuela. 3. *I have* un traje bonito. 4. Ernesto y Juan *are* hermanos. 5. Un muchacho *leaves* de la clase. 6. ¿*Are you coming* con nosotros? 7. Siempre *we tell* la verdad. 8. *I can't* ver la pizarra. 9. *I do not know* el número de su teléfono. 10. La madre *makes* las blusas de su hija. 11. La clase desea *to give* un programa de música y bailes. 12. Elena y yo *are going* al cine mañana. 13. *We see* muchas cosas interesantes. 14. *I want* leer el periódico. 15. *We hear* el ruido de la calle.

C. Imperativo formal (Ud., Uds.) (Repaso)

Espere un momento. *Wait a moment.*
Escriban su nombre. *Write your name.*
Devuelva el libro. *Return the book.*

CUADRO GRAMATICAL						
INFINITIVOS						
Entrar	**Cerrar**	**Volver**	**Pedir**	**Traer**	**Devolver**	**Poner**
INDICATIVO DE LA PRIMERA PERSONA SINGULAR						
entro	cierro	vuelvo	pido	traigo	devuelvo	pongo
IMPERATIVO FORMAL						
entre	cierre	vuelva	pida	traiga	devuelva	ponga (Ud.)
entren	cierren	vuelvan	pidan	traigan	devuelvan	pongan (Uds.)

Commands with **Ud.** and **Uds.** (formal commands) are formed by dropping the **o** of the **yo** form of the present tense, and adding **e** or **en** for the **-ar** verbs and **a** or **an** for the **-er** and **-ir** verbs.

Puerto Rico

IMPERATIVOS IRREGULARES

Dar	Ir	Ser	Estar	Saber	
dé*	vaya	sea	esté	sepa	(Ud.)
den	vayan	sean	estén	sepan	(Uds.)

Transformación (Cambie las frases según los modelos.)

Modelos: Gloria no entra en la biblioteca.
Entre (Ud.) en la biblioteca.

Jorge no ayuda a las muchachas.
Ayude (Ud.) a las muchachas.

1. Anita no toma el libro. 2. Yo no espero un momento. 3. Gloria no da la pluma a su amiga. 4. Tomás no lee la revista. 5. Él no escribe su nombre. 6. El muchacho no vuelve a su casa. 7. El alumno no pide el periódico. 8. La profesora no abre las ventanas.

* The accent mark on the **e** of **dé** distinguishes it from **de**, meaning *of* or *from.*

Modelo: Ellos hablan en voz alta.
Hablen (Uds.) en voz alta también.

1. Ellos cierran los libros. 2. Ellos ponen los libros en la mesa. 3. Ellos hacen los ejercicios. 4. Ellos devuelven los papeles. 5. Ellos van a la pizarra. 6. Ellos tienen paciencia. 7. Ellos son buenos alumnos. 8. Ellos salen por esa puerta.

Modelo: Quiero hablar con el director.
No hable (Ud.) con el director.

1. Quiero ir a la biblioteca. 2. Quiero devolver los libros. 3. Quiero leer el artículo. 4. Quiero dar la revista al profesor. 5. Quiero hablar con Pedro. 6. Quiero abrir la ventana. 7. Quiero contestar. 8. Quiero hacer las preguntas.

Modelo: Ud. no puede ver la pizarra.
Ud. no ve la pizarra.
No vea la pizarra.

1. No puedo ir a la biblioteca. 2. Ellos quieren saber mucho. 3. No podemos salir a las cuatro. 4. No quiero decir eso. 5. Ud. no puede venir temprano. 6. Puedo hacer el trabajo. 7. Ella siempre quiere traer el periódico. 8. Quiero ser su amigo.

Conteste (Dé la forma correspondiente del imperativo.)

1. ¿Hago la sopa?
Sí, ____________________.

2. ¿Pongo la tele?
Sí, ____________________.

3. ¿Abro la puerta?
Sí, ____________________.

4. ¿Pinto la ventana?
Sí, ____________________.

Un programa de música y bailes

The students in the Spanish club have decided to plan a program of music and dance for the Columbus Day celebration.

JUAN: ¿Por qué no preparamos un programa de música y bailes para el Día de la Raza?

TOMÁS: ¡Buena idea! ¿En qué día cae°?

JUAN: En viernes, doce de octubre.

JOSÉ: Hay varios alumnos en la escuela que pueden tomar parte en el programa.

JAIME: Sí, los hermanos Rivera son argentinos. Tocan muy bien la guitarra.

ELSA: Mis amigas me dicen que Carmen Ortiz es una buena bailarina° y tiene trajes° muy lindos° de Venezuela.

DAVID: Yo puedo traer mi colección de discos.

ANA: ¿Tienes rumbas y mambos?

DAVID: ¡Por supuesto! Los últimos° y los mejores.

cae *does it fall*
bailarina *dancer*
trajes *costumes*
lindos *pretty*
los últimos *the last*

Escriba (Escriba 5 frases originales usando cada una de las siguientes palabras.)

1. baile 2. tomar parte 3. tener éxito 4. colección 5. estar de acuerdo con

Conteste

Escoja una contestación de la lista **Y** para cada pregunta de la lista **X.**

X		Y	
1.	¿Cuándo quiere Gloria organizar el club?	(a.)	Bastante cortos.
2.	¿Vas a asistir a la primera reunión del club?	(b.)	Sí, de vez en cuando.
3.	¿En qué día cae el Día de la Raza?	(c.)	Linda, y además muy inteligente.
4.	¿Tomas parte en los programas?	(d.)	Al lado de ella.
5.	¿Cómo son los programas?	(e.)	Que puede ser poco interesante.
6.	¿Cómo es tu amiga?	(f.)	Sí, dos de Argentina.
7.	¿Qué toca la muchacha?	(g.)	En viernes, doce de octubre.
8.	¿Qué opinión tienes del club?	(h.)	Es cierto.
9.	¿Quieres traer los discos?	(i.)	Con mucho gusto.
10.	¿Tienes amigos hispanoamericanos?	(j.)	¡Por supuesto!
		(k.)	Una canción española.
		(l.)	Ahora mismo.
		(m.)	Que tiene mucho éxito.

ASPECTOS GRAMATICALES

A. Adjetivos (Repaso)

SINGULAR	PLURAL
el muchacho alto	los muchachos altos
la muchacha alta	las muchachas altas
el lápiz azul	los lápices azules
la casa azul	las casas azules
el niño feliz	los niños felices
la niña feliz	las niñas felices

An adjective agrees in gender and number with the noun it describes. An adjective which ends in **-o** changes **o** to **a** when describing a feminine noun; an adjective which does not end in **-o** remains the same in the feminine. Adjectives, like nouns, are made plural by adding **s** or **es** to the singular. Adjectives ending in **-z**, like nouns ending in **-z**, change **z** to **c** in the plural.

When an adjective describes two or more nouns of different genders, the masculine plural form of the adjective is used: **María y Antonio son altos.**

Descriptive adjectives generally follow the nouns they describe. However, a descriptive adjective may precede the noun if it is commonly associated with that noun: **las altas montañas; los buenos amigos.** Adjectives of quantity generally precede the noun: **muchas cosas, tantos alumnos, varios años, algunos alumnos.**

B. Adjetivos de nacionalidad (Repaso)

el alumno español*	los alumnos españoles
la alumna española	las alumnas españolas
el muchacho inglés	los muchachos ingleses
la muchacha inglesa	las muchachas inglesas

Adjectives of nationality which end in a consonant add **a** in the feminine form. Note that adjectives of nationality ending in **-s** or **-n** which have an accent mark on the last syllable drop the accent mark in the feminine and plural forms:

francés, francesa, franceses, francesas *French*
alemán, alemana, alemanes, alemanas *German*
portugués, portuguesa, portugueses, portuguesas *Portuguese*

* **Un alumno español** means a pupil of Spanish nationality. **Un alumno de español** means a pupil who is studying Spanish. What is the difference between **un profesor francés** and **un profesor de francés?**

Sustitución

1. ¡Qué patio tan lindo!
   ¡___ flores________!
   ¡___ muchacha____!
   ¡___ jardines______!
   ¡___ niña_________!

2. Hoy tenemos un examen fácil.
   _______________ ejercicios___.
   _______________ lección____.
   _______________ frases______.
   _______________ palabras____.

3. Los alumnos son franceses.
   ___ muchacha__________.
   ___ hombre____________.
   ___ mujeres____________.
   ___ profesor___________.

4. Creo que son bailes españoles.
   ____________ música_______.
   ____________ nombre_______.
   ____________ canciones_____.
   ____________ libros________.

5. ¿Por qué hay tanta dificultad?
   ¿______________ entusiasmo?
   ¿______________ papeles?
   ¿______________ revistas?
   ¿______________ trabajo?

6. Es un autor inglés.
   _____ película________.
   _____ actores_________.
   _____ comedias_______.
   _____ periódico_______.

¿Cómo se dice en español?

1. The Spanish club has a new president.
   ____________________ interesting meetings.
   ____________________ so many new members.
   ____________________ several Mexican students.
   ____________________ a good program.

2. The teacher says that the Spanish language is not difficult.
   ____________________ some lessons are short.
   ____________________ all the students are happy.
   ____________________ the last exercise is easy.
   ____________________ the Spanish classes are large.

Traduzca (Traduzca al español las palabras en inglés.)

1. Juana es *a pretty girl.* 2. Tiene los *blue eyes.* 3. El club tiene *interesting meetings.* 4. Hablamos español sin *much difficulty.* 5. *The Spanish dances* son pintorescos. 6. Hay *several intelligent students* en nuestra clase. 7. Me gustan *the short lessons.* 8. Carmen tiene *so many friends.* 9. *Some members* del club tocan la guitarra. 10. Juan y su hermana son *Americans.*

Preguntas personales

1. ¿Ve Ud. películas mexicanas de vez en cuando? 2. ¿Tiene Ud. discos de música mexicana? 3. ¿Sabe Ud. dónde venden revistas francesas? 4. ¿Desea Ud. bailar cuando oye música? 5. ¿Sale Ud. con sus amigos los sábados? 6. ¿Lee Ud. mucho durante el verano? 7. ¿Da Ud. una fiesta el día de su cumpleaños? 8. ¿Son todos Uds. buenos alumnos en esta clase? 9. ¿Tienen Uds. mucha tarea°? 10. ¿Está contento(-a) su profesor(-a) con esta clase?

tarea *homework*

Pequeño repaso (Escriba en español.)

RICHARD: Hello, Jane. Do you want to see a Spanish movie tonight?
JANE: I can't. Helen is coming to my house. Besides, I know that my mother is going to say that I go out too much.
RICHARD: What are you (*pl.*) going to do at home?
JANE: There is an interesting program tonight on television. Do you want to come to my house?
RICHARD: Yes, at what time?
JANE: After dinner. Can you bring your latest Spanish records?
RICHARD: Of course!
JANE: Why don't you invite your friend Joe, also?
RICHARD: He is here. I am going to ask him now.
JANE: O.K. See you later.

VARIEDADES

Conversación o composición

Gloria Mendoza has been elected secretary of the Spanish club. She wishes you and all the members of the club to submit either in writing or by phone any suggestions you may have for activities for the next meeting. Use the vocabulary of this lesson and as many present tense verbs as possible.

Estudio de palabras

la joven *the young girl, the young one*
los ricos *the rich people, the rich ones*
el francés *the Frenchman, the French language*

An adjective is often used as a noun in Spanish with the noun understood but not expressed.

Traduzca al inglés:

1. el viejo 2. la rubia 3. los pobres 4. el joven 5. los ingleses 6. el enfermo 7. la pequeña 8. los primeros 9. el ciego 10. los jóvenes*

Versos (See **Apéndice** for translation.)

Por una mirada, un mundo;
por una sonrisa, un cielo;
por un beso . . . ¡yo no sé
qué te diera por un beso!

Gustavo Adolfo Bécquer
(Español, 1836–1870)

A performing group in the Chicano community of Chicago

* Nouns or adjectives of more than one syllable, which end in **-n** and which do not have an accent mark in the singular, require an accent mark in the plural in order to retain the original stress of the word: **el examen, los exámenes, joven, jóvenes.**

LECCIÓN 

El periódico de la tarde

The newspaper has just been delivered to the Ramírez home. Mrs. Ramírez brings it into her living room and leaves it on the table.

MARGARITA: ¿Han traído ya el periódico de la tarde, mamá?

MADRE: Sí, lo he dejado en la mesa de la sala°.

MARGARITA: No lo veo.

MADRE: Creo que Jorge se lo ha llevado° a su cuarto°.

MARGARITA: Jorge, ¿tienes el periódico?

JORGE: (desde su cuarto) Sí, aquí está.

MARGARITA: ¿Quieres darme la sección de cines?

JORGE: La estoy leyendo yo.

MARGARITA: ¿Es que piensas ir esta tarde al cine?

JORGE: (entrando) Sí, he invitado a María y quiero saber que películas° ponen°.

MARGARITA: ¿Por qué no la llevas a ver El Cid? Creo que es una película muy buena.

JORGE: ¡Ah! Sí, me han hablado de ella. Pero creo que ya no° la ponen.

MARGARITA: Pues, mis amigos Pedro, Luisa y Carlota fueron a verla ayer.

JORGE: Ahora voy a llamar por teléfono para estar seguro°.

sala *living room*
se lo ha llevado *has taken it*
cuarto *room*
películas *films*
ponen *they are showing*
ya no *no longer*
seguro *sure*

Parade at La Paz, Bolivia

Preguntas

1. ¿Está el periódico en la mesa de la sala? 2. ¿Adónde se ha llevado Jorge el periódico? 3. ¿Qué sección del periódico pide Margarita? 4. ¿Por qué no le da Jorge la sección de cines a Margarita? 5. ¿A quién ha invitado Jorge al cine?

Escriba

a. Complete cada frase según el diálogo. Después, escriba toda la frase.

1. He _____ el periódico en la mesa. 2. Jorge se lo ha _____ a su cuarto. 3. La estoy _____ yo. 4. Quiero saber qué películas _____. 5. Voy a llamar por _____ para estar seguro.

b. Ponga en orden lógico la siguiente conversación.

1. Pues mis padres fueron a verla anoche.
2. ¿Piensas ir al cine el sábado?
3. ¡Bien! Voy a llamar por teléfono para estar seguro.
4. ¿Por qué no la llevas a ver EL TIEMPO VUELA en el Capitol? Es una película muy buena.
5. Sí, he invitado a mi amiga pero no sé que películas ponen.
6. Sí, ya lo sé, pero creo que ya no la ponen.

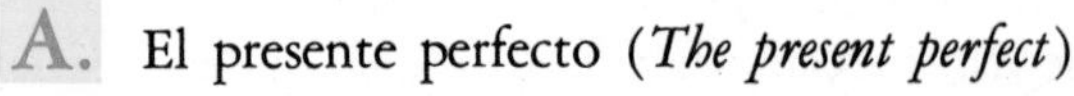

ASPECTOS GRAMATICALES

A. El presente perfecto (*The present perfect*)

Nosotros hemos trabajado mucho. *We have worked hard.*
¿Han comprado ya el regalo? *Have they already bought the gift?*
Ud. no ha comido todavía. *You have not eaten yet.*
Ellos han vivido aquí. *They have lived here.*
Ella ha ido al centro. *She has gone downtown.*
¿Han oído Uds. las noticias? *Have you heard the news?*

CUADRO GRAMATICAL		
Tomar	**Comer**	**Vivir**
he tomado	**he** comido	**he** vivido
has tomado	**has** comido	**has** vivido
ha tomado	**ha** comido	**ha** vivido
hemos tomado	**hemos** comido	**hemos** vivido
habéis tomado	**habéis** comido	**habéis** vivido
han tomado	**han** comido	**han** vivido

The present perfect tense is made up of the present tense of **haber,** *to have,* and the past participle of the main verb.

The regular past participle ends in **-ado** for **-ar** verbs and in **-ido** for the **-er** and **-ir** verbs.

Verbs like **leer, creer, oír,** *etc.,* whose stem ends in a strong vowel (*a, e, o*) have an accent mark over **i** of **-ido: he leído, han oído.**

The helping verb **haber** is never separated from its past participle: **No he recibido la carta.** *I have not received the letter.* **¿Ha comprado Ud. un traje?** *Have you bought a suit?* **Me he quedado en casa.** *I have remained at home.*

Festival—Cuzco, Peru

Sustitución

1. La familia ha comido tarde.
   Los hijos ______________.
   Elena y yo ______________.
   Ud. ______________.
   Yo ______________.
   Vosotros ______________.

2. No ha leído las noticias.
   Uds. ______________.
   Yo ______________.
   ¿Quién ______________?
   Nosotros ______________.
   Tú ______________.

3. Jorge ha pedido el periódico.
   Yo ______________.
   Nosotros ______________.
   Tú ______________.
   Jorge y su hermana ________.

4. Todos se han quedado en casa.
   Yo ______________.
   Nosotros ______________.
   Tú ______________.
   Carlos ______________.

5. El padre ha llegado a casa temprano.
   Yo ______________.
   Uds. ______________.
   Nosotros ______________.
   Tú ______________.

Conteste

1. ¿A dónde ha ido Carlos?

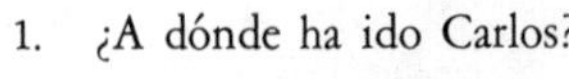

____

2. ¿Qué ha comprado Pilar?

____

Complete (Complete las frases según los modelos.)

Yo voy a trabajar porque no he trabajado todavía.

Juan va a estudiar____________________.
Uds. van a cantar____________________.
Nosotros vamos a ayudar____________________.
Tú vas a hablar____________________.

Tú quieres aprender porque no has aprendido todavía.

Nosotros queremos leer____________________.
Muchos quieren asistir____________________.
Elena quiere vestirse____________________.
Yo quiero oír el programa____________________.

Él quiere empezar.	No ha empezado todavía.
Rosa quiere decidir.	____________________.
Yo quiero bañarme.	____________________.
Los niños quieren dormir.	____________________.
Tú quieres comer.	____________________.

Transformación (Cambie el verbo del tiempo presente al presente perfecto.)

Modelo: ¿Por qué no ayudas a tu mamá?
¿Por qué no has ayudado a tu mamá?

1. ¿Qué periódico leen Uds.? 2. ¿Oye Ud. el timbre? 3. ¿A qué hora llama Juan? 4. Recibo muchas cartas de él. 5. ¿Por qué no vienes? 6. Preparamos una comida deliciosa. 7. Nuestras amigas llegan temprano. 8. Los niños se acuestan a las ocho. 9. Juanita se duerme tarde. 10. Todos van a casa.

Traduzca (Traduzca al español las palabras en inglés.)

1. *¿Have you read* el periódico de hoy? 2. Nuestros amigos *have arrived.* 3. *We have not received* una carta de José. 4. *I have changed* mi programa. 5. La criada *has prepared* la comida. 6. *They have gone* a casa. 7. ¿Quién *has called?* 8. Pepe y yo *have eaten lunch* en la cafetería. 9. *I have discussed* el problema con Jorge. 10. Los niños *have gone to bed.*

¿Qué noticias trae el periódico?

Mr. Ramírez has arrived home after his day's work. He's anxious to read a few pages of the newspaper before supper.

	JORGE Y MARGARITA:	Buenas tardes, papá.
	PADRE:	¿Qué tal? ¿Dónde está mamá?
cocina *kitchen*	**MARGARITA:**	En la cocina°. Está preparando la comida.
	PADRE:	¿Por qué no la ayudas?
	MARGARITA:	Ahora mismo voy.
noticias *news*	**PADRE:**	¿Qué noticias° trae el periódico, Jorge?
	JORGE:	No sé, papá. Solamente he leído la sección de cines. Voy a llevar a María al cine Capitol esta tarde.
	PADRE:	¿Qué película van a ver?
	JORGE:	A las cuatro ponen El Cid.
a ver *let's see*		(Le da a su padre la primera sección del periódico.)
titulares *headlines* perdido *lost* regresa *returns* tramo *section*	**PADRE:**	A ver°. (Se sienta y lee los titulares° en voz alta.) "Se ha encontrado el avión perdido° en las montañas." "El presidente regresa° a la Casa Blanca." "Se ha inaugurado el último tramo° de la Carretera Panamericana."
saliendo *leaving* se me hace tarde *it's getting late*	**JORGE:**	(saliendo°) Hasta luego, papá. Me voy rápidamente porque se me hace tarde°.

Amazon Parrot

Preguntas

1. ¿Quién ha llegado a casa? 2. ¿Por qué va Margarita a la cocina? 3. ¿A qué hora ponen El Cid en el cine Capitol? 4. Según los titulares del periódico, ¿qué se ha encontrado en las montañas? 5. Jorge tiene que salir rápidamente. ¿Por qué?

Sustitución

1. El padre ha llegado a casa.
   ________________ a la oficina.
   ________________ a la sala.
   ________________ al teatro.

2. Se ha encontrado el avión.
   ________________ el periódico.
   ________________ el libro.
   ________________ la revista.

3. He leído la sección de la televisión.
   _______ la sección de cines.
   _______ el periódico.
   _______ los editoriales.

Escriba

Haga una lista de todos los titulares que se hallan en la primera sección del periódico.

Escriba en español algunos titulares que se hallan en el periódico de hoy.

ASPECTOS GRAMATICALES

A. Pronombres como complementos directos e indirectos (*Direct and Indirect Object Pronouns*) (Repaso)

Alicia me ve y me habla. *Alice sees me and speaks to me.*
Juan la ve y le habla. *Juan sees her and speaks to her.*
Arturo los ve y les habla. *Arthur sees them and speaks to them.*

CUADRO GRAMATICAL

Complementos directos e indirectos

DIRECT		INDIRECT	
me	*me*	**me**	(*to*) *me*
te	*you* (*fam.*)	**te**	(*to*) *you* (*fam.*)
le or **lo, la**	*you*	**le**	(*to*) *you*
le or **lo**	*him*	**le**	(*to*) *him*
la	*her*	**le**	(*to*) *her*
lo, la	*it*		
nos	*us*	**nos**	(*to*) us
os	*you* (*fam. pl.*)	**os**	(*to*) *you* (*fam. pl.*)
los, las	*you*	**les**	(*to*) *you*
los, las	*them*	**les**	(*to*) *them*

Note that direct and indirect object pronouns in Spanish differ only in the third person singular and plural.

The indirect object **le** may mean *to him, to her, to you.* It is sometimes necessary to add **a él, a ella,** or **a Ud.** to make the meaning clear: **Le doy un libro a ella.** *I give a book to her.* **Le doy a Ud. un libro.** *I give a book to you.* The indirect object **les** may mean *to them* or *to you* (*pl.*). **A ellos, -as,** or **a Uds.** may be added to make the meaning clear: **Les hablo a ellas.** *I speak to them.*

Object pronouns generally come immediately before the verb: **Pedro no lo ha visto.** *Peter has not seen it.* **¿Me comprende Ud.?** *Do you understand me?*

Note that the indirect object pronoun in English is often not preceded by the word "to": **Juan le da las flores.** *John gives her the flowers* (*to her*).

Repita

(Repita cada frase sustituyendo las palabras en letra bastardilla (*italics*) por un pronombre.)

Modelos: He buscado *la revista.* El padre lee *las noticias.*
La he buscado. El padre **las** lee.

1. Marta tiene *el periódico.* 2. José quiere *la sección de deportes.* 3. Los jóvenes han visitado *las escuelas.* 4. Ellos han admirado *los laboratorios.* 5. Jorge no ha visitado a *su amigo* hoy. 6. Margarita llama *a Alicia* todos los días. 7. La madre ha invitado *a los abuelos.*

Modelos: Carlos ha invitado *a Juana.*
Carlos **la** ha invitado.

He dado mis impresiones *a los reporteros.*
Les he dado mis impresiones.

1. Hemos hablado *al director.* 2. Antonio nunca espera *a su tía.* 3. Yo he visitado *a mis tíos* esta semana. 4. Pedro ha dado los billetes *a sus hermanas.* 5. Yo he enseñado mi vestido nuevo *a María.* 6. La abuela lee un cuento *a los niños.* 7. El poeta dedica sus versos *al Presidente.*

Conteste Conteste las preguntas según los modelos.

Modelos: ¿Me necesita Ud.?
Sí, señor, le (lo) necesito.
Sí, señorita, la necesito.

1. ¿Me espera Ud.? Sí, señor, ________________
2. ¿Me busca Ud.? Sí, señora, ________________
3. ¿Me conoce Ud.? Sí, señor, ________________
4. ¿Me comprende Ud.? Sí, señorita, ________________
5. ¿Me crees, Luis? Sí, José, ________________

Peruvian Indians

Modelos: ¿Nos necesita Ud.?
Sí, señores, los necesito.
Sí, señoras, las necesito.

1. ¿Nos espera Ud.? Sí, señores,_____________________________.
2. ¿Nos ve Ud.? Sí, señores,_______________________________.
3. ¿Nos llama Ud.? Sí, señoritas,___________________________.
4. ¿Nos comprende Ud.? Sí, muchachos,____________________.
5. ¿Nos cree Ud.? Sí, niños,_______________________________.

Traduzca (Traduzca al español las palabras en inglés.)

1. ¿Tiene Ud. mi pluma? *I need it* ahora. 2. *We help him* todos los días. 3. ¿*Have you spoken to her* esta mañana? 4. ¿Dónde están los niños? *I do not see them* en la calle. 5. *They invite her* a la fiesta. 6. *He shows us* las fotografías. 7. La mesera *serves them* los refrescos. 8. Nunca *he understands me.* 9. *He writes to you* con frecuencia. 10. Señora, *we admire you* mucho.

B. Pronombres como complementos en frases imperativas (*Position of object pronouns with commands*) (Repaso)

Póngalo Ud. aquí. *Put it here.*
No lo ponga Ud. allí. *Don't put it there.*

Tráiganme Uds. los papeles. *Bring me the papers.*
No me traigan Uds. los libros. *Don't bring me the books.*

Siéntese Ud. en esta silla. *Sit on this chair.*
No se siente Ud. en el sofá. *Don't sit on the sofa.*

In an affirmative command, the pronoun object follows and is attached to the verb. In a negative command, the pronoun object precedes the verb. Note that when the pronoun object is attached to the verb, an accent mark must be used to indicate the original stress of the verb.

Transformación Cambie las frases según los modelos.

Modelos: Estudie la lección. Lean el párrafo.
Estúdiela. Léanlo.

1. Escriba la composición. 2. Traigan los libros. 3. Vea las fotografías. 4. Hable a Pablo. 5. Conteste a la señorita. 6. Escriban a los jóvenes. 7. Salude al señor. 8. Sirva a sus amigos.

Modelos: Ayúdeme Ud. Levántese Ud. temprano.
No me ayude (Ud). No se levante (Ud.) temprano.

1. Llámenos Ud. mañana. 2. Sírvales Ud. ahora. 3. Dígale Ud. la dirección. 4. Póngalos Ud. en la mesa. 5. Siéntense Uds. aquí. 6. Espérenme Uds. 7. Invítela Ud. a la fiesta. 8. Tráiganlos Uds. a mi casa.

¿Cómo se dice en español?

1. Tell him your address. 2. Don't visit them on Saturday. 3. Show us your present. 4. Do it tomorrow, boys. 5. Anna and George, return your books to the library. 6. It's cold; don't take off your coat. 7. Put on your gloves. 8. Girls, listen to me.

Pequeño repaso (Escriba en español.)

GEORGE: My sister Margaret says that they are showing "El Cid" this afternoon at the Capitol.

MARY: What time is it going to begin?

GEORGE: I've read in the movie section that they are showing the film at 5:00 o'clock. Do you want to go?

MARY: All right. My uncle Harry has arrived from Madrid. I have to be at home by 8:00 o'clock for supper.

GEORGE: Are you going to help your mother prepare the meal?

MARY: Yes, I generally help her.

GEORGE: Well, the film ends at 7:00 o'clock. You are not going to be late.

VARIEDADES

Conversación o composición (Describe the drawing using the functional vocabulary below as a guide. Use the present perfect tense as often as possible.)

EL MUNDO

Periódico de la tarde

SE HA ENCONTRADO EL AVION PERDIDO EN LAS MONTAÑAS.

EL PRESIDENTE REGRESA A LA CASA BLANCA.

Vocabulario funcional

el avión perdido	se ha encontrado
estar seguro,-a	se me hace tarde
leer	la sección de cines
llevar	sentarse (ie)
las noticias	los titulares
la película	el periódico
pensar(ie)	poner la película

Estudio de palabras

Jorge lleva a María al baile. *George takes Mary to the dance.*
El muchacho lleva sus libros a la escuela.
The boy takes (carries) his books to school.
Juan siempre toma mi lápiz. *John always takes my pencil.*
Toma el tren. *He takes the train.*
¿Toma Ud. café o leche? *Do you take coffee or milk?*

The verbs **llevar** and **tomar** mean *to take.* **Llevar** is used when one speaks of taking a person or a thing to a place. **Tomar** means *to take hold of* or *to pick up* a thing. It is also used when one speaks of taking a train, bus, plane, *etc.,* or taking something to eat or to drink.

Traduzca al español las palabras en inglés.

1. El señor Domínguez *takes his wife* a la estación. 2. Mi padre *is going to take the plane.* 3. Los hombres *take their products* al mercado. 4. La señora ofrece dinero al muchacho, pero *he does not take it.* 5. Tomás *takes me to the movies* todos los sábados. 6. *I take orange juice* todas las mañanas. 7. *John takes Lupe* a la escuela en su coche. 8. *The students take their books* a la clase. 9. Mi amigo *takes us to the movies.* 10. *My father takes the train* a las ocho de la mañana.

Las gafas del profesor

En una clase, un muchacho nota que el profesor lleva siempre tres pares de gafas en el bolsillo de la chaqueta. Un día el muchacho le pregunta al profesor:

—Señor Pereda, ¿por qué tiene Ud. tres pares de gafas?

El profesor le contesta:

—Porque los necesito. El primer par me sirve para leer libros, revistas y periódicos. El segundo lo necesito para ver a distancia.

—Y entonces, ¿para qué quiere Ud. el tercer par? —pregunta el muchacho.

¡Ah! —dice el profesor—lo necesito para buscar los otros dos cuando los pierdo.

REFUERZO DEL VOCABULARIO

NOMBRES

la carretera *highway*
el cine *movies*
la cocina *kitchen*
la comida *meal*
el cuarto *room*
la mesa *table*
las noticias *news*
la película *film*
el periódico *newspaper*
la sala *living room*
la sección *section*
la tarde *afternoon*
el teléfono *telephone*
los titulares *headlines*
el tramo *section*

VERBOS

ayudar *to help*
creer *to believe*
dejar *to let, leave*
encontrar (ue) *to meet, find*
hablar *to speak*
inaugurar *to inaugurate, begin*
leer *to read*
llevar *to wear, carry*
pensar (ie) *to think, intend*
preparar *to prepare*
regresar *to return*
saber *to know*
salir *to leave*
sentarse (ie) *to sit down*
traer *to bring, carry*
ver *to see*

ADJETIVOS

bueno, -a *good*
perdido, -a *lost*
primero, -a *first*
seguro, -a *safe, sure*
último, -a *last*

OTRAS PALABRAS

a ver *let's see*
ahora mismo *right now*
en voz alta *in a loud voice*
porque *because*
¿Qué tal? *how are you?*
rápidamente *rapidly, quickly*
se me hace tarde *it's getting late*
solamente *only*
ya no *no longer*

LECCIÓN 

Reporteros de prensa°

prensa *press, media*

Roberto's father, Sr. Alfredo Martínez, is reading a newspaper. He is interested in an article dealing with schools in the United States.

MADRE: (a su esposo) Buenas tardes, Alfredo.

PADRE: Buenas tardes, María. ¿Cómo estás?

MADRE: Un poco cansada. ¿Qué hay de nuevo° en el periódico?

PADRE: Hay un artículo que debe leer Roberto.

MADRE: ¿De qué trata°?

PADRE: De un grupo de estudiantes chilenos que están de visita en nuestra ciudad.

ROBERTO: Sí, han visitado ya nuestra escuela. Les ha impresionado mucho nuestro laboratorio y han admirado el gimnasio.

PADRE: Han tenido una entrevista° con los reporteros de la prensa y han dado sus impresiones de nuestras escuelas.

ROBERTO: ¿Qué han dicho de los estudiantes?

PADRE: Dicen que en nuestras escuelas dedicamos demasiado° tiempo a las actividades sociales y a los deportes.

ROBERTO: Yo he oído decir° que los jóvenes latinoamericanos son también muy aficionados° a los deportes.

PADRE: Sí, pero los deportes no forman parte de su programa escolar°.

¿Qué hay de nuevo? *What's new?*

¿De qué trata? *What's it about?*

entrevista *interview*

demasiado *too much*

yo he oído decir *I have heard*

aficionados *fond (sports fans)*

escolar *school (adj.)*

Angel Falls, Venezuela

Preguntas

1. ¿Hay noticias importantes en el periódico? 2. ¿Qué artículo debe leer Roberto? 3. ¿Qué admiran los chilenos en nuestras escuelas? 4. ¿Qué piensan de los estudiantes norteamericanos? 5. ¿Somos nosotros aficionados a los deportes?

Sustitución

1. ¿Qué hay de nuevo en la escuela hoy?
   ¿________________ la clase hoy?
   ¿________________ casa hoy?
   ¿________________ el periódico hoy?

2. He oído decir que vamos a tener un examen.
   ________________ el profesor quiere verme.
   ________________ un reportero quiere hablar conmigo.
   ________________ unos estudiantes están de visita.

Oil Rigs, Maracaibo, Venezuela

ASPECTOS GRAMATICALES

A. El presente perfecto (continuación)

Participios pasados irregulares		
INFINITIVO	**PARTICIPIO**	**PAST PARTICIPLE**
descubrir	descubierto	*discovered*
cubrir	cubierto	*covered*
romper	roto	*broken, torn*
volver	vuelto	*returned (to a place)*
devolver	devuelto	*returned (something)*
decir	dicho	*said, told*
hacer	hecho	*done, made*
abrir	abierto	*opened*
escribir	escrito	*written*
ver	visto	*seen*
morir	muerto	*died*
poner	puesto	*put, placed*
freír	frito	*fried*

Conteste (Conteste según los modelos.)

Modelo: ¿Quién ha visto el periódico? (Mi padre)
Mi padre ha visto el periódico.

1. ¿Quién ha escrito el artículo? El reportero ________________.
2. ¿Quién ha puesto las flores en la mesa? Nosotros ____________.
3. ¿Quién ha vuelto a casa tarde? Mi hermano ______________.
4. ¿Quién ha frito el pollo? Mi madre ____________________.
5. ¿Quién ha roto el vaso? Tú ________________________.
6. ¿Quiénes han hecho el mejor trabajo? Juan y Pedro ________.
7. ¿Quién ha muerto esta mañana? El señor Martín __________.
8. ¿Quiénes han abierto todas las ventanas? Jorge y Antonio ____.

9. ¿Quién ha dicho eso? Yo____________________.
10. ¿Quiénes han devuelto estos libros? Vosotros________________.

Modelo: ¿Va Ud. a abrir las ventanas? (Ya)
Ya he abierto las ventanas.

1. ¿Va Ud. a poner la mesa? Ya________________.
2. ¿Va Ud. a escribir el ejercicio? Ya________________.
3. ¿Vas (tú) a decir la verdad? Ya________________.
4. ¿Vas a hacer el trabajo? Ya________________.
5. ¿Van Uds. a devolver el dinero? Ya________________.
6. ¿Van Uds. a ver la exhibición? Ya________________.
7. ¿Van los jóvenes a descubrir el secreto? Ya________________.
8. ¿Van los muchachos a romper la piñata? Ya________________.
9. ¿Va Alicia a volver a la ciudad? Ya________________.
10. ¿Va María a leer el libro? Ya________________.

Conteste

a. Conteste las preguntas usando los pronombres complementos directos.

Modelo: ¿Has escrito la carta? (No)
No, no, **la** he escrito.

1. ¿Has visto mi sombrero?
No, no____________.

2. ¿Quién ha puesto la radio?
Yo________________.

3. ¿Habéis hecho la tarea?
No, no ______ todavía.

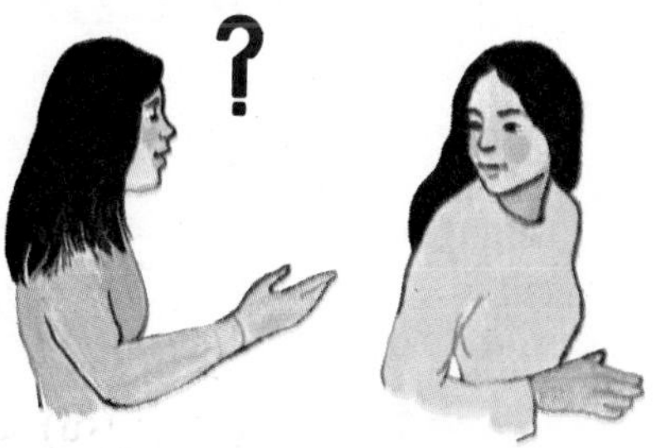

4. ¿Quién ha dicho eso?
Yo no ______.

b. Conteste las preguntas según las indicaciones.

Modelos: ¿Tienes *mi pluma?* (No)
No, no **la** tengo.

¿Has escrito *a María?* (Sí)
Sí, **le** he escrito.

1. ¿Quién ha visto *al profesor?* (Nadie) 2. ¿Qué has dado *a Juan?* (nada) 3. ¿Has abierto *las ventanas* de la clase? (Sí) 4. ¿A qué hora *nos* esperan? (a las cuatro) 5. ¿Cuándo *nos* han mandado la invitación? (esta mañana) 6. ¿Quién *me* ha llamado? (Tu amiga Alicia) 7. ¿Qué *te* ha dicho Alicia? (nada) 8. ¿Qué *les* ha leído la profesora? (una carta interesante) 9. ¿Quién ha escrito *la carta?* (Un reportero) 10. ¿Cuándo ha devuelto la profesora *los papeles?* (esta tarde)

¿Cómo se dice en español?

1. Dolores hasn't returned home. 2. Who hasn't opened his book? 3. I haven't seen today's paper. 4. Why haven't they written to us? 5. What have you (*fam.*) discovered there? 6. They have always told the truth. 7. The boys haven't done the work for tomorrow. 8. Have you torn your new dress? 9. Where have you put the books? 10. Has the teacher returned the papers?

Un artículo en la prensa mexicana

Roberto Martínez and his friend Felipe are talking about an article appearing in the Mexican newspaper, El Mundo. The story concerns Latin American students attending the University of Mexico.

ROBERTO: ¿Has hablado con Ricardo?

FELIPE: No, no lo he visto hoy. ¿Qué hay de nuevo?

ROBERTO: Su hermano Pablo, que es reportero de prensa, ha vuelto de México.

FELIPE: Ricardo me ha dicho que Pablo ha escrito un artículo para la prensa mexicana.

ROBERTO: Sí, yo lo he leído. He oído que Pablo ha visitado la Universidad de México.

FELIPE: Sí, el artículo es sobre sus impresiones de la Universidad.

ROBERTO: ¿Qué dice de los estudiantes?

según él *according to him*

FELIPE: Según él°, los latinoamericanos toman sus estudios más en serio que nosotros.

ROBERTO: ¿Va a hablar en nuestro club?

FELIPE: Sí, María quiere invitarlo.

Preguntas

1. ¿Quién es Pablo? 2. ¿De qué trata el artículo para la prensa mexicana? 3. Según Pablo, ¿quiénes toman sus estudios más en serio? 4. ¿Adónde va a hablar el reportero? 5. ¿Quién quiere invitarlo a hablar allí?

Sustitución

1. ¿Ha vuelto de México el hermano de Roberto?
   ¿________________ los amigos de Felipe?
   ¿________________ nosotros?
   ¿________________ Pablo y Enrique?

2. ¿Han escrito ellos un artículo del programa escolar?
   ¿__________ tú ______________________________?
   ¿__________ ella ____________________________?
   ¿__________ Uds. ____________________________?

3. ¿Qué han dicho los reporteros?
   ¿_____________ tu padre?
   ¿_____________ nuestras amigas?
   ¿_____________ tú?

4. ¿Por qué no lo ha visto Ud.?
   ¿____________________ tu hermana?
   ¿____________________ nosotros?
   ¿____________________ tu madre y María?

Traduzca

1. she has returned 2. have you seen? 3. I have broken 4. we have written 5. they have not put 6. who has opened? 7. they have discovered 8. we have not done 9. I have covered 10. he has said

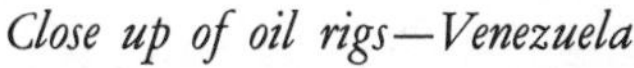

Close up of oil rigs—Venezuela

Preguntas personales

1. ¿Dedica Ud. demasiado tiempo a los deportes? 2. ¿Es Ud. aficionado a la música popular? 3. ¿Le gusta a Ud. leer editoriales de política hispanoamericana? 4. ¿Hay artículos acerca de la América Latina en los periódicos de su ciudad? 5. ¿Tienen los periódicos buenos reporteros? 6. ¿Vienen algunos latinoamericanos de visita a su ciudad?

Pequeño repaso (Escriba en español.)

ROBERT: Have you read the afternoon newspaper?
PETER: No, I haven't seen it.
ROBERT: There is an interesting article that deals with the group of Chilean students who have visited our school.
PETER: What have they said about the school?
ROBERT: In general, it has impressed them a great deal.
PETER: Has the reporter written about their impressions of our sports program?
ROBERT: Yes, they have said that we dedicate too much time to sports in the school program.
PETER: I don't understand it. I have heard that Latin Americans are also fond of sports. I must read the article.

ASPECTOS GRAMATICALES

A. Adverbios

valiente *valiant* — **valientemente** *valiantly*
general *general* — **generalmente** *generally*
probable *probable* — **probablemente** *probably*
rápido, -a *rapid* — **rápidamente** *rapidly*
raro, -a *rare* — **raramente** *rarely*
desgraciado, -a *unfortunate* — **desgraciadamente** *unfortunately*

Spanish adverbs are generally formed by adding **-mente** to the feminine singular form of the adjective. The ending **-mente** corresponds to the *-ly* ending of the English adverb.

con frecuencia or **frecuentemente** *frequently*
con cuidado or **cuidadosamente** *carefully*

Some English adverbs ending in *-ly* may be expressed in Spanish by **con** plus a noun.

apenas *scarcely, hardly*
aprisa *quickly, fast*
de pronto } *suddenly*
de repente }
despacio *slowly*
en seguida *immediately*

mal *badly*
por fin *finally*
por lo general *generally*
sobre todo *especially*
sólo *only*

Some English adverbs ending in *-ly* are also expressed in other ways in Spanish.

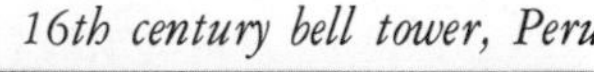

16th century bell tower, Peru

Escriba (Forme adverbios de los siguientes adjetivos.)

1. correcto 2. reciente 3. claro 4. preciso 5. igual 6. grave 7. atento 8. actual 9. vigoroso 10. afortunado

Traduzca

a. Traduzca al inglés.

1. con elegancia 2. con prisa 3. con atención 4. con cuidado 5. con paciencia 6. con razón 7. con diligencia 8. con facilidad

b. Traduzca al español.

1. suddenly (2 ways) 2. badly 3. attentively (2 ways) 4. scarcely 5. immediately (2 ways) 6. carefully (2 ways) 7. easily (2 ways) 8. only (2 ways) 9. especially (2 ways) 10. frequently (2 ways)

B. Usos de **¡qué!** en exclamaciones

¡Qué valor! *What courage!*
¡Qué muchacho! *What a boy!*
¡Qué muchacho tan (más) raro! *What a strange boy!*
¡Qué bonito! *How pretty!*
¡Qué bien toca! *How well he plays!*

¡Qué! used as an exclamation before a noun means *What!* or *What a!* If an adjective follows the noun, **tan** or **más** is used before the adjective for greater emphasis.

¡Qué! used as an exclamation with an adjective or adverb means *How!*

¿Cómo se dice en español?

1. How interesting! 2. What luck! 3. How pretty! 4. What a tall man he is! 5. What a pity! 6. How slowly you eat! 7. How big they are! 8. How tired I am!

VARIEDADES

Conversación o composición

Describe the drawing using the functional vocabulary below as a guide. Use the present perfect tense and include irregular past participles.

Vocabulario funcional

los aficionados	he oído decir
un artículo	impresionar
¿De qué trata?	las impresiones
demasiado	invitar
en serio	la prensa
escolar	el programa
los estudios	el reportero
el grupo de estudiantes	volver (ue)

Estudio de palabras

jugar	*to play*	**el juego**	*game*
forzar	*to force*	**la fuerza**	*force*
nevar	*to snow*	**la nieve**	*snow*

Some stem-changing verbs have a corresponding noun with a similar stem change.

Give the noun derived from each of the following verbs and its English equivalent.

1. encontrar 2. contar 3. consolar 4. recordar 5. gobernar 6. almorzar 7. comenzar 8. volar 9. soñar (*to dream*) 10. morir 11. mostrar 12. volver 13. doler 14. reconocer

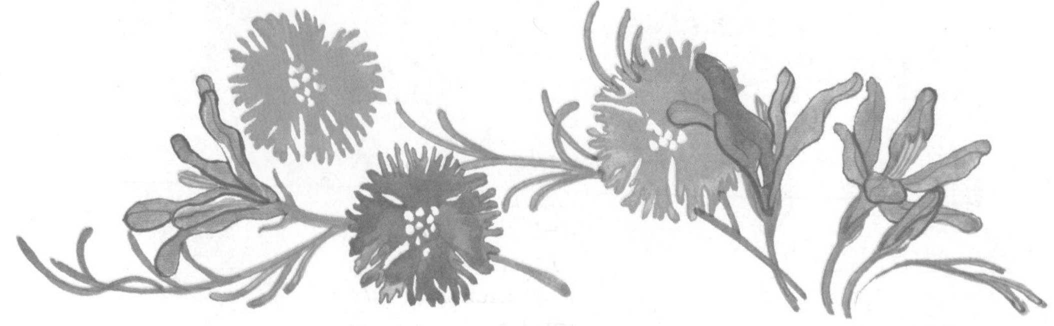

Tres Andaluces

Se dice que a los andaluces les gusta contar cosas exageradas.

Un día se paseaban tres andaluces por el campo, cuando uno de ellos dijo: —Miren aquella iglesia a lo lejos. ¿Ven ustedes el insecto que está allí en la torre?

hormiga *ant*

—Sí—respondió el segundo. —Lo veo muy bien. Es una hormiga°. Ahora sube, ahora baja.

El tercero dijo: —Señores, yo no tengo los ojos tan buenos como los de ustedes. No puedo ver la hormiga; pero puedo oír muy bien sus pasos.

REFUERZO DEL VOCABULARIO

NOMBRES

la actividad *activity*
el aficionado *sports fan*
el artículo *article*
la ciudad *city*
el club *club*
el deporte *sport*
la entrevista *interview*
la escuela *school*
el (la) estudiante *student*
el gimnasio *gymnasium*
el grupo *group*
la hormiga *ant*
la impresión *impression*
el joven *young man*
el laboratorio *laboratory*
el reportero *reporter*
el tiempo *time*
la universidad *university*

ADJETIVOS

aficionado, -a *fond of*
cansado, -a *tired*
escolar *school*
nuestro, -a *our*
nuevo, -a *new*
social *social*

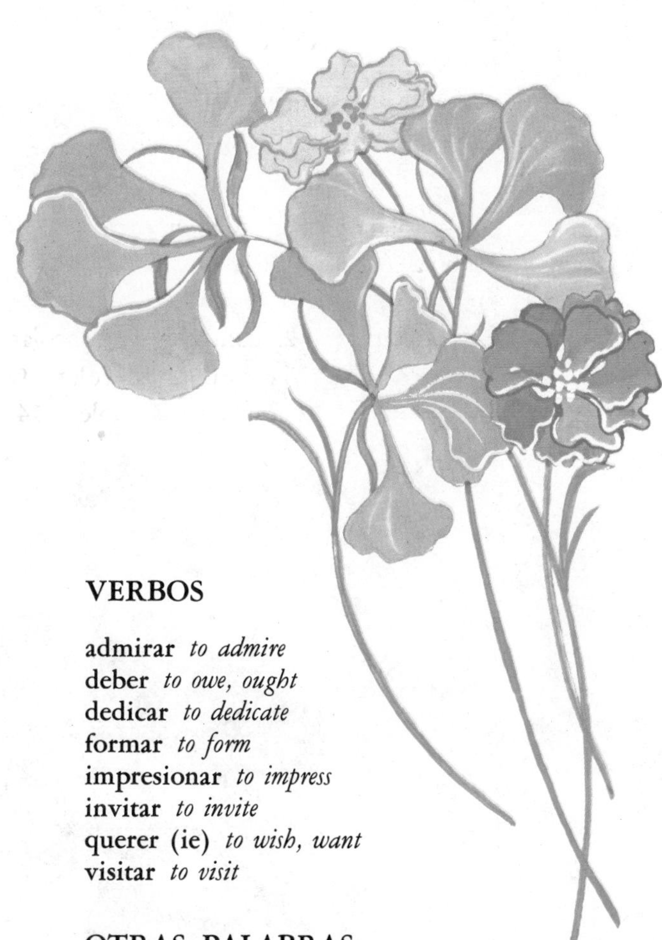

VERBOS

admirar *to admire*
deber *to owe, ought*
dedicar *to dedicate*
formar *to form*
impresionar *to impress*
invitar *to invite*
querer (ie) *to wish, want*
visitar *to visit*

OTRAS PALABRAS

demasiado, -a *too, too much*
en serio *seriously*
estar de visita *to be visiting*
oír decir que *to hear that*
¿qué hay de nuevo? *What's new?*
según *according to*
sobre *about*
también *also, too*

LECCIÓN 

El campeonato° de liga

campeonato *championship*

Antonio Robles and Felipe Hernández, two students from the Roberto Clemente Senior High School, are great soccer fans. They attend nearly every game. Their school has an excellent team this year.

ANTONIO: Felipe, ¿asistirás al partido de fútbol la semana próxima?

FELIPE: ¡Desde luego°! Estaré allí sin falta°.

ANTONIO: La escuela Madison tiene un buen equipo° este año.

FELIPE: Siempre han sido nuestros rivales más formidables.

ANTONIO: Si vencemos° a Madison, ganaremos el campeonato de la liga.

FELIPE: Mañana hay una reunión en el salón de actos° para los jugadores°.

ANTONIO: El equipo necesitará el apoyo° de todos los alumnos.

FELIPE: Seguramente el entrenador° hablará y presentará al capitán del equipo.

ANTONIO: Sí, y la banda tocará canciones escolares.

FELIPE: Entonces, te veré mañana en el salón de actos.

desde luego *of course*
sin falta *without fail*
equipo *team*
vencemos *we beat*
salón de actos *auditorium*
jugadores *players*
apoyo *support*
entrenador *trainer*

Festival of Harpists, Peru

Escriba (Complete las siguientes frases. Después, escriba toda la frase.)

1. "¡Desde luego!" quiere decir ____. 2. La escuela tiene un buen equipo este ____. 3. Nuestro equipo necesita el ____ de todos los alumnos. 4. La banda tocará ____ escolares. 5. Esperamos ganar el campeonato de la ____.

Traduzca (Traduzca al español las palabras en inglés.)

1. Nuestro equipo ganará *the championship* de la liga. 2. Estará en el partido *without fail.* 3. Sin duda *will attend* mucha gente. 4. El director va a hablar a los estudiantes *in the auditorium.* 5. Hay una reunión para *the players* también.

ASPECTOS GRAMATICALES

A. El futuro

Esperaré aquí hasta las cuatro. *I will wait here until four.*
Iré a su casa. *I shall go to your house.*
Preparará y servirá la comida. *She will prepare and serve the meal.*
Devolveremos los libros mañana. *We shall return the books tomorrow.*

CUADRO GRAMATICAL		
Hablar	**Aprender**	**Escribir**
hablar**é**	aprender**é**	escribir**é**
hablar**ás**	aprender**ás**	escribir**ás**
hablar**á**	aprender**á**	escribir**á**
hablar**emos**	aprender**emos**	escribir**emos**
hablar**éis**	aprender**éis**	escribir**éis**
hablar**án**	aprender**án**	escribir**án**

The future tense has one set of endings for all verbs. Verbs that are regular in the future, add the future endings to the infinitive form of the verb: **comeré,** *I shall eat;* **recibirá,** *he will receive;* **irán,** *they will go.* (Note the accent marks on all the future endings except **-emos.**)

Sustitución

1. Compraremos esa casa.
   Yo ______________________.
   Uds. ______________________.
   Nosotros ______________________.
   Antonio y su amigo __________.

2. Dejaré la maleta aquí.
   Marta y yo ____________ .
   Tú ______________________.
   Los alumnos ______________.
   El señor __________________.

3. Esta tarde ellos oirán la banda.
   ________ nosotros __________.
   ________ yo ______________.
   ________ Antonio __________.
   ________ tú ______________.

4. Veremos la comedia el lunes.
   Yo ______________________.
   Ana y Ricardo ____________.
   Ud. ______________________.
   Tú ______________________.

Transformación (Cambie las frases según el modelo.)

Modelo: Mucha gente va a asistir al partido.
Mucha gente asistirá al partido.

1. Voy a escribir la carta mañana. 2. Vamos a esperar quince minutos. 3. ¿A qué hora vas a regresar? 4. Uds. no van a llegar a tiempo. 5. Vamos a estar aquí a eso de las tres. 6. Voy a levantarme temprano. 7. Ellos van a ayudarnos. 8. Tú no vas a pagarlo.

Traduzca (Traduzca al español las palabras en inglés.)

1. *He will write* la carta. 2. *They will find* a sus amigos. 3. *We shall wait* aquí. 4. Los niños *will sleep* en esta cama. 5. *I shall play* al tenis esta tarde. 6. *She will serve* una comida deliciosa. 7. ¿A qué hora *will you return?* 8. El tren *will arrive* a las nueve.

Una fiesta para celebrar la victoria

The captain of the team, Ricardo Romero, invites his friend Ana to a victory party to celebrate Clemente High School's victory over Madison. Does Ana accept Ricardo's invitation?

- qué tal *how*
- estupendo *marvelous*
- resultado *score*
- habrá *there will be*
- buscarme *to call for me*
- a eso de *at about*

ANA: Buenas tardes, Ricardo. ¿Qué tal° fue el partido de fútbol?

RICARDO: ¡Estupendo°!

ANA: ¿Cuál fue el resultado°?

RICARDO: Vencimos a Madison por catorce a siete.

ANA: Habrá° una fiesta para celebrar la victoria, ¿verdad?

RICARDO: Sí, tendremos un baile mañana por la noche en el gimnasio. ¿Quieres acompañarme?

ANA: Con mucho gusto. ¿Cuándo vendrás a buscarme°?

RICARDO: A las ocho. Pedro y María quieren ir al baile con nosotros.

ANA: ¡Qué bien! Son muy simpáticos. ¿A qué hora regresaremos a casa? Mis padres querrán saberlo.

RICARDO: A ver. Saldremos del baile a las doce y después tomaremos algún refresco. Creo que podrás estar en casa a eso de° la una.

ANA: Será un poco tarde, pero estoy segura de que mis padres no dirán nada porque saben que ésta es una ocasión especial.

RICARDO: Entonces, hasta mañana.

Escriba (Complete las siguientes frases. Después, escriba toda la frase.)

1. Después _____ partido habrá una fiesta. 2. ¿Cuándo vendrás _____ buscarme? 3. Pedro y María quieren ir _____ baile con nosotros. 4. Saldremos _____ salón de actos a las once. 5. Tendremos un baile mañana _____ la noche.

ASPECTOS GRAMATICALES

A. Verbos irregulares en el futuro

CUADRO GRAMATICAL			
	INFINITIVO	**RADICAL**	**TERMINACIONES**
to be able, can	poder	podr-	**É**
to know (facts)	saber	sabr-	**ÁS**
to wish, want	querer	querr-	**Á**
to have (auxiliary)	haber	habr-	**EMOS**
Note that the **e** of the infinitive ending is dropped.			**ÉIS**
to have	tener	tendr-	**ÁN**
to put, place	poner	pondr-	
to come	venir	vendr-	
to leave	salir	saldr-	
to be worth	valer	valdr-	
Note that **d** replaces **e** or **i** of the infinitive ending.			
to say, tell	decir	dir-	
to do, make	hacer	har-	
Note that in **decir** the **ec** is dropped and in **hacer** the **ce** is dropped.			

B. El futuro perfecto

The future tense of **haber** followed by a past participle of the main verb forms the future perfect tense: **habré terminado,** *I shall have finished;* **habrán comenzado,** *they will have begun.* When **habrá** is used alone it means *there will be.*

Sustitución

1. Alberto no podrá ir esta noche.
   Uds.____________________.
   Yo____________________.

2. Carlos sabrá la dirección.
   Tú____________________.
   Yo____________________.

3. Alicia querrá oír la música.
   Ellos____________________.
   Yo____________________.

4. ¿Qué haremos sin dinero?
   ¿__________ (yo)____?
   ¿__________ (Uds.)___?

5. ¿Quién vendrá el domingo?
   María y yo_______________.
   Tú____________________.

6. Tendremos buena suerte.
   Yo____________________.
   Uds.____________________.

7. ¿Dónde pondrán Uds. el piano?
   ¿__________ nosotros____?
   ¿__________ el hombre___?

8. Él no dirá nada.
   Tú_______________.
   Nosotros________.

Conteste (Conteste las preguntas según los modelos.)

Modelo: ¿Cuándo vas a llegar?
Llegaré dentro de una hora.

1. ¿Cuándo vas a poner la mesa? 2. ¿Cuándo vas a venir? 3. ¿Cuándo vas a hacer el trabajo? 4. ¿Cuándo vas a querer el libro? 5. ¿Cuándo vas a salir?

Modelo: ¿Cuándo van a pagar?
Pagarán algún día.

1. ¿Cuándo van a saber la verdad? 2. ¿Cuándo van a tener el dinero? 3. ¿Cuándo van a poder ir? 4. ¿Cuándo van a decir lo que pasó? 5. ¿Cuándo van a volver?

Traduzca (Traduzca al español las palabras en inglés.)

1. ¿*Will you* (Uds.) *come* temprano? 2. Mañana el presidente *will make* un discurso. 3. *We shall tell* la verdad. 4. *I shall not be able* ir al cine con Ud. 5. Tú *will have to work* el miércoles. 6. ¿*Will they want* salir esta noche? 7. Nadie *will know* la diferencia entre los dos. 8. *They will leave* mañana. 9. ¿Dónde *shall we put* las flores? 10. *There will be* una reunión el domingo.

Conteste (Give the correct form of the future tense for the verb between parentheses and answer the question.)

Modelo: ¿(decir) Ud. la verdad?
¿Dirá Ud. la verdad?
Sí, diré la verdad.

1. ¿(haber) mucha gente en la fiesta?
¿____________________?
Sí, ____________________.

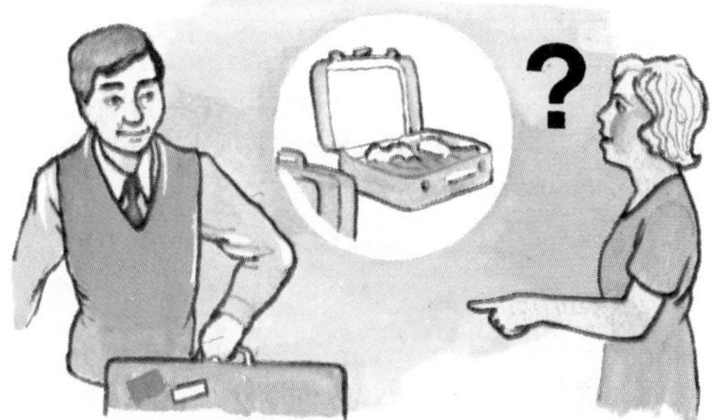

2. ¿(hacer) las maletas esta noche?
¿____________________?
Sí, ____________________.

3. ¿(saber) usar esta máquina?
¿____________________?
Sí, ____________________.

C. Uso del futuro para indicar probabilidad (*Future of probability*)

Estará ocupado hoy. *He is probably busy today.*
¿Quién será? *Who can it be?*
Serán hermanos. *They are probably brothers.*
¿Cuántos años tendrá? *I wonder how old he is.*

The future tense is sometimes used to imply probability in the present.

Traduzca (Traduzca al inglés usando una expresión de probabilidad.)

Modelos: Serán muy ricos. *They are probably very rich.* ¿Estará en casa? *I wonder if he is at home.*

1. ¿Qué hora será? 2. Tendrá unos quince años. 3. Serán las nueve. 4. ¿Estarán enojados? 5. Valdrá cinco dólares. 6. ¿Dónde estarán? 7. ¿Será posible? 8. Los niños tendrán hambre. 9. Aquella mujer será su esposa. 10. Elena podrá hacerlo.

D. Pronombres demostrativos (*Demonstrative pronouns*) (Repaso)

aquella casa y ésta *that house and this (one)*
este libro y ése *this book and that (one)*
estos edificios y aquéllos *these buildings and those*

CUADRO GRAMATICAL				
	SINGULAR		PLURAL	
this one	**éste**	(m.)	**éstos**	*these*
	ésta	(f.)	**éstas**	
that one	**ése**	(m.)	**ésos**	*those*
	ésa	(f.)	**ésas**	
that one	**aquél**	(m.)	**aquéllos**	*those*
	aquélla	(f.)	**aquéllas**	

The demonstrative pronouns require a written accent mark to distinguish them from the demonstrative adjectives. Demonstrative pronouns must agree in gender and number with the nouns for which they stand.

1. Esta secretaria es bilingüe.

2. Ésa es bilingüe también.

3. Aquélla no es bilingüe.

1. No me gusta este jugador.

2. Prefiero ése.

3. Aquél es simpático también.

E. Pronombres demostrativos **esto, eso, aquello** (Neuter forms)

¿Qué es esto? *What is this?*
¿Por qué me preguntas eso? *Why do you ask me that?*
Aquello no es importante. *That is not important.*

Esto, *this,* and **eso, aquello,** *that,* are neuter forms of the demonstrative pronouns; they are used when referring to an idea, a general statement, or a thing not specifically mentioned.

The neuter forms of the demonstrative pronouns end in **o** and do not require a written accent mark.

Complete

a. Complete según los modelos.

No me gustan estos zapatos; prefiero ésos.
No me gusta esta silla; prefiero ésa.

1. No me gusta este asiento; ________________.
2. No me gustan estas fotografías; ________________.
3. No me gustan estos dulces; ________________.
4. No me gusta esta blusa; ________________.

¿Tienes el libro de Juan? ¿Tienes tus papeles?
Sí, éste es su libro. Sí, éstos son mis papeles.

1. ¿Tienes las invitaciones? Sí, ________________.
2. ¿Tienes tu bolsa? Sí, ________________.
3. ¿Tienes los discos? Sí, ________________.
4. ¿Tienes mi pluma? Sí, ________________.

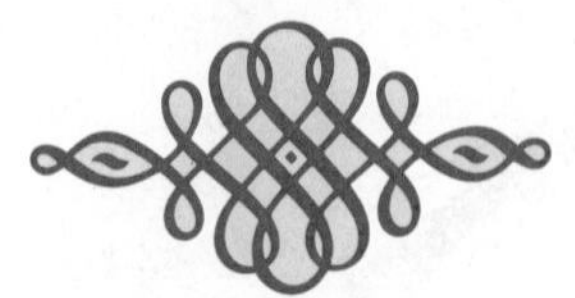

b. Complete con la forma correcta.

1. ¿Qué piensa Ud. de *that*? (ése, eso)
2. ¿Quiere Ud. comprar ese abrigo o *this one*? (éste, este)
3. *That* es el camino más corto. (Aquél, Aquello)
4. No me gustan estos zapatos; prefiero *those*. (ésos, aquellos)
5. No sabía *this*. (eso, esto)
6. *These* son casas coloniales. (Ésas, Éstas)
7. *This* es la lección de hoy. (Esto, Ésta)
8. Este sombrero es más bonito que *that one*. (aquello, ése)
9. Estas flores son violetas; *those* son orquídeas. (ésas, aquellas)
10. Dijo que *that* fue necesario. (eso, ése)

¿Cómo se dice en español?

1. Those are my books. 2. Do you believe that? 3. Which movie do you wish to see, this one or that one? 4. He receives many letters; some of those are from foreign countries. 5. This was the most exciting game of the year. 6. Do you like these pictures or those? 7. This is impossible. 8. That is my favorite song. 9. I prefer this chair to that one. 10. Take these seats; those are reserved.

Preguntas personales

1. ¿Le gusta asistir a los partidos de fútbol? 2. ¿Tienen Uds. un buen equipo? 3. ¿Quién es el mejor jugador del equipo de fútbol? 4. ¿Esperan Uds. ganar el campeonato el año próximo? 5. ¿Qué sucede cuando su escuela gana un partido de fútbol? 6. ¿Asisten Uds. a muchas reuniones en el salón de actos? 7. ¿Tienen bailes en la escuela? 8. ¿A qué hora tiene Ud. que regresar a casa? 9. ¿Tendrá Ud. que asistir a la escuela mañana? 10. ¿A qué hora saldrá Ud. de casa? 11. ¿Estará Ud. ocupado mañana? 12. ¿Vendrá su amigo a su casa?

Pequeño repaso (Escriba en español.)

ROBERT: I shall not be able to go to the football game with you next week.

EDWARD: What happened?

ROBERT: I am sick and the doctor said that I shall have to stay at home.

EDWARD: What a shame! It seems that you always have bad luck.

ROBERT: Tom and Mike are probably going. We need everyone's support.

EDWARD: Of course! This is the last game of the year.

ROBERT: I believe that we shall win the championship.

EDWARD: Why do you say that?

ROBERT: Because we have an excellent team.

EDWARD: At what time will the game begin?

ROBERT: At about eight. What will you do after the game?

EDWARD: We are probably going to a restaurant.

ROBERT: I am sure that you will have a good time.

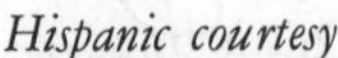

Hispanic courtesy

VARIEDADES

Conversación o composición

Describe the drawing using the functional vocabulary below as a guide. Use regular and irregular verbs in the future tense.

Vocabulario funcional

el apoyo
asistir (a)
el baile
la banda
el entrenador
el equipo
el gimnasio
habrá
próximo, -a
el resultado
los rivales
salir
el salón de actos
sin falta
tocar
vencer

Estudio de palabras

Viene a las tres de la tarde. *He comes at three in the afternoon.*
Estudio por la tarde. *I study in the afternoon.*

The phrase *in the morning* (*afternoon, evening*) is translated by **de la mañana (tarde, noche)** when a definite hour is stated; the phrase **por** or **en la mañana (tarde, noche)** is used when no specific hour is given.

Traduzca al español las palabras en inglés.

1. Mi hermanito duerme *in the afternoon.* 2. Salgo de la casa a las siete *in the morning.* 3. Son las ocho *in the evening.* 4. Me levanto tarde *in the morning.* 5. El avión llega a las tres y cuarto *in the afternoon.* 6. Me gusta leer *in the evening.* 7. Voy a ver a mi amigo *in the morning.*

Versos

Romancillo

La más bella niña
de nuestro lugar,
hoy viuda y sola
y ayer por casar,
viendo que sus ojos
a la guerra van,
a su madre dice
que escucha su mal:
¡Dejadme llorar
a orillas del mar!

Luis de Góngora
(Español, 1561–1627)

REFUERZO DEL VOCABULARIO

NOMBRES

el (la) alumno (-a) *student*
el apoyo *support*
el baile *dance*
la banda *band*
el campeonato *championship*
la canción *song*
el capitán *captain*
el entrenador *trainer, coach*
el equipo *team*
la fiesta *party*
el fútbol *football, soccer*
el jugador *player*
la liga *league*
la ocasión *occasion, opportunity*
el partido *game*
el refresco *refreshment*
el resultado *result*
la reunión *reunion*
el rival *rival*
el salón de actos *auditorium*
la semana *week*
la victoria *victory*

ADJETIVOS

alguno, -a *some*
especial *special*
estupendo, -a *marvelous*
formidable *formidable*
próximo, -a *next*
simpático, -a *nice*

VERBOS

acompañar *to accompany*
asistir *to attend*
buscar *to look (call) for*
celebrar *to celebrate*
ganar *to win*
necesitar *to need*
presentar *to present*
regresar *to return*
tocar *to play (an instrument)*
vencer *to conquer, win, beat*

OTRAS PALABRAS

a casa *home*
a eso de *at about*
con mucho gusto *with much pleasure*
desde luego *of course*
después *afterwards, later*
entonces *then, next*
éste *this one*
mañana *tomorrow*
¿qué tal? *what's new?*
seguramente *surely*
sin falta *without fail*
venir a buscarme *to come to call for me*

LECCIÓN 

Una visita imprevista°

imprevista *unexpected*

Ricardo Romero and his friend Alberto planned to go fishing. Ricardo is impatient because Alberto is so late. When he finally arrives, does he offer Ricardo a good excuse for his delay?

ALBERTO: Hola, Ricardo. ¿Qué tal?

RICARDO: ¿Qué pasó? ¿Por qué llegas tan tarde? ¿No me dijiste que iríamos de pesca° esta mañana?

ALBERTO: Sí, Ricardo, lo siento mucho. No fue culpa° mía. Recibimos un telegrama de mi tío Ernesto avisándonos° que llegaría hoy a las diez de la mañana con su familia.

iríamos de pesca *we would go fishing*
culpa *fault*
avisándonos *informing us*

RICARDO: ¿Han llegado ya?

ALBERTO: Sí, mi padre y yo fuimos al aeropuerto a buscarlos. Tú recuerdas a mis primas Alicia y Marta, ¿verdad?

RICARDO: ¡Ya lo creo! Alicia me escribió una carta después de su visita el año pasado y me dijo que volvería este verano.

ALBERTO: Ella me preguntó por ti°.

preguntó por ti *asked about you*

RICARDO: Me gustaría ir a saludarla.

ALBERTO: ¿Puedes venir a cenar con nosotros esta noche?

RICARDO: Muchas gracias. ¿A qué hora?

ALBERTO: A eso de las seis. Mi madre dijo que comeríamos temprano porque después mis tíos quieren visitar a unos amigos suyos.

Street scene—Cuzco, Peru

Preguntas

1. ¿Por qué llegó tarde Alberto? 2. ¿Qué querían hacer los dos muchachos? 3. ¿A qué hora llegarían los tíos? 4. ¿Cuándo conoció Ricardo a las dos muchachas? 5. ¿Por qué iba a cenar temprano la familia?

Escriba (Complete las siguientes frases. Después, escriba toda la frase.)

1. Siempre voy al aeropuerto cuando ____. 2. Recibimos un telegrama avisándonos que ____. 3. No fue culpa mía porque ____. 4. Mi madre nos dijo que comeríamos temprano porque ____. 5. Lo siento mucho, pero no puedo ____.

ASPECTOS GRAMATICALES

A. El condicional

Ernesto dijo que iría de pesca.
Ernest said that he would go fishing.
Me gustaría ver a Alicia. *I would like to see Alice.*
Él escribió que volvería pronto.
He wrote that he would return soon.
Ella dijo que comeríamos aquí. *She said that we would eat here.*

CUADRO GRAMATICAL		
Pasar	**Comer**	**Ir**
pasaría	comería	iría
pasarías	comerías	irías
pasaría	comería	iría
pasaríamos	comeríamos	iríamos
pasaríais	comeríais	iríais
pasarían	comerían	irían

The conditional tense, like the future, has only one set of endings which are added to the infinitive form of the verb: **pasaría,** *I should* (*would*) *spend;* **irían,** *they would go.*

Sustitución

1. Jorge no olvidaría la fecha.
   Yo __________.
   Nosotros __________.
   Ellos __________.

2. Pedro volvería este verano.
   Tú __________.
   Él __________.
   Vosotros __________.

3. Elena iría a saludarla.
   Ellas __________.
   Nosotros __________.
   Yo __________.

4. Antonio pasaría la tarde allí.
   Ud. __________.
   Uds. __________.
   Tú __________.

5. Uds. se divertirían mucho aquí.
   Yo __________.
   Federico __________.

6. Mi hermana y yo comeríamos tarde.
   Tú __________.
   Nuestra familia __________.

Lace making—Asunción, Paraguay

Complete (Complete con el condicional del verbo entre paréntesis.)

1. Me dijeron que (ir) en avión.

2. El parte metereológico no dijo que (llover) esta tarde.

3. Me dijiste que me (pagar) hoy.

Conteste (Conteste según los modelos.)

Modelos: ¿Asistirá Juan al partido?
Sí, me dijo que asistiría al partido.

¿Invitarán sus amigos a Jaime?
Sí, me dijeron que invitarían a Jaime.

1. ¿Comprará Vicente una bicicleta? 2. ¿Verán los hijos a sus padres? 3. ¿Cenará su amigo en casa? 4. ¿Volverá Pancho esta semana? 5. ¿Enviarán los jóvenes un telegrama?

Un día agradable

Ricardo and Alberto are planning to spend a day at the beach. Alberto likes his friend's suggestion about inviting his cousins to join them. Why do you suppose Ricardo suggested the idea?

RICARDO: ¿Qué piensas hacer mañana?

ALBERTO: Pienso que sería agradable pasar el día en el campo.

RICARDO: ¿No crees tú que a tus primas les gustaría dar un paseo en automóvil? Podríamos ir a la playa°.

playa *beach*

ALBERTO: ¿Por qué no las invitas tú?

RICARDO: ¿Qué diría tu madre? No me gusta meterme en asuntos° de familia.

asuntos *affairs, matters*

ALBERTO: Mi madre no dirá nada. Sabe que las muchachas prefieren salir con jóvenes de su edad°.

edad *age*

RICARDO: ¿Quieres invitar a otros amigos?

ALBERTO: ¡Buena idea! Después del paseo podemos reunirnos° en mi casa.

reunirnos *to get together*

RICARDO: Nuestros amigos estarán muy contentos de conocer a tus primas.

ALBERTO: Alicia y Marta son simpáticas.

RICARDO: Y además° son muy monas°.

además *besides*
monas *cute*

Preguntas

1. ¿Qué quería hacer Alberto al día siguiente? 2. ¿Qué prefería hacer Ricardo? 3. ¿Por qué no quería Ricardo invitar a las primas de Alberto? 4. ¿Qué harán después del paseo? 5. ¿Cómo son Alicia y Marta?

Escriba (Complete las siguientes frases. Después escriba toda la frase.)

1. Este asunto me interesa porque ____. 2. Siempre nos reunimos cuando ____. 3. Pienso que sería agradable pasar ____. 4. No quiero invitar a ____. 5. Podríamos ir a ____.

Traduzca

a. Traduzca al español las palabras en inglés.

1. *I go fishing* en el verano. 2. Mis amigos piensan ir *to the beach* mañana. 3. Mi hermanito Carlos empezó a leer *at the age of* cinco años. 4. Todos creen que *it is his fault.* 5. ¿Piensa Ud. visitar a sus amigos *this summer?* 6. El director quiere hablarle a Ud. de *a very important matter.* 7. *They take a walk* por la ciudad. 8. En mi casa *we eat supper* temprano.

b. Busque estas expresiones en los diálogos.

1. What happened? 2. It wasn't my fault. 3. Have they arrived yet? 4. to spend the day in the country 5. to take an automobile ride 6. We can get together.

ASPECTOS GRAMATICALES

A. Verbos irregulares en el condicional

CUADRO GRAMATICAL			
INFINITIVO	**CONDICIONAL**	**INFINITIVO**	**CONDICIONAL**
Poder:	podría, etc.	**Valer:**	valdría, etc.
Saber:	sabría, etc.	**Salir:**	saldría, etc.
Querer:	querría, etc.	**Venir:**	vendría, etc.
Haber:	habría, etc.	**Decir:**	diría, etc.
Tener:	tendría, etc.	**Hacer:**	haría, etc.
Poner:	pondría, etc.		

Note that those verbs which are irregular in the future tense are also irregular in the conditional tense.

B. El condicional perfecto

The conditional tense of **haber** followed by the past participle of the main verb forms the conditional perfect tense: **yo habría llegado,** *I should* (*would*) *have arrived;* **habríamos visto,** *we should* (*would*) *have seen.* When **habría** is used alone, it means *there would be.*

Sustitución

1. ¿Quién dijo que saldríamos por la mañana?
   ¿________ Lola ________?
   ¿________ los señores Pico ________?
   ¿________ tú ________?

2. Uds. no sabrían la respuesta.
   Alberto ________.
   Tú ________.
   Nosotros ________.

3. Nosotros lo haríamos en seguida.
   Yo ________.
   José ________.
   Tú ________.

4. Yo no podría acompañarle.
   Uds. ________.
   Tú ________.
   Su hermano ________.

5. Vendríamos con mucho gusto.
   Yo ________.
   Ellos ________.
   Mi amigo ________.

Conteste

Modelos: ¿Vendrá Juan a las cinco?
Sí, me dijo que vendría a las cinco.

¿Saldrán ellas mañana por la noche?
Sí, me dijeron que saldrían mañana por la noche.

1. ¿Vendrán los niños a tiempo? 2. ¿Hará Rodrigo un viaje al Perú? 3. ¿Saldrán los señores Laredo para Europa? 4. ¿Podrá Inés ir al aeropuerto? 5. ¿Pondrá el mozo las maletas en el cuarto?

Traduzca (Traduzca al español las palabras en inglés.)

1. Dijo que *he would spend* una semana con nosotros. 2. *It would be* necesario hacerlo ahora mismo. 3. ¿Qué *would say* sus padres? 4. Nos avisaron que *they would return* temprano. 5. *I would not do* eso. 6. *I should like* hacer un viaje a Europa. 7. Le escribí que *we would not be able* asistir a la tertulia. 8. Dolores *would not say* tal cosa. 9. ¿*Would you like* dar un paseo por el parque? 10. *It would be worth* mucho dinero. 11. Prometió que *he would come* a visitarnos. 12. Dijo que *we would leave* a las nueve.

C. Uso del condicional para expresar probabilidad

Sería Juan el que lo dijo.
It was probably John who said it.
¿Cuántos años tendría cuando se casó?
I wonder how old he was when he got married.

The conditional tense is sometimes used to imply probability in the past.

Traduzca (Traduzca usando una expresión de probabilidad.)

Modelos: Sería muy rico. *He was probably very rich.*
¿Estaría enojado? *I wonder if he was angry.*

1. Mi amigo estaría enfermo. 2. No valdría más de cinco centavos. 3. Serían las dos de la mañana cuando entraron en el hotel. 4. El joven tendría unos quince años de edad. 5. ¿Llegaría Tomás a tiempo? 6. Yo diría eso sin pensar. 7. Marta estaría ocupada esta semana. 8. ¿Qué harían todo el día? 9. ¿Qué hora sería cuando salió? 10. ¿Vería la foto?

D. Pronombres posesivos (Repaso)

Su padre y el mío son amigos. *His father and mine are friends.*
Mis clases son más interesantes que las suyas.
My classes are more interesting than yours (his, hers, theirs).
Nuestra casa y la suya están cerca de la escuela.
Our house and yours (his, hers, theirs) are near the school.

CUADRO GRAMATICAL	
PRONOMBRES POSESIVOS	
el mío, la mía, los míos, las mías	*mine*
el tuyo, la tuya, los tuyos, las tuyas	*yours (fam.)*
el suyo, la suya, los suyos, las suyas	*his, hers, yours*
el nuestro, la nuestra, los nuestros, las nuestras	*ours*
el vuestro, la vuestra, los vuestros, las vuestras	*yours (fam. pl.)*
el suyo, la suya, los suyos, las suyas	*yours, theirs*

Possessive pronouns agree in gender and number with the noun for which they stand: **su escuela y la nuestra,** *his school and ours;* **mis libros y los suyos,** *my books and his (hers, yours, theirs).*

Note that **el suyo, la suya** have several meanings. When the meaning is not clear, **el suyo, la suya** may be replaced by the definite article followed by **de él, de ella, de Ud.: mi hermano y el suyo,** *my brother and his (hers, yours, theirs);* **mi hermano y el de Ud.,** *my brother and yours.*

Este coche es mío. *This car is mine.*
Estos libros son suyos. *These books are his.*

The definite article **(el, la, los, las)** of the possessive pronoun is generally omitted after the verb **ser.**

Una prima mía vive aquí. *A cousin of mine lives here.*
Es un vecino nuestro. *He is a neighbor of ours.*
¿Qué tal, amigo mío? *How are you, my friend?*
¡Dios mío! *Heavens! Good gracious!*

Sustitución

1. No tengo mi coche. ¿Puedo usar el suyo?
   ___________ raqueta. ¿_______________?
   ___________ tarjetas. ¿_______________?
   ___________ juguetes. ¿_______________?

2. Mi hermano y el tuyo iban a la misma iglesia.
   __ primas___________________________.
   __ abuelos__________________________.
   __ esposa___________________________.

3. Su profesor y el mío están en el salón de actos.
   __ amigas___________________________.
   __ padres___________________________.
   __ hermana__________________________.

4. Los reporteros visitaron su escuela y la nuestra.
   ______________________ clases___________.
   ______________________ cuarto___________.
   ______________________ biblioteca________.
   ______________________ laboratorios______.

5. ¿Es su reloj? No, no es mío; es suyo.
   ¿_____ cámara? ____________________.
   ¿_____ sombrero? ____________________.
   ¿Son sus libros? ____________________.
   ¿______ gafas? ____________________.
   ¿______ cuadernos? ____________________.

6. ¿Conoce Ud. a Vicente? Sí, es amigo mío.
   ¿_________ a Marta? _______________.
   ¿_________ a los señores Calderón? _______________.
   ¿_________ a sus hermanas? _______________.

Guajiro Indians, Venezuela. Indian straw huts on the Sinamaica Lagoon. Traffic between the hills is entirely by rowboat.

Complete

a. Complete con la forma correcta.

1. Me gusta mucho su vestido. ¿Le gusta *mine?* (el mío, la mía, los míos, las mías) 2. No tengo mi pluma. ¿Tiene Ud. *yours?* (el suyo, la suya, los suyos, las suyas) 3. Nuestra casa está cerca de *theirs.* (el suyo, la suya, los suyos, las suyas) 4. Mis hermanas son más bonitas que *his.* (el suyo, la suya, los suyos, las suyas) 5. Sus padres son ricos; *mine* son pobres. (el mío, la mía, los míos, las mías) 6. Su familia es más grande que *ours.* (el nuestro, la nuestra, los nuestros, las nuestras) 7. Ana es una amiga *of mine.* (mío, mía, míos, mías) 8. He comprado mis billetes y *theirs.* (el suyo, la suya, los suyos, las suyas) 9. Mi asiento está en la segunda fila. ¿Dónde está *yours?* (el tuyo, la tuya, los tuyos, las tuyas) 10. Estas revistas son *ours.* (nuestro, nuestra, nuestros, nuestras)

b. Complete según el modelo.

Modelo: They are friends of his.
Son amigos *suyos.* Son amigos de él.

1. He is a friend of theirs.
   Es amigo *suyo.* ________________________.
2. The teacher has her papers and yours.
   La profesora tiene sus papeles y los *suyos.* ________________.
3. Our vacations are longer than yours.
   Nuestras vacaciones son más largas que las *suyas.* ________________
   ________________________________.
4. Where are our books? Yours and hers are here.
   ¿Dónde están nuestros libros? Los *suyos* y los de ella están aquí.
   ________________________________.
5. This is his pen; it isn't yours.
   Esta pluma es *suya;* no es de Ud. ________________________.
6. My parents and hers are good friends.
   Mis padres y los *suyos* son buenos amigos. ________________.

Pequeño repaso (Escriba en español.)

PAUL: Helen, would you like to take a ride on Sunday?

HELEN: Where do you want to go?

PAUL: Charles and some friends of his are going to the mountains this weekend and Charles said that he would inform me on Saturday where they would be.

HELEN: At what time would we leave?

PAUL: At two.

HELEN: It would be very late.

PAUL: You are right, but I would not be able to go before. As you know, I have to work until one.

HELEN: I would have to talk with my mother. Some friends of hers are coming to visit us on Sunday. When would we return?

PAUL: At about nine.

HELEN: All right, Paul. I'll phone you later.

VARIEDADES

Conversación o composición

Using the drawings and the functional vocabulary below as guides, compose an imaginary dialogue between Alberto and Ricardo. Use regular and irregular verbs in the conditional tense.

Vocabulario funcional

cenar	pensar
comer	la playa
la culpa	preguntar por
dar un paseo	la primas
gustar	reunirse
ir de pesca	los tíos
meterse	el verano
monas	una visita imprevista

Estudio de palabras

Ella pasa mucho tiempo en casa. *She spends much time at home.*
¿Cuánto dinero gastó Ud.? *How much money did you spend?*

The verbs **pasar** and **gastar** both mean *to spend.* **Pasar** is *to spend time;* **gastar** is *to spend money.*

¿Cómo se dice en español?

1. Where will you spend your vacation? 2. I couldn't spend that much money. 3. How many days will you spend on your trip? 4. They always spend too much for gifts. 5. How much would I have to spend for a good radio?

Versos

Madrigal

Ojos claros, serenos,
Si de un dulce mirar sois alabados,
¿Por qué si me miráis, miráis airados?
Si cuando más piadosos,
Más bellos parecéis a aquél que os mira,
no me miréis con ira,
Porque no parezcáis menos hermosos.
¡Ay tormentos rabiosos!
Ojos claros, serenos,
Ya que así me miráis, miradme al menos.

Gutierre de Cetina
(Español, 1520–1557)

REFUERZO DEL VOCABULARIO

NOMBRES

el aeropuerto *airport*
el asunto *matter, affair*
el campo *country*
la carta *letter*
la culpa *blame, fault*
la edad *age*
la playa *beach*
la prima *cousin*
el telegrama *telegram*
los tíos *aunt and uncle*
el verano *summer*

VERBOS

avisar *to inform, notify*
cenar *to dine, eat supper*
conocer *to meet, know*
hacer *to do, make*
llegar *to arrive*
pasar *to pass, spend*
preferir (ie) *to prefer*
preguntar *to ask*
recibir *to receive*
recordar (ue) *to remember*
reunirse *to get together*
saludar *to greet*
sentir (ie) *to feel, regret*

ADJETIVOS

agradable *pleasant*
contento, -a *happy*
imprevisto, -a *unexpected*
mono, -a *cute*
otro, -a *other, another*

OTRAS PALABRAS

¿a qué hora? *at what time?*
además *furthermore*
el año pasado *last year*
dar un paseo *to take a walk or ride*
esta mañana *this morning*
esta noche *tonight*
hoy *today*
ir de pesca *to go fishing*
lo siento mucho *I'm sorry*
meter *to mix, meddle*
¿por qué? *why?*
¿qué pasó? *what happened?*
tan tarde *so late*
ya *still, yet, now*

LECCIÓN 

Actividades de los estudiantes

Gloria Mendoza takes an active part in school activities. She has been especially involved with the Spanish club since her election as secretary. However, many students work after school so they can't participate in extra-curricular activities.

EDUARDO: Buenos días, Gloria. ¿Cómo estás?

GLORIA: Muy bien, gracias, Eduardo, ¿y tú? Te he echado de menos° en las reuniones del club. ¿Recibiste la invitación para la próxima reunión?

EDUARDO: Sí, la recibí esta mañana. Te la agradezco° mucho, pero este año no podré asistir a las reuniones porque trabajo todas las tardes.

GLORIA: A varios miembros del club les sucede° lo mismo. Tienen algún empleo° después de las clases. Y tú, ¿dónde trabajas?

EDUARDO: Trabajo para un mecánico de automóviles. Quiero ganar dinero para comprarme un coche de segunda mano.

GLORIA: A propósito°, ¿conoces a los hermanos Pedro y Antonio Robles?

EDUARDO: Sí, los conozco. Están en mi clase de historia.

GLORIA: Tengo aquí dos invitaciones para ellos, pero desgraciadamente° no sé su dirección.

EDUARDO: Yo puedo llevárselas; los veré más tarde en la clase.

GLORIA: ¡Qué bien! Aquí las tienes.

EDUARDO: Se las daré a ellos con mucho gusto.

te he echado de menos *I have missed you*

agradezco mucho *I am very grateful*

sucede *happens*

empleo *job*

a propósito *by the way*

desgraciadamente *unfortunately*

Llamas and sheep on the road between Cuzco and Pisac, Peru

Preguntas

1. ¿A quién ha echado de menos Gloria en las reuniones del club? 2. ¿Qué le agradece Eduardo a Gloria? 3. ¿Por qué no ha podido asistir a las reuniones? 4. ¿Qué empleo tiene Eduardo? 5. ¿Por qué necesita trabajar?

Escriba

(Escriba frases originales usando las palabras que se le indican.)

1. trabajar.... empleo.... mecánico de automóviles
2. coche... ganar dinero... comprar
3. invitación... reunión... tarde... asistir

ASPECTOS GRAMATICALES

A. Verbos que terminan en **-cer** o **-cir**—el presente y los imperativos

Conocer	**Traducir**
conozco	traduzco
conoces	traduces
conoce	traduce
conocemos	traducimos
conocéis	traducís
conocen	traducen

IMPERATIVOS

conozca Ud.	traduzca Ud.
conozcan Uds.	traduzcan Uds.

Verbs ending in **-cer** or **-cir** add **z** before the **c** when **c** is followed by **o** or **a.** Note that this occurs in the **yo** form of the present tense and in the command forms. In a few verbs such as **vencer,** *to conquer,* and **con-**

vencer, *to convince,* (whenever the **c** is preceded by a consonant), the **c** changes to **z** before **o** or **a**: **venzo, venza Ud; convenzo, convenza Ud.**

Algunos verbos que terminan en **-cer** y **-cir**

conocer *to know**
reconocer *to recognize*
parecer *to seem*
aparecer *to appear*
desaparecer *to disappear*
agradecer *to thank for, be grateful for*
merecer *to deserve*
obedecer *to obey*
ofrecer *to offer*
permanecer *to remain*
pertenecer *to belong*
conducir *to lead, drive*
producir *to produce*
traducir *to translate*

Conteste (Conteste según el modelo.)

Modelo: ¿Obedece Ud. las leyes?
Sí, obedezco las leyes.
Obedezca Ud. las leyes también.

1. ¿Agradece Ud. al señor su ofrecimiento? 2. ¿Ofrece Ud. dulces al niño? 3. ¿Vence Ud. sus dificultades? 4. ¿Traduce Ud. la lección? 5. ¿Conduce Ud. el coche con cuidado? 6. ¿Pertenece Ud. a un club social? 7. ¿Conoce Ud. a los vecinos? 8. ¿Permanece Ud. otra semana en la ciudad? 9. ¿Convence Ud. a Tomás? 10. ¿Obedece Ud. a sus profesores? 11. ¿Merece Ud. un premio? 12. ¿Reconoce Ud. la escena?

Traduzca (Traduzca al español las palabras en inglés.)

1. Este automóvil *belongs* a mi vecino. 2. *He drives us* a casa. 3. *I do not know* a su familia. 4. *It seems* que el teléfono no funciona. 5. ¿*Do you recognize* a aquella muchacha? 6. *I obey* a mis padres. 7. *He offers me* su raqueta. 8. *I do not deserve* buenas notas.

* In the preterite tense **conocer** may mean *to meet, to become acquainted with.* **Pablo le conoció en el club de español.** *Paul met him at the Spanish club.*

B. El gerundio (Repaso)

Dorotea pasa mucho tiempo hablando con su amigo.
Dorothy spends much time talking with her friend.
Viviendo tantos años en México, aprendió a hablar español.
Living so many years in Mexico, he learned to speak Spanish.
Los muchachos siguen discutiendo el asunto.
The boys continue discussing the matter.

CUADRO GRAMATICAL

INFINITIVO	GERUNDIO	PRESENT PARTICIPLE
llamar	llamando	*calling*
correr	corriendo	*running*
vivir	viviendo	*living*

-Er and **-ir** verbs have the same ending in the present participle: **-iendo.**

INFINITIVO	GERUNDIO	PRESENT PARTICIPLE
leer	leyendo	*reading*
creer	creyendo	*believing*
traer	trayendo	*bringing*
caer	cayendo	*falling*
oír	oyendo	*hearing*
huir	huyendo	*fleeing*
construir	construyendo	*building*

The ending **-iendo** changes to **-yendo** if the stem of the **-er** or **-ir** verb ends in a vowel: **le-er, le-yendo; o-ír, o-yendo.**

INFINITIVO	GERUNDIO	PRESENT PARTICIPLE
servir (i)	sirviendo	*serving*
preferir (ie)	prefiriendo	*preferring*
dormir (ue)	durmiendo	*sleeping*
morir (ue)	muriendo	*dying*

Stem-changing **-ir** verbs change the stem vowel **e** to **i**, and the stem vowel **o** to **u** in the present participle, just as they do in the third person singular and plural of the preterite: **s*i*rvió, s*i*rvieron, s*i*rviendo; d*u*rmió, d*u*rmieron, d*u*rmiendo.**

INFINITIVO	GERUNDIO	PRESENT PARTICIPLE
decir	diciendo	*saying*
venir	viniendo	*coming*
poder	pudiendo	*being able*
ir	yendo	*going*

The above verbs have irregular present participles.

C. Forma progresiva del verbo—presente e imperfecto (Repaso)

Estoy estudiando. *I am studying.*
El muchacho estaba leyendo. *The boy was reading.*

The present participle is used with the verb **estar** to emphasize an action in progress or going on at the time: **Roberto trabaja en una fábrica.** *Robert is working* (*works*) *in a factory;* but **Roberto está trabajando en la fábrica.** *Robert is working* (*right now*) *in the factory.* The use of **estar** and the present participle is known as the progressive form of the verb.

ESTAR	GERUNDIO	PROGRESSIVE TENSE
present	-ando -iendo	*is, are ...ing* (present)
imperfect (past)	-ando -iendo	*was, were ...ing* (past)

D. Pronombres como complementos del infinitivo y del gerundio (Repaso)

Quiero comprarlo. *I want to buy it.*
Voy a verlos. *I am going to see them.*
Está hablándoles. *He is talking to them.*
Están llamándonos. *They are calling us.*

When a pronoun is the object of an infinitive, it usually follows and is attached to the infinitive, forming one word. However, the pronoun object may also precede the verb on which the infinitive depends: **Lo quiero comprar.**

When a pronoun is the object of a present participle, it usually follows and is attached to the present participle, forming one word. An accent mark is used to indicate the original stress of the present participle. However, the pronoun object may also precede the verb that is used with the present participle: **Les está hablando.**

Yo voy a levantarme a las seis. *I am going to get up at six.*
Queremos acostarnos temprano. *We want to go to bed early.*
Estoy bañándome. *I am taking a bath.*
Están lavándose. *They are washing up.*

If the infinitive or present participle is a reflexive verb, the reflexive pronoun must refer to the subject of the sentence.

Sustitución

1. Estoy escuchando la canción.
   ____ aprender ____________.
   ____ tocar ____________.
   ____ oír ____________.
   ____ repetir ____________.

2. Están admirando el edificio.
   ____ dedicar ____________.
   ____ construir ____________.
   ____ mirar ____________.
   ____ abrir ____________.

3. El niño estaba estudiando en el patio.
__________ jugar __________.
__________ correr __________.
__________ dormir __________.
__________ leer __________.

4. ¿Qué estabas preparando?
¿__________ servir?
¿__________ decir?
¿__________ traer?
¿__________ pedir?

Traduzca (Traduzca según los modelos.)

Modelo: *He spends a lot of time studying.*
Pasa mucho tiempo estudiando.

1. He spends a lot of time playing baseball. 2. He spends a lot of time talking on the phone. 3. He spends a lot of time eating. 4. He spends a lot of time sleeping. 5. He spends a lot of time reading.

Modelo: *She continues studying that.*
Sigue estudiando eso.

1. She continues believing that. 2. She continues saying that. 3. She continues repeating that. 4. She continues serving that. 5. She continues asking for that.

Transformación (Cambie el verbo a la forma progresiva.)

Modelo: La clase canta canciones españolas.
La clase está cantando canciones españolas.

1. Todos aprenden el español. 2. Yo no hago nada. 3. ¿Qué piensas? 4. ¿Por qué llora el chico? 5. ¿Qué llevan en el coche? 6. Esperamos una carta. 7. ¿Quién toca el piano? 8. ¿Qué pides? 9. Construyen una casa nueva. 10. Busco un puesto interesante. 11. José no duerme. 12. Lee un libro interesante.

Conteste (Conteste según los modelos.)

Modelo: ¿Quiere Ud. leer esta novela?
Sí, quiero leerla.
o
Sí, la quiero leer.

1. ¿Prefiere Ud. servir la comida? 2. ¿Pueden Uds. traer los discos? 3. ¿Va Ud. a hablar a los muchachos? 4. ¿Desean Uds. conocer a mi amigo? 5. ¿Piensa Ud. escribir a Catalina? 6. ¿Tratan Uds. de recibir buenas notas? 7. ¿Puede Ud. explicar el problema? 8. ¿Promete Ud. devolver el libro? 9. ¿Quieres ver la nueva película? 10. ¿Vas a invitar a tus primos?

Modelo: ¿Quién está llamando a Pedro?
Su madre está llamándolo.
o
Su madre lo está llamando.

1. ¿Quién está cuidando a los niños? La criada ______________.
2. ¿Quién está buscando a Conchita? Su amiga ______________.
3. ¿Quiénes están esperando a las muchachas? Ricardo y Tomás _____.
4. ¿Quién está escribiendo a Elena? Yo ______________________.
5. ¿Quién está ayudando a los jóvenes? El profesor ____________.
6. ¿Dónde vas a sentarte? ______________ cerca de la puerta.
7. ¿No están Uds. divirtiéndose? Sí, ______________________.
8. ¿Están Uds. quejándose del programa? No, _____ de la comida.
9. ¿Cuándo quiere Ud. irse? ____________________ temprano.
10. ¿Quiere Ud. despedirse ahora? Sí, ______________________.

¿Qué pueden hacer las muchachas?

After history class, Gloria and Eduardo meet again in the cafeteria and continue their conversation. Do you agree with Eduardo's opinion about employment for boys and girls?

GLORIA: A mí me gustaría también ganar mi propio° dinero, pero para una muchacha es más difícil.

EDUARDO: No estoy de acuerdo° contigo. Las muchachas pueden encontrar trabajo como dependientas°, y siempre pueden ganar dinero cuidando niños, como lo hacemos los muchachos.

GLORIA: Sí, pero eso es muy aburrido°. Además, pertenezco a varios clubes, como sabes, y estoy siempre muy ocupada.

EDUARDO: De seguro que tus padres te dan lo que necesitas para tus gastos°.

GLORIA: Sí, lo mismo que a ti, aunque a veces dicen que no lo merezco°.

EDUARDO: Me imagino que te lo dicen cuando no los obedeces.

GLORIA: Son raras las veces que no los obedezco; mi papá es bueno y cariñoso° y mi mamá es muy comprensiva°. Nos llevamos° muy bien.

EDUARDO: Eres muy afortunada.

GLORIA: Muchas gracias, Eduardo.

propio *own*
no estoy de acuerdo *I do not agree*
dependientas *clerks*
aburrido *boring*
gastos *expenses*
no lo merezco *I do not deserve it*
cariñoso *affectionate*
comprensiva *understanding*
nos llevamos muy bien *we get along very well*

Preguntas

1. ¿Está Eduardo de acuerdo con Gloria? 2. ¿Por qué no busca empleo Gloria? 3. ¿Se lleva Gloria bien con sus padres? 4. ¿Cómo es el padre de Gloria? 5. ¿Es la madre comprensiva?

Escriba

a. Complete las siguientes frases. Después, escriba toda la frase.

1. Los muchachos pueden ganar dinero cuidando ____. 2. Necesito ganar mucho dinero porque tengo que pagar mis ____. 3. Mis padres no están contentos cuando yo no los ____. 4. Mi padre es afectuoso, es decir, él es ____. 5. No es fácil estar siempre de acuerdo con ____.

b. Consulte el diálogo y escriba los siguientes parrafitos añadiendo los adjetivos que faltan. Después, escriba los mismos parrafitos con adjetivos diferentes.

1. Sí, pero eso es muy ____. Además, pertenezco a ____ clubes, como sabes, y estoy siempre muy ____.
2. Son ____ las veces que no los obedezco. Mi papá es ____ y ____ y mi mamá es muy ____.

On parade: A Peruvian woman dressed in traditional costume

ASPECTOS GRAMATICALES

A. Dos pronombres como complementos del verbo

El muchacho me trae el periódico. *The boy brings me the newspaper.*
El muchacho me lo trae. *The boy brings it to me.*
El señor nos vende los cuadernos. *The man sells us the notebooks.*
El señor nos los vende. *The man sells them to us.*

In Spanish when two pronouns are the objects of the same verb, the indirect object precedes the direct object.

El profesor le da las plumas. *The teacher gives the pens to him.*
El profesor se las da. *The teacher gives them to him.*
Les enviamos la invitación. *We send the invitation to them.*
Se la enviamos. *We send it to them.*

When the direct and indirect pronoun objects are both in the third person, the indirect object (**le** or **les**) must be changed to **se**; in other words, when **le** or **les** is followed by **lo, la, los,** or **las** the **le** or **les** is replaced by **se.**

Since **se** replaces **le** or **les** it may mean *to him, to her, to you, to them.* To make the meaning of **se** clear, it is sometimes necessary to add **a Ud(s)., a él, a ella, a ellos. Se lo ofrece a ellos.** *He offers it to them.*

La profesora está leyéndomelo. *The teacher is reading it to me.*
or
La profesora me lo está leyendo.

When used with an infinitive or present participle, double pronoun objects, like single pronoun objects, generally follow the verb and are attached to it. They may, however, precede the verb on which the infinitive or the present participle depends.

Dígamelo Ud. *Tell it to me.*
but
No me lo diga Ud. *Don't tell it to me.*

When used with an affirmative command, double pronoun objects, like single pronoun objects, follow the verb and are attached to it; when used with a negative command, however, the pronouns must always precede the verb.

Note that when double pronoun objects follow the verb, an accent mark must be added to retain the original stress of the verb.

CUADRO GRAMATICAL			
Dos pronombres como complementos del verbo—Resumen			
	PRONOMBRES (*before*)	**VERBO**	**PRONOMBRES** (*attached*)
any conjugated verb	ME LO	DA	
infinitive		DÁR	MELO
gerund		DÁNDO	MELO
affirmative command		DÉ	MELO
negative command	NO ME LO	DÉ	

Transformación (Cambie según los modelos.)

Modelo: Pedro me dio *el regalo.*
Pedro me lo dio.

1. La mesera me sirvió *la cena.* 2. Juana no me devolvió *los libros.* 3. Me enviaron *un telegrama.* 4. Mi amigo me ofreció *su raqueta.* 5. Me trajo *flores.*

Modelo: El profesor nos explica *las lecciones.*
El profesor nos las explica.

1. Nos trajeron *los artículos.* 2. Carlos nos escribió *una carta.* 3. José nos muestra *las fotografías.* 4. Nos piden *un favor.* 5. Nos contó *una anécdota.*

Modelo: Te agradezco *la invitación.*
Te la agradezco.

1. Te ofrecemos *el puesto.* 2. Te doy *el dinero* mañana. 3. No te traje *los juguetes.* 4. Te he enseñado *la carta.* 5. Te enviamos *las revistas.*

Modelo: Pablo le enseñó *su corbata nueva.*
Pablo se la enseñó.

1. Le servimos *los refrescos.* 2. Le piden *la cuenta.* 3. El maestro le explica *las reglas.* 4. Le ofrece *un buen sueldo.* 5. Elena le da *los informes.*

Modelo: El profesor les lee *un cuento.*
El profesor se lo lee.

1. Les vendieron *la casa.* 2. Juan les promete *los billetes.* 3. No les ofrecen *el dinero.* 4. Les mando *las cartas.* 5. Les dice *la verdad.*

Conteste (Conteste según los modelos.)

Modelo: ¿Devolviste la pluma a Ernesto?
Sí, se la devolví (a él).

1. ¿Diste los papeles a la profesora? 2. ¿Enviaste las invitaciones a los socios? 3. ¿Pediste el coche a tu padre? 4. ¿Ofreciste tu silla a la señora? 5. ¿Enseñaste la fotografía a tus amigos?

Modelo: ¿Devolvieron Uds. los libros al profesor?
Sí, se los devolvimos (a él).

1. ¿Vendieron Uds. los boletos a los alumnos? 2. ¿Leyeron Uds. las noticias a las muchachas? 3. ¿Escribieron Uds. la carta al presidente? 4. ¿Mandaron Uds. un regalo a sus amigos? 5. ¿Ofrecieron Uds. una taza de café al señor Méndez?

Modelo: ¿Quién está leyendo el cuento a los niños?
El maestro está leyéndoselo.
o
El maestro se lo está leyendo.

1. ¿Quién está explicando la lección a los alumnos? 2. ¿Quién está contando el cuento a la clase? 3. ¿Quién está escribiendo las cartas a los padres? 4. ¿Quién está cantando la canción a los niños? 5. ¿Quién está enseñando los cuadros a María?

Modelo: ¿Va Ud. a enviar el cheque al señor?
Sí, voy a enviárselo.
o
Sí, se lo voy a enviar.

1. ¿Quiere Ud. leer los artículos a los jóvenes? 2. ¿Puede Ud. enviar la caja a la señora Chávez? 3. ¿Desea Ud. vender el reloj a mi amigo? 4. ¿Va Ud. a enseñar las fotos a Isabel? 5. ¿Debe Ud. devolver los libros al maestro?

Transformación (Cambie según los modelos.)

1. No me traiga la cuenta ahora. Tráigamela más tarde.
2. No me sirva el café ahora. ________________.
3. No nos cuente el chiste ahora. ________________.
4. No le dé los billetes ahora. ________________.
5. No les mande la revista ahora. ________________.
6. No les venda la casa ahora. ________________.

1. Sírvanos la comida más tarde. No nos la sirva ahora.
2. Léame las noticias más tarde. ________________.
3. Déles el dinero más tarde. ________________.
4. Escríbale la carta más tarde. ________________.
5. Enséñeme los regalos más tarde. ________________.
6. Tráiganos los refrescos más tarde. ________________.

Traduzca (Traduzca al español las palabras en inglés.)

1. No dé Ud. estos chocolates a los niños ahora. *Give them to them* más tarde. 2. Mi amigo me devolvió mi libro. *He returned it to me* ayer. 3. El dependiente está mostrando la camisa al hombre. El dependiente *is showing it to him.* 4. Quiere mandar un telegrama a su madre. *He wants to send it to her* esta noche. 5. Haga Ud. el favor de prestarnos el disco. *Please lend it to us* para la fiesta. 6. Tu tío no te ha ofrecido el puesto. *He has not offered it to you* porque eres muy joven. 7. Felipe enseña las fotografías a su amigo. *He shows them to him* después de las clases. 8. Enrique pide el libro a Carlos. *He asks him for it* porque lo necesita. 9. Tráigame Ud. la cuenta, por favor. *Bring it to me* en seguida. 10. Mi tía va a dar un regalo a mi prima. *She is going to give it to her* la semana próxima.

¿Cómo se dice en español?

1. Serve the coffee to the ladies. 2. Serve it to them in the patio. 3. Bring me the bill, please. 4. Bring it to me right away. 5. Don't give the toys to the children. 6. Don't give them to them now. 7. Mary wants to send a letter to her friend. 8. Mary wants to send it to her today. 9. We are going to bring you the new records. 10. We are going to bring them to you tomorrow. 11. My uncle wants to offer you a job. 12. He wants to offer it to you this summer. 13. The teacher is reading an article to the students. 14. He is reading it to them in Spanish. 15. The teacher returned our papers to us. 16. He returned them to us this morning. 17. I want to show my paper to my parents. 18. I want to show it to them after dinner. 19. The boys bought us two tickets to the football game. 20. They bought them for us last week.

VARIEDADES

Conversación o composición

Using the drawings and the functional vocabulary below as guides, compose an imaginary dialogue between Gloria and Eduardo. Use verbs ending in **-cer** and **-cir** as well as the present progressive tense. Include the use of two object pronouns with infinitives and gerunds.

Vocabulario funcional

las actividades	el empleo
asistir (a)	ganar
la cafetería	los gastos
cariñoso, -a	el mecánico
comprensivo, -a	pertenecer
la dependienta	propio, -a
el dinero	suceder
echar de menos	trabajar

Estudio de palabras

Some Spanish words resemble English words but frequently have a different meaning.

actual *present day, current*
asistir *to attend*
el compromiso *appointment, engagement*
la desgracia *misfortune*
el dormitorio *bedroom*
el éxito *success*
introducir *to insert*
largo *long*
la lectura *reading*
la librería *bookstore*
el oficio *trade, occupation*
los parientes *relatives*
un rato *a while*
sensible *sensitive*
simpático *pleasant, nice*
el suceso *event*
la salida *exit*

¿Cómo se dice en inglés?

1. Tengo un compromiso con la señorita Pardo. 2. ¿Qué oficio prefiere Ud.? 3. Esta calle no tiene salida. 4. El alumno va a la librería. 5. Sus parientes son de Inglaterra. 6. La llegada de un artista es siempre un gran suceso. 7. Los periódicos nos traen las noticias actuales. 8. Espere Ud. aquí un rato.

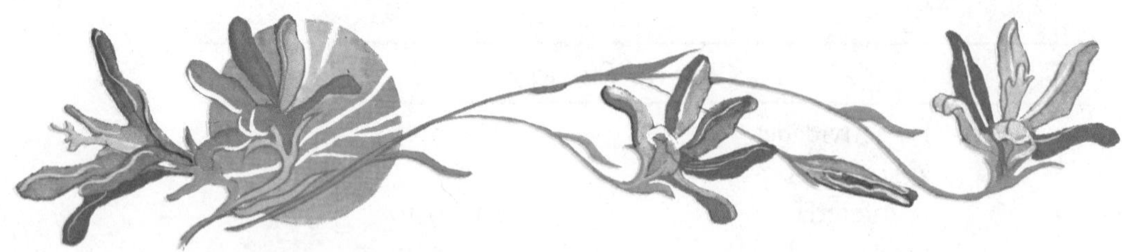

REFUERZO DEL VOCABULARIO

NOMBRES

la clase *class*
el coche *car*
el (la) dependiente (-a) *clerk*
el dinero *money*
la dirección *address*
el empleo *employment, job*
el gasto *expense*
el hermano *brother*
la historia *history*
la invitación *invitation*
el mecánico *mechanic*
el miembro *member*
el (la) muchacho (-a) *boy (girl)*
el niño *child*
la reunión *meeting*
la vez (las veces) *time(s)*

VERBOS

agradecer *to be grateful for*
asistir *to attend, be present at*
cuidar (a) *to take care (of)*
ganar *to earn, win*
imaginar *to imagine*
obedecer *to obey*
pertenecer *to belong*
poder (ue) *to be able, can*
suceder *to happen*
trabajar *to work*

ADJETIVOS

aburrido, -a *boring*
afortunado, -a *fortunate*
cariñoso, -a *affectionate*
comprensivo, -a *understanding*
difícil *difficult*
ocupado, -a *busy*
propio, -a *own*
raro, -a *rare*
varios, -as *several*

OTRAS PALABRAS

a propósito *by the way*
aunque *although*
contigo *with you*
de seguro *surely*
desgraciadamente *unfortunately*
echar de menos *to miss*
estar de acuerdo *to agree*
lo mismo *the same thing*
más tarde *later*
segunda mano *second hand*
siempre *always*

PERSPECTIVAS CULTURALES

The culture of the Inca Indians developed in the valley of Cuzco, and as early as 400 A.D. they had developed a very high standard of living. They built many little towns across their extensive empire, and an excellent system of roads linked all parts of the empire with the capital of Cuzco. The construction of the Inca roads is proof of their great engineering skills. They were paved with large, flat stones, and retaining walls were built on the steep lands. They even had suspension bridges of ropes and poles across the deep ravines.

The Inca craftsmen were also famous for their beautiful pottery, metalwork and magnificent textiles woven from the wool of the llama, vicuña and alpaca—animals of South America.

Las ruinas de Machu Picchu

Machu Picchu is the site of an ancient Inca city located high in the Andes Mountains about fifty miles from Cuzco, Peru. The Inca craftsmen were very famous for their skills in working stone for walls and public buildings. Thousands of laborers worked in the quarries and moved huge, heavy stones by means of inclined planes, ropes and rollers. The restorations of the walls at Machu Picchu show the high degree of technical skills achieved by those men.

REPASO

REFUERZO DEL VOCABULARIO

NOMBRES

la actividad *activity*
el aeropuerto *airport*
el aficionado *sports fan*
el alumno *student*
el apoyo *support*
al artículo *article*
el asunto *matter, affair*
el baile *dance*
la banda *band*
el campeonato *championship*
el campo *country, field*
la canción *song*
el capitán *captain*
la carta *letter*
la carretera *highway*
el cine *movies*
la ciudad *city*
la clase *class*
el club *club*
la cocina *kitchen*
el coche *car*
la comida *meal*
el cuarto *room*
la culpa *fault*
el (la) dependiente (-a) *clerk*
el deporte *sport*
el dinero *money*
la dirección *address*
la edad *age*
el empleo *employment, job*
el entrenador *trainer, coach*
la entrevista *interview*
el equipo *team*
la escuela *school*
el (la) estudiante *student*
la fiesta *party*
el fútbol *football, soccer*
el gasto *expense*
el gimnasio *gymnasium*
el grupo *group*
el hermano *brother*
la historia *history*
la hormiga *ant*
la impresión *impression*
la invitación *invitation*
el joven *young person*
el jugador *player*
el laboratorio *laboratory*
la liga *league*
el mecánico *mechanic*
la mesa *table*
el miembro *member*
el (la) muchacho, (-a) *boy, (girl)*
el niño *child*
las noticias *news*
la ocasión *occasion, opportunity*
el partido *game*
la película *film*
el periódico *newspaper*
la playa *beach*
la prima *cousin*
el refresco *refreshment*
el reportero *reporter*
el resultado *result*

la reunión *reunion, meeting*
el rival *rival*
la sala *living room*
el salón de actos *auditorium*
la sección *section*
la semana *week*
la tarde *afternoon*
el teléfono *telephone*
el telegrama *telegram*
el tiempo *time*
los tíos *aunt and uncle(s)*
los titulares *headlines*
el tramo *section*
la universidad *university*
el verano *summer*
la vez (las veces) *time(s)*
la victoria *victory*

VERBOS

acompañar *to accompany*
admirar *to admire*
agradecer *to be grateful for*
asistir *to be present at, attend*
avisar *to inform, notify*
ayudar *to help*
buscar *to look (call) for*
celebrar *to celebrate*
cenar *to dine, eat supper*
conocer *to meet, know*
creer *to believe*
cuidar (a) *to take care (of)*
deber *to owe, ought*
dedicar *to dedicate*
dejar *to let, leave*
encontrar (ue) *to meet, find*
formar *to form*
ganar *to win, earn*
gobernar (ie) *to govern*
hablar *to speak*
hacer *to do, make*
imaginar *to imagine*
impresionar *to impress*
inaugurar *to inaugurate, begin*
invitar *to invite*
leer *to read*
llegar *to arrive*
llevar *to wear, carry*
necesitar *to need*
obedecer *to obey*
pasar *to pass, spend*
pensar (ie) *to think, intend*
pertenecer *to belong*
poder (ue) *to be able, can*
preferir (ie) *to prefer*
preguntar *to ask*
preparar *to prepare*
presentar *to present*
querer (ie) *to wish, want*
recibir *to receive*
recordar (ue) *to remember*
regresar *to return*
reunirse *to get together*
saber *to know*
salir *to leave*
saludar *to greet*
sentir (ie) *to feel, regret*
suceder *to happen*
tener *to have*
tocar *to play*
tomar *to take*
trabajar *to work*
traer *to bring, carry*
tratar de *to deal with*
vencer *to conquer, win, beat*
ver *to see*
visitar *to visit*

ADJETIVOS

aburrido, -a *boring*
aficionado, -a *fond of*
afortunado, -a *fortunate*
agradable *pleasant*
alguno, -a *some*
bueno, -a *good*
cansado, -a *tired*
cariñoso, -a *affectionate*
comprensivo, -a *understanding*
contento, -a *happy*
difícil *difficult*
escolar *school*
especial *special*
estupendo, -a *marvelous*
formidable *formidable*
imprevisto, -a *unexpected*
mono, -a *cute*
nuestro, -a *our*
nuevo, -a *new*
ocupado, -a *busy*
otro, -a *other*
perdido, -a *lost*
primero, -a *first*
propio, -a *own*
próximo, -a *next*
raro, -a *rare*
seguro, -a *safe, secure*
simpático, -a *nice*
social *social*
último, -a *last*
varios, -as *several*

EJERCICIOS

I. Cambie las frases del presente al presente perfecto. (Refer to p. 35 for irregular past participles.)

Modelos: Ella practica mucho.
Tú no comes el sándwich.

Ella ha practicado mucho.
Tú no has comido el sándwich.

1. Aprendemos mucho. 2. Pierdo mi libro. 3. Llegan tarde. 4. ¿Qué ve Ud.? 5. Los niños se duermen en seguida. 6. ¿Quién hace eso? 7. Tú escribes muchas cartas. 8. Me levanto temprano. 9. ¿Por qué dices esto? 10. Oímos buenas noticias. 11. Muchos alumnos cambian sus programas de clases. 12. Yo como demasiado. 13. Recibimos muchos regalos. 14. La señora escribe muchos artículos interesantes. 15. ¿A qué hora vuelven Uds.? 16. Pablo va a casa. 17. Leemos el periódico de hoy. 18. La profesora abre una ventana. 19. Me despierto tarde. 20. ¿Dónde pongo el sombrero?

II. Cambie el verbo de cada frase a la forma progresiva. (Refer to p. 83 for stem-changing gerunds.)

Modelos: ¿Quién habla?
¿Quién está hablando?

Yo repetía la frase.
Yo estaba repitiendo la frase.

1. ¿Qué llevan Uds.? 2. La muchacha mete el dinero en la bolsa. 3. Discutíamos ese asunto. 4. Los estudiantes repetían las frases en voz alta. 5. El chico duerme en el patio. 6. Los muchachos se divertían. 7. ¿Qué dicen? 8. Me visto. 9. El joven se despide de sus amigos. 10. ¿Qué lees?

III. Cambie las frases al futuro. (Refer to p. 48 for regular verbs and p. 51 for irregular verbs.)

Modelos: Ellas estudian esta tarde.
Ellas estudiarán esta tarde.

Tú sales a las tres.
Tú saldrás a las tres.

1. Tú no lo ves. 2. No podemos acompañarle. 3. ¿Qué haces esta noche? 4. Lo pongo en la alcoba. 5. ¿Cuándo regresan los estudiantes? 6. Creo que Dorotea sabe la respuesta. 7. Carlos y yo tenemos que trabajar al día siguiente. 8. No gastan demasiado dinero. 9. ¿Cuándo vienes a casa? 10. Esto no vale la pena.

IV. Cambie el infinitivo a la forma correcta del condicional. (Refer to p. 64 for regular verbs and p. 68 for irregular verbs.)

Modelos: Me dijo que (estudiar).
Me dijo que estudiaría.

Ellos no (salir) a las dos.
Ellos no saldrían a las dos.

1. Me avisó que (llegar) tarde. 2. Dijeron que (venir) aquí. 3. ¿Le (gustar) ver el programa? 4. Ellos no (decir) eso. 5. Me prometió que (volver) dentro de una hora. 6. Dijo que (ir) de pesca con nosotros. 7. (Ser) imposible terminarlo esta noche. 8. Yo no lo (vender). 9. Nos escribieron que (salir) el tres de abril. 10. Nosotros no (poder) convencerle.

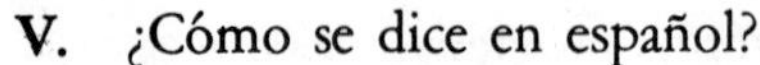

V. ¿Cómo se dice en español?

1. They will not be able to come early. 2. We shall leave at ten. 3. I should like to see her. 4. He wouldn't do that. 5. He is probably in the office. 6. I wonder how old her sister is. 7. Have a good time at the party. 8. Don't return late. 9. Obey your parents. 10. Ask him for his telephone number. 11. Do these exercises for tomorrow. 12. I drive my car carefully. 13. The children are playing in the street. 14. The boy continues sleeping. 15. I don't know that man.

VI. Sustituya cada nombre en letra bastardilla por un pronombre. (Refer to p. 89 for a review of double object pronouns.)

Modelo: Ud. entiende *el español.*

Ud. lo entiende.

1. La mesera nos sirve *la comida.* 2. El hombre me ofrece *un puesto.* 3. Lo vende *a su vecino.* 4. Sus amigos le dan *regalos.* 5. Acabo de ver *a mis compañeros.* 6. Estoy escribiéndoles *una carta.* 7. No dé Ud. *el radio a José.* 8. Haga Ud. el favor de darme *el periódico.* 9. Carlos está leyendo *un cuento a su hermanito.* 10. Traiga Ud. *la revista a Margarita.* 11. Eduardo, abra Ud. *las ventanas,* por favor. 12. Ella va a preparar *sus lecciones* esta tarde. 13. María siempre ayuda *a su madre.* 14. Está contando *la leyenda a los niños.* 15. Pensamos hacer *un viaje* el año próximo.

VII. Conteste las siguientes preguntas.

1. ¿Para qué carrera está Ud. preparándose? 2. ¿Seguirá Ud. estudiando el español? 3. ¿A qué hora saldrán Uds. de la escuela? 4. ¿Tendrá Ud. mucho que hacer esta noche? 5. ¿Qué hará Ud. este fin de semana? 6. ¿Habrá un programa interesante en el salón de actos el mes próximo? ¿Podrá Ud. asistir? 7. ¿Conduce Ud. un coche? 8. Cuando Uds. no entienden la lección, ¿se la explica el profesor? 9. ¿Le gustaría ir de pesca? 10. Si Ud. necesita dinero, ¿se lo da su padre?

VIII. Escriba sobre uno de los siguientes temas.

1. **El periódico que leo diariamente** (¿Cómo se llama? ¿Qué sección le gusta más? ¿Qué noticias lee Ud. primero? ¿A qué hora lee Ud. el periódico? ¿Por qué? ¿Qué otras personas de su familia leen ese periódico? *etc.*)

2. **Mi empleo** (¿Trabaja Ud. en sitio fijo después de la escuela? Si trabaja Ud., ¿qué clase de trabajo hace? ¿Es esa clase de trabajo el que le gusta? ¿Cuánto gana Ud. a la semana? ¿A qué dedica ese dinero? Si no trabaja Ud., ¿por qué no lo hace? ¿Cree Ud. que el trabajo a su edad es una buena experiencia para el futuro?)

Family relaxing near the fountain at a park in Phoenix, Arizona

LECCIÓN 

Incas, aztecas y mayas

PRIMERA PARTE—The tourist who travels over the highlands of the Andes may hear the sounds of a shepherd's flute. The music, dating back to the ancient times of the Incas, has a plaintiff melody and is probably played by a descendant of the Incas.

A la llegada de los españoles al Nuevo Mundo, América estaba poblada° por varias tribus indias. Unas eran salvajes; otras habían alcanzado° un alto grado de civilización.

El imperio inca era de los más avanzados del continente. Tenía más de diez millones de habitantes y se extendía° desde el Ecuador hasta Chile. El emperador era el Inca, hijo del Sol. En un valle fértil y elevado° de los Andes estaba la ciudad del Cuzco, capital del imperio. En el Cuzco se hallaba° el Templo del Sol con sus paredes cubiertas de oro.

Los incas eran buenos ingenieros. Edificaron° grandes templos y fortalezas. Construyeron caminos y puentes° que servían para unir todo el imperio. Los únicos° medios de transporte eran la llama° y el indio.

El Inca gobernaba su imperio con severa justicia. Las familias estaban organizadas en vida comunal. Cada comunidad tenía la obligación de cuidar a° los enfermos y a los ancianos.

Los incas hacían terrazas en las montañas que utilizaban como tierras de cultivo. Celebraban fiestas religiosas dedicadas a la agricultura. Presentaban ofrendas° a sus dioses y les sacrificaban animales. Raras veces había° sacrificios humanos.

poblada *populated*
habían alcanzado *had reached*
se extendía *it stretched*
elevado *high*
se hallaba *was found*
edificaron *they built*
puentes *bridges*
únicos *only*
llama *llama*
cuidar a *to take care of*
ofrendas *offerings, gifts*
raras veces había *seldom were there*

A large jungle area covers the southern part of Colombia

Preguntas

1. ¿Cuántos habitantes tenía el imperio inca? 2. ¿Dónde estaba la capital del imperio? 3. ¿Habían alcanzado los incas un alto grado de civilización? 4. ¿Qué construyeron los incas para unir su imperio? 5. ¿Cómo cuidaban los incas a los ancianos?

SEGUNDA PARTE—Another very rich and powerful empire was the Aztec empire in Mexico. The Aztecs were powerful warriors and dominated the neighboring tribes. The Mayan Indians located in the southern part of Mexico and in Central America, on the other hand, were very peaceful and religious and had a very advanced culture.

Los monarcas y los nobles aztecas vivían con esplendor en palacios adornados de oro y plata. Los sacerdotes° dirigían las ceremonias religiosas y ofrecían sacrificios humanos. Generalmente las víctimas eran prisioneros de guerra°.

sacerdotes *priests*
guerra *war*

Los aztecas eran grandes artistas. Tenían ornamentos de oro, plata y piedras° preciosas; también hacían objetos de barro y cuero° y adornados de plumas°.

piedras *stones*
barro y cuero *clay and leather*
plumas *feathers*

Los aztecas eran buenos agricultores. Cultivaban una gran variedad de vegetales, frutas y flores. En los días de fiesta llevaban sus productos al gran mercado de Tenochtitlán, la capital del imperio azteca.

Los mayas habitaban el sur de México y gran parte de Centroamérica. Cuando los españoles descubrieron el continente americano casi° había desaparecido la civilización maya, pero se ignora° cuándo y por qué. Los mayas eran gente pacífica° y religiosa. En sus obras de arte no se representan la guerra y la muerte. Los dioses mayas eran protectores de la agricultura, especialmente del cultivo del maíz°.

casi *almost*
se ignora *it isn't known*
pacífica *peaceful*
maíz *corn*

Los mayas sabían mucho de matemáticas y de astronomía; tenían un calendario de 365 días. Eran magníficos arquitectos; edificaron ciudades y construyeron caminos. Las grandes pirámides mayas están entre las más notables del mundo.

Las ciudades mayas permanecieron enterradas° por muchos años, y no fueron descubiertas hasta fines del siglo° pasado.

permanecían enterradas *remained buried*
siglo *century*

Traduzca (Traduzca al español las palabras en inglés.)

1. *¿Can you reach* el libro? 2. ¿Cuánto tiempo piensa Ud. *to remain in the city?* 3. *There were* mucha gente en la calle. 4. Los padres *take care of* sus hijos. 5. *Seldom* trabajan los sábados. 6. *¿In what century* vivimos? 7. Ud. ha viajado por *all the empire.* 8. Van a construir *a new bridge.*

Sustitución

Substitute the words in italics in column A with another word in column B.

	A		B
1.	Es el río más grande del *país.*	(a.)	muerte
2.	¿En qué *año* vivió?	(b.)	raras veces
3.	*Cada día* pasa algo.	(c.)	piedra
4.	Ellos leyeron las noticias de la *guerra.*	(d.)	mundo
5.	Muchos coches pasan por este *camino.*	(e.)	todos los días
6.	Ud. es siempre el *primero* en hablar.	(f.)	plata
7.	*Nunca* me llamas por teléfono.	(g.)	último
8.	¿Es de *oro* su reloj?	(h.)	siglo
		(i.)	puente

ASPECTOS GRAMATICALES

A. El imperfecto (Repaso)

Yo trabajaba mientras hablaban. *I was working while they were talking.*
Comíamos en aquel restaurante. *We used to eat in that restaurant.*
Ellos vivían en una ciudad. *They used to live in a city.*

CUADRO GRAMATICAL		
Viajar	**Comer**	**Abrir**
viaj**aba**	com**ía**	abr**ía**
viaj**abas**	com**ías**	abr**ías**
viaj**aba**	com**ía**	abr**ía**
viaj**ábamos**	com**íamos**	abr**íamos**
viaj**abais**	com**íais**	abr**íais**
viaj**aban**	com**ían**	abr**ían**

In the imperfect tense, **-er** and **-ir** verbs have the same endings. The first and third persons singular of all verbs in the imperfect are identical.

Iban a la ciudad todos los días. *They went (used to go) to the city every day.*
Él era profesor. *He was (used to be) a teacher.*
Le veíamos muchas veces. *We saw (used to see) him often.*

CUADRO GRAMATICAL		
Ir	**Ser**	**Ver**
iba	era	veía
ibas	eras	veías
iba	era	veía
íbamos	éramos	veíamos
ibais	erais	veíais
iban	eran	veían

Only three Spanish verbs are irregular in the imperfect tense.

B. Usos del imperfecto (Repaso)

The imperfect is a past tense used to express what was happening, what continued or used to happen, or what happened repeatedly in the past. Words and phrases such as **todos los días,** *every day;* **muchas veces,** *often;*

siempre, *always;* **mientras,** *while,* are often used with the imperfect tense when past time is expressed.

The imperfect is generally used to describe something or someone in past time: **Era una casa grande.** *It was a large house.* **Tenía los ojos azules.** *She had blue eyes.*

Verbs like **creer,** *to believe;* **pensar,** *to think;* **saber,** *to know;* **querer,** *to want;* and others indicating state of mind are frequently used in the imperfect when past time is expressed: **Yo sabía (pensaba, creía) que Juan era su amigo.** *I knew (thought, believed) that John was his friend.*

Sustitución

1. Mi tío cultivaba la tierra durante el verano.
   Los hombres ____________________.
   Yo ____________________.
   Nosotros ____________________.
   Tú ____________________.

2. Yo siempre quería vivir en el campo pero no podía.
   Mis padres ____________________.
   Ud. ____________________.
   Tú ____________________.
   Nosotros ____________________.

3. Algunas veces asistíamos al rodeo los domingos.
   __________ yo ____________________.
   __________ Uds. ____________________.
   __________ tú ____________________.
   __________ mi hermano ____________________.

4. Mi padre iba al pueblo todos los días.
   Yo ____________________.
   Muchos ____________________.
   Nosotros ____________________.

5. Mientras estábamos allí veíamos las montañas.
   _______ yo ______________________________.
   _______ Ud. ______________________________.
   _______ tú ______________________________.
   _______ ellos ______________________________.

6. Mis primos vivían allí cuando eran jóvenes.
   Nosotros ______________________________.
   Tú ______________________________.
   Yo ______________________________.
   Mi amigo ______________________________.

7. Doña Rosa era muy hermosa cuando tenía quince años.
   Mi madre ______________________________.
   Su abuela ______________________________.
   La artista ______________________________.
   Tú ______________________________.

8. La señorita tenía el pelo rubio.
   Ellas ______________________________.
   Mi padre ______________________________.
   Juana ______________________________.
   Nadie ______________________________.

9. Todos estudiaban mucho en aquella escuela.
   Los muchachos ______________________________.
   Tú ______________________________.
   Mi hermano ______________________________.
   Nosotros ______________________________.

10. Don José creía todo lo que decían.
    Los muchachos ______________________________.
    La niña ______________________________.
    Nadie ______________________________.
    Nosotros ______________________________.

Wild horse ranch, Argentina

Transformación (Cambie las frases del presente al imperfecto.)

Modelo: Yo cuido al niño mientras él duerme.
Yo *cuidaba* al niño mientras él *dormía.*

1. ¿Qué hace Ud. en la biblioteca? 2. Leo las revistas y a veces estudio. 3. Luis y Dorotea son buenos amigos. 4. Yo sé que Luis la visita todos los días. 5. Ellos no pueden estudiar en la clase. 6. Tú vas al cine todos los sábados, ¿verdad? 7. Yo creo que están en casa. 8. Los muchachos juegan al fútbol por la tarde. 9. Pablo tiene que trabajar; no gana mucho. 10. Quiero hacer un viaje por Hispanoamérica.

Traduzca (Traduzca al español las palabras en inglés.)

1. *¿What were you doing* en la biblioteca? 2. *I was reading* una revista mientras *he was sleeping.* 3. Juan siempre *visited* a sus amigos por la tarde. 4. Todos los días *they got up* a las siete. 5. María *was* una muchacha bonita. 6. *We knew* que era inteligente. 7. Los alumnos *were listening* a la profesora. 8. *I used to see* a Carlos cada mañana. 9. ¿A dónde *were you* (*tú*) *going?* 10. Pablo *could not* (*was not able*) estudiar. 11. *We were* (ser) buenos amigos. 12. *They believed* que era un hombre rico. 13. Pablo y Elena *went* al cine todos los sábados. 14. Los muchachos *were playing* al fútbol. 15. *She used to see* Jorge los domingos.

C. El pluscuamperfecto (*The Pluperfect*)

El había entrado por la ventana.	*He had entered through the window.*
Ya habíamos visto la película.	*We had already seen the film.*
Creía que habían ido a México.	*I thought that they had gone to Mexico.*

CUADRO GRAMATICAL

Entrar	**Aprender**	**Servir**
había entrado	**había** aprendido	**había** servido
habías entrado	**habías** aprendido	**habías** servido
había entrado	**había** aprendido	**había** servido
habíamos entrado	**habíamos** aprendido	**habíamos** servido
habíais entrado	**habíais** aprendido	**habíais** servido
habían entrado	**habían** aprendido	**habían** servido

The pluperfect tense is expressed by the imperfect of the verb **haber** and the past participle of the main verb. (*Review the irregular past participles on page 35.*)

When **había** is used alone, it generally means *there was* or *there were.* **Había un mapa en la pared.** *There was a map on the wall.* **Había dos alumnos en la oficina.** *There were two students in the office.*

Note that in this impersonal use, **había** is always in the singular.

Sustitución

1. Yo había oído decir que eran aficionados.
   Nosotros ______________________.
   Tú ______________________.
   Jorge ______________________.

2. Mi padre había leído el periódico.
   La familia ______________.
   Mis amigos ______________.
   Vosotros ______________.

3. Ellos se habían levantado temprano.
   Yo ______________________.
   Ud. ______________________.
   Mi madre y yo ______________.

4. María se había vestido tarde.
   Nosotros ______________.
   Mi hermana ____________.
   Pedro y su hermana _____.

5. Los chilenos habían visto la escuela.
   La madre de Jorge ____________.
   Nosotros ____________________.
   El reportero ________________.

6. ¿Había comprado Ud. un periódico?
   ¿____________ Jorge __________?
   ¿____________ ellos __________?
   ¿____________ tú __________?

Transformación

a. Cambie el verbo del pretérito perfecto al pluscuamperfecto.

1. He estudiado la lección. 2. Han visto a sus amigos. 3. El profesor ha salido. 4. Hemos vendido nuestro automóvil. 5. Nadie ha hecho el trabajo. 6. Los aztecas han dominado a otras tribus. 7. Tú has tocado una vieja melodía. 8. Él ha nacido a fines del siglo XIX. 9. Ud. ha permanecido en silencio tres horas. 10. La señorita Jiménez ha descubierto el secreto. 11. Los españoles han llegado al Nuevo Mundo. 12. Mi padre y yo hemos cultivado una gran variedad de vegetales y flores.

b. Cambie según el modelo.

Modelo: Hay un mapa en la pared. *There is a map on the wall.*
Había un mapa en la pared. *There was a map on the wall.*

1. Hay una fiesta en el pueblo. 2. Hay muchos indios en la plaza. 3. Hay un calendario de 365 días. 4. Hay puentes y caminos. 5. Hay tierras de cultivo.

¿Cómo se dice en español?

1. I had already read the novel. 2. The author had written many books. 3. Who had said that? 4. We had learned a lot. 5. There were many mistakes. 6. Alice had lost her purse. 7. There was a fiesta at their home. 8. Many had arrived late. 9. I had not received an invitation. 10. You had gone to bed early.

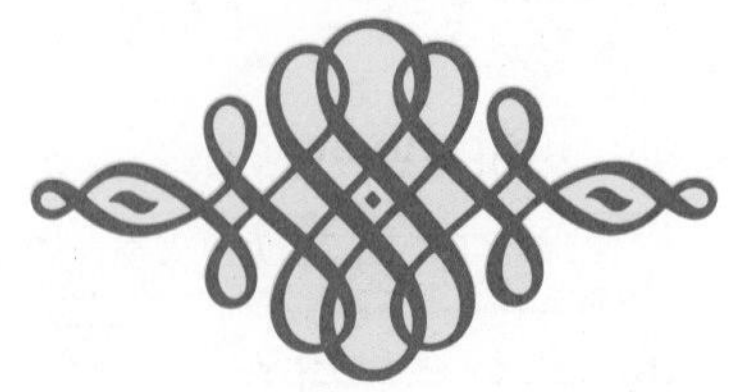

D. Algunos usos de **ser** y **estar** (Repaso)

SER

Es el presidente. *He is the president.*
Es ella. *It is she.*

1. The verb **ser** is used with a predicate noun or pronoun.

Juan es inteligente. *John is intelligent.*
Elena es bonita. *Helen is pretty.*
José es muy fuerte. *Joseph is very strong.*

2. The verb **ser** is used with adjectives describing a characteristic or condition which is not likely to change from time to time.

Teresa es de México. *Theresa is from Mexico.*
La mesa es de madera. *The table is made of wood.*

3. The verb **ser** is used in expressions indicating from where someone or something comes and of what something is made.

Eran las seis. *It was six o'clock.*
Es el ocho de octubre. *It is October 8.*

4. The verb **ser** is used in expressions of time of day and dates.

Es necesario. *It is necessary.*
Es posible. *It is possible.*

5. The verb **ser** is used in impersonal expressions.

ESTAR

Lima está en el Perú. *Lima is in Peru.*
¿Dónde estaba Ud.? *Where were you?*

1. The verb **estar** is used to express location or position.

¿Cómo está Ud.? *How are you?*
Felipe está enfermo. *Philip is ill.*

2. The verb **estar** is used in expressions of health.

Los niños están contentos. *The children are happy.*
Elena está cansada. *Helen is tired.*

3. The verb **estar** is used with adjectives that describe a condition which may change from time to time. Common adjectives of this type are: **ocupado,** *busy;* **limpio,** *clean;* **sucio,** *dirty;* **triste,** *sad;* **alegre,** *happy;* **contento,** *happy;* **cansado,** *tired.*

Complete

a. Dé la forma correcta del verbo **ser** en el presente.

1. Yo ____ alto (-a). 2. Nosotros ____ jóvenes. 3. Ellos ____ fuertes. 4. La familia ____ de Chile. 5. Tú ____ inteligente. 6. Los esposos ____ felices. 7. Su padre ____ médico. 8. Ud. ____ muy amable.

b. Dé la forma correcta del verbo **estar** en el presente.

1. El profesor ____ enojado. 2. Yo ____ ocupado (-a). 3. Nosotros ____ listos. 4. Los niños ____ alegres. 5. El viejo ____ cansado. 6. Tú ____ enfermo (-a). 7. Nosotros ____ contentos. 8. Yo ____ en casa.

Traduzca (Traduzca al español las palabras en inglés.)

1. Mi hermana *is a Spanish teacher.* 2. Ella *is very busy.* 3. Los alumnos *are happy.* 4. Pablo *was absent today.* 5. Él *is ill.* 6. Ana y yo *are good friends.* 7. Algunos alumnos *are in the library.* 8. Las ventanas *were open.* 9. *It is important* estudiar. 10. *It was* las tres de la tarde. 11. Los libros *were new.* 12. Su blusa *is dirty.* 13. ¿Quién *are you?* 14. Mis padres *are from Spain.* 15. Los señores García *used to be rich.*

VARIEDADES

El chocolate

Todos sabemos lo que es el chocolate, pero muy pocos saben que la palabra deriva de dos palabras mexicanas: **choco,** que significa cacao, y **latl,** que significa agua. Cuando los españoles llegaron a México, se utilizaban los granos de cacao como moneda. Los indios pagaban su tributo al emperador azteca con estos granos. El chocolate era una de las bebidas más comunes entre los aztecas. En la corte de Moctezuma los sirvientes hacían unas cincuenta o sesenta tazas diarias para el emperador y su familia y casi dos mil más para los cortesanos.

Cortés fue el primer europeo que descubrió el chocolate, y cuando supo que era una bebida tan rica la utilizó como alimento para sus tropas. En 1520 Cortés envió a España muestras de chocolate y en la carta que escribió, dijo: "Una taza de esta preciosa bebida permite a un hombre andar un día entero sin tomar otro alimento." Al principio, los soldados de Cortés encontraron el sabor del chocolate algo desagradable, pero pronto se acostumbraron a tomarlo, y ahora el chocolate es una de las bebidas preferidas en España y en todos los países hispanoamericanos.

Por la tarde es muy corriente reunirse con los amigos para merendar en un café. Generalmente se toma chocolate a la española o chocolate a la francesa. El chocolate a la española es puro y se toma con churros* o con pan dulce. El chocolate a la francesa se hace con leche y también se suele acompañar de pan dulce, galletas o bizcochos. Para algunos españoles e hispanoamericanos el chocolate es tan importante como lo es el té para los ingleses o el café para los norteamericanos.

Comprensión (Complete las frases con las palabras adecuadas.)

1. El primer europeo que descubrió el chocolate fue ____.

   (a.) Cristobal Colón (c.) Moctezuma
   (b.) Hernán Cortés (d.) Ponce de León

* Churros is a traditional breakfast dish of Spain.

2. Los indios pagaban su tributo al emperador azteca con ____.

(a.) monedas de oro (c.) varios animales
(b.) granos de café (d.) granos de cacao

3. El chocolate a la española es puro y se toma generalmente con ____.

(a.) churros (b.) arroz (c.) donuts (d.) café

4. Las palabras choco y latl significan ____.

(a.) maíz y agua (c.) cacao y leche
(b.) cacao y agua (d.) maíz y cacao

Estudio de palabras

Jorge es bueno. *George is good.*
Jorge está bueno. *George is well.*
Los niños son malos. *The children are bad.*
Los niños están malos. *The children are ill.*
Ana es lista. *Ann is clever.*
Ana está lista. *Ann is ready.*
¿Cómo es el muchacho? *What is the boy like?*
¿Cómo está el muchacho? *How is the boy?*

Some adjectives differ in meaning depending on whether they are used with **ser** or **estar: ser bueno (malo)** refers to one's *character;* **estar bueno (malo)** refers to one's *health.* The question **¿Cómo es (son) . . .?** is used to ask what someone or something is like; **¿Cómo está (están) . . .?** is used to ask how one feels.

Preguntas personales

1. ¿En qué siglo vivimos? 2. ¿Tiene cada comunidad la obligación de cuidar a sus enfermos? 3. ¿Quiere Ud. permanecer en esta ciudad toda su vida? 4. ¿Había muchos alumnos en la clase ayer? 5. ¿Visita Ud. el museo con frecuencia?

REFUERZO DEL VOCABULARIO

NOMBRES

el calendario *calendar*
el camino *road*
la civilización *civilization*
la comunidad *community*
el continente *continent*
el emperador *emperor*
la guerra *war*
los habitantes *inhabitants*
el imperio *empire*
el ingeniero *engineer*
la justicia *justice*
la llegada *arrival*
el mercado *market*
la muerte *death*
el mundo *world*
la ofrenda *offering*
el oro *gold*
el palacio *palace*
la pared *wall*
la piedra *stone*
la plata *silver*
el prisionero *prisoner*
el puente *bridge*
el sacerdote *priest*
el siglo *century*
el valle *valley*

ADJETIVOS

avanzado, -a *advanced*
cubierto, -a (de) *covered (with)*
elevado, -a *raised, elevated, upper*
fértil *fertile*
notable *notable*
organizado, -a *organized*
poblado, -a *populated*
precioso, -a *precious*
severo, -a *severe*
varios, -as *several*

VERBOS

alcanzar *to reach, attain*
construir *to construct*
cuidar (a) *to take care (of)*
desaparecer *to disappear*
dirigir *to direct*
edificar *to build*
extender (ie) *to extend*
gobernar (ie) *to govern*
hallarse *to be found*
permanecer *to remain*
unir *to unite*
utilizar *to use*

VOCABULARIO ADICIONAL

adornado de *decorated with*
el arquitecto *architect*
la astronomía *astronomy*
el barro *clay*
el cuero *leather*
desde . . . hasta *from . . . to*
la fortaleza *fortress*
el grado *degree, grade*
ignorarse *not to know*
los medios *means*
la obra maestra *masterpiece*
pacífico, -a *peaceful*
la pluma *feather*
raras veces *rarely*
el sacrificio *sacrifice*
el salvaje *savage*
la terraza *terrace*
la tribu *tribe*
la víctima *victim*

LECCIÓN 

La conquista del Nuevo Mundo

PRIMERA PARTE—Fifty years after the discovery of the New World, most of the American territory was explored and conquered by the Spanish. Only brave and daring men could realize such feats in so little time.

Los conquistadores eran hombres de diferente origen. Algunos eran soldados valerosos° que deseaban conquistar tierras para su rey y ayudar a los misioneros en la conversión de los indígenas° a la fe° cristiana. También había aventureros que iban en busca de° gloria y de fortuna. Todos tuvieron que luchar° contra los obstáculos físicos, el hambre y la resistencia de los indios.

En la lucha contra los indios, los conquistadores tuvieron a su favor las armas de fuego° que eran superiores al arco y a la flecha° del indio. Los cañones tanto como° los caballos aterrorizaron° a los indios. A veces algunas tribus indias se unían con los conquistadores contra otras tribus enemigas. Muchos indios creían en la leyenda del dios blanco que les prometía volver algún día. Al ver a los conquistadores, hombres blancos y poderosos, los indios pensaron que sus dioses regresaban. La superstición y el temor° de los indios favoreció a los conquistadores.

valerosos *brave*
indígenas *natives*
fe *faith*
en busca de *in search of*
luchar *to fight*

armas de fuego *firearms*
arco y flecha *bow and arrow*
tanto como *as much as*
aterrorizaron *frightened*
temor *fear*

Pre-Inca motif—Peru

Escriba (Consulte la lectura para completar las siguientes frases. Escriba toda la frase.)

1. Los conquistadores eran hombres de ____. 2. Los primeros conquistadores tuvieron que luchar contra ____. 3. Algunos eran aventureros que ____. 4. Los cañones y los caballos aterrorizaron a ____. 5. Al ver a los hombres blancos muchos indios pensaron que ____.

SEGUNDA PARTE—The conquerors went in many different directions. They took possession of the lands they explored and conquered in the name of Spain.

se destacan *stand out*
los demás *the rest (others)*
empresas *undertakings*
al atravesarlo *on crossing it*
logró *succeeded*
emprendió *undertook*
guerra civil *civil war*
se dirigió *headed*
fuerte *strong*
llevó *led*
enviaron *they sent*
poblaciones *towns*
llegaron a ser *became*

Varios conquistadores se destacan° entre los demás° por sus grandes empresas°. Vasco Núñez de Balboa llegó al istmo de Panamá y, al atravesarlo° hacia el sur, descubrió el océano Pacífico. En 1519 Hernán Cortés salió para México con menos de cuatrocientos hombres. Iban en once barcos; tenían diez y seis caballos y pocos cañones. Con la ayuda de tribus indias, enemigas del emperador Moctezuma, Hernán Cortés logró° conquistar el imperio azteca.

Siete años más tarde, Francisco Pizarro emprendió° la conquista del imperio inca. Cuando llegaron los españoles al Perú, había guerra civil° entre los incas, lo cual contribuyó al triunfo de Pizarro sobre Atahualpa, último emperador inca.

Pedro de Valdivia se dirigió° a Chile, donde encontró fuerte° resistencia por parte de los indios araucanos y murió en la lucha. Francisco de Orellana descubrió el río Amazonas y lo exploró en toda su extensión. El deseo de encontrar el rico país de El Dorado* llevó° a la exploración del Ecuador, Colombia y Venezuela.

Los conquistadores destruyeron muchas ciudades indígenas. Enviaron° gran cantidad de oro y plata a España. Fundaron nuevas poblaciones°. Algunas de éstas desaparecieron con los años; otras llegaron a ser° grandes ciudades de los países hispanoamericanos.

* Name of a legendary rich country whose chief was **El Dorado,** *The Golden Man.*

Preguntas

1. ¿Quién es aventurero? 2. ¿Logra Ud. convencer a sus amigos? 3. ¿Deben Uds. luchar por la libertad? 4. ¿Atraviesa Ud. las calles con cuidado? 5. ¿Es grande el poder del presidente de los Estados Unidos?

Escriba (Escoja la palabra más apropiada para completar la frase. Escriba toda la frase.)

1. Nunca habíamos visto (tan, tal, bastante, tantos) edificio. 2. Los soldados (sufrieron, olvidaron, atravesaron, volvieron) la frontera. 3. Sólo hombres (valientes, enojados, altos, físicos) podían explorar el continente americano. 4. Caminaron (contra, hacia, con, casi) el puente. 5. El dictador tiene más (poder, cantidad, lugar, prensa) que el rey. 6. El conquistador (desapareció, venció, edificó, unió) todos los obstáculos. 7. Los hombres blancos (llegaron, llevaron, llamaron, lloraron) a ser muy poderosos. 8. El misionero (sufrió, asistió, logró, sucedió) convertir a los indios a la fe católica. 9. Los indios decidieron (escuchar, luchar, enviar, volar) contra el enemigo hasta la muerte. 10. Nadie espera a los (demás, dioses, nombres, detrás).

Traduzca (Traduzca al español las palabras en inglés.)

1. ¿Dónde están *the rest?* 2. ¿Es difícil *to become* presidente de los Estados Unidos? 3. Hay *a struggle* constante entre las dos familias. 4. El dictador de un país tiene *much power.* 5. El general *conquers* a sus enemigos. 6. No es necesario *to send* una invitación.

ASPECTOS GRAMATICALES

A. El pretérito (Repaso)

Habló a su amigo ayer. *He spoke to his friend yesterday.*
Escribí una carta a mi madre. *I wrote a letter to my mother.*
¿Cuándo volvieron Uds.? *When did you return?*

CUADRO GRAMATICAL		
entrar	**prometer**	**recibir**
entr**é**	promet**í**	recib**í**
entr**aste**	promet**iste**	recib**iste**
entr**ó**	promet**ió**	recib**ió**
entr**amos**	promet**imos**	recib**imos**
entr**asteis**	promet**isteis**	recib**isteis**
entr**aron**	promet**ieron**	recib**ieron**

In the preterite tense the regular **-er** and **-ir** verbs have the same endings. Note that the **nosotros** form of **-ar** and **-ir** verbs is the same in the preterite and in the present tense: **entramos,** *we entered, we enter;* **recibimos,** *we received, we receive.*

The preterite is a past tense used to express an action begun and completed at a definite time in the past.

The preterite and the imperfect are frequently found in the same sentence; the imperfect describes the situation or scene; the preterite tells what happened. **Eran las dos cuando Juan llegó.** *It was two o'clock when John arrived.* **Yo leía cuando me llamó.** *I was reading when he called me.*

Sustitución

1. Eran las siete cuando nosotros nos levantamos.
   ________________ Ud. ________________.
   ________________ Juan ________________.
   ________________ yo ________________.
   ________________ ellos ________________.

2. Arturo no estaba en casa cuando Ana le llamó.
   ____________________________ Uds. ______.
   ____________________________ yo ______.
   ____________________________ nosotros ___.
   ____________________________ tú ______.

3. Alicia salía de la escuela cuando Enrique la vio.
   ____________________________ tú ______.
   ____________________________ María y yo __.
   ____________________________ ellos ______.
   ____________________________ Isabel ______.

4. La profesora estaba enojada porque Tomás no aprendió la lección.
   ____________________________ nosotros ________________.
   ____________________________ tú ________________.
   ____________________________ los alumnos ________________.
   ____________________________ yo ________________.

Complete (Complete según el modelo.)

Modelo: Ud. quería preparar la comida pero *no la preparó.*

1. Yo quería enviar la invitación pero ____. 2. Nosotros queríamos devolver el libro pero ____. 3. Tú querías regresar temprano pero ____. 4. Ellos querían contestar las preguntas pero ____. 5. José quería escribir a su amigo pero ____. 6. Arturo quería ayudar a su padre pero ____. 7. Uds. querían abrir las ventanas pero ____. 8. Yo quería ver la película pero ____.

Traduzca (Traduzca al español las palabras en inglés.)

1. *He left* a las once. 2. *We ate* en el restaurante anoche. 3. ¿Qué *did you* (tú) *buy?* 4. *They returned* a su país. 5. *They were studying* cuando *I left.* 6. ¿Por qué *did you change* su programa? 7. Los niños *ran* a casa. 8. *I was ill* cuando *he sent me* la carta. 9. ¿Quién *sat down* en esta silla? 10. *¿Did you visit* el museo? 11. ¿Qué *were you saying* a tu amiga cuando *I saw you?* 12. *We received* muchos regalos. 13. *¿Who was* con Ud. cuando *the train arrived?* 14. *¿Did they arrive* a tiempo? 15. *We worked* anoche. 16. *I was talking* con Inés cuando *her brother entered.* 17. *I saw* la nueva película. 18. *¿Did you wait* mucho tiempo? 19. Los jóvenes *discussed* el problema ayer. 20. *I was going* a la biblioteca cuando *I met* a mis amigos.

B. Verbos que cambian la i > y en el pretérito (Repaso)

CUADRO GRAMATICAL				
Leer	**Creer**	**Oír**	**Construir**	**Caerse**
(*to read*)	(*to believe*)	(*to hear*)	(*to build*)	(*to fall down*)
leí	creí	oí	construí	Me caí
leíste	creíste	oíste	construiste	Te caíste
le**yó**	cre**yó**	o**yó**	constru**yó**	Se ca**yó**
leímos	creímos	oímos	construimos	Nos caímos
leísteis	creísteis	oísteis	construisteis	Os caísteis
le**yeron**	cre**yeron**	o**yeron**	constru**yeron**	Se ca**yeron**

Note that in the third person singular and plural of the above verbs the endings **-ió** and **-ieron** change to **-yó** and **-yeron.** In Spanish an unstressed **i** between two vowels is changed to **y.**

Verbs like **construir:**

destruir *to destroy*
huir *to flee*
contribuir *to contribute*
concluir *to conclude, end*

Sustitución

1. Yo no leí la lección anoche.
   Uds. ________________.
   Tú ________________.
   Alberto ________________.

2. Tú y yo no lo creímos.
   Pablo ________________.
   Ellos ________________.
   Yo ________________.

3. Nosotros oímos un grito.
   Tú ________________.
   Carlos ________________.
   Los muchachos ____________.

4. Yo destruí la pared.
   Ud. ________________.
   Ellos ________________.
   Tú ________________.

5. No contribuimos con mucho dinero para la fiesta.
   Jorge ____________________________.
   Yo ____________________________.
   Las muchachas ________________________.

6. Yo me caí al subir las escaleras.
   María ____________________.
   Tú ____________________.
   Ellos ____________________.

Pre-Colombian pottery

¿Cómo se dice en español?

1. I didn't hear anything. 2. You didn't believe me. 3. We read this book last year. 4. Did you hear the bell? 5. How much did the students contribute? 6. I didn't contribute anything. 7. Who fell down? 8. Why didn't you destroy the letter? 9. Who built your house? 10. They fled from the city.

C. El pretérito de **estar, tener, ir** y **ser** (Repaso)

CUADRO GRAMATICAL			
Estar	**Tener**	**Ir**	**Ser**
estuve	tuve	fui	fui
estuviste	tuviste	fuiste	fuiste
estuvo	tuvo	fue	fue
estuvimos	tuvimos	fuimos	fuimos
estuvisteis	tuvisteis	fuisteis	fuisteis
estuvieron	tuvieron	fueron	fueron

Note that the verbs **ir** and **ser** are identical in the preterite.

Complete (Complete la traducción de las frases.)

1. Charles and Ann were invited to the dance. Carlos y Ana ____ invitados al baile.
2. We were not invited. Nosotros no ____ invitados.
3. Ann went shopping. Ana ____ de compras.
4. She had to buy a new dress. ____ que comprar un vestido nuevo.
5. I went home early. ____ a casa temprano.
6. I had to prepare the dinner. ____ que preparar la comida.
7. My brother and I went to the library at eight o'clock. Mi hermano y yo ____ a la biblioteca a las ocho.
8. It was impossible to find an interesting book. ____ imposible encontrar un libro interesante.

Sustitución

Dolores no fue al centro porque no tuvo tiempo.
Ella y yo ______________________.
Uds. ______________________.
Tú ______________________.
Manuel ______________________.
Yo ______________________.

Preguntas personales

1. ¿A qué hora se levantó Ud. esta mañana? 2. ¿Salió Ud. temprano de su casa? 3. ¿Entendieron la lección todos los alumnos? 4. ¿Vio Ud. a su amigo en la escuela? 5. ¿De qué hablaron Uds.? 6. ¿Cuántas horas estudió Ud. anoche? 7. ¿Qué programa de televisión vieron Uds. ayer? 8. ¿Se quedó Ud. en casa anoche? 9. ¿A dónde fue Ud. ayer? 10. ¿Estuvo Ud. allí mucho tiempo? 11. ¿Tuvieron Uds. examen hoy? ¿Fue difícil? 12. ¿Tuvo Ud. que estudiar anoche? 13. ¿Con quién fue Ud. al museo esta semana? 14. ¿A dónde fueron Uds. al salir de la escuela? 15. ¿Tuvieron Uds. elecciones en la escuela este año?

VARIEDADES

Estudio de palabras

El muchacho juega al tenis. *The boy plays tennis.*
El señor toca la guitarra. *The man plays the guitar.*

The verbs **jugar** and **tocar** both mean *to play.* **Jugar** is *to play a game;* **tocar** is *to play an instrument.*

Complete con la forma correcta del presente de **jugar** o **tocar.**

1. ¿Quién ____ el piano? 2. Yo no ____ bien al béisbol. 3. Los jóvenes ____ en la orquesta. 4. Ernesto ____ el tambor (*drum*). 5. Los niños ____ en el parque. 6. ¿Quiere Ud. ____ al fútbol?

El Dorado

Hernando de Soto había oído hablar mucho de "El Dorado". Según la leyenda, el jefe indio de aquel país se cubría completamente con polvo de oro una vez al año y así parecía hecho de este metal. Hernando de Soto decidió ir al Nuevo Mundo para buscar "El Dorado". Ricos y pobres, viejos y jóvenes, pidieron permiso para formar parte de la expedición. Hernando de Soto escogió los más fuertes e inteligentes. Celebraron la salida con música y corridas de toros. Cuando partieron llevaron doscientos caballos y muchos perros. Nunca encontraron "El Dorado", pero la expedición tuvo mucho éxito, porque descubrieron el Misisipí, el río más largo de América del Norte.

Comprensión (Complete las frases con las palabras adecuadas.)

1. El jefe indio de El Dorado se cubría completamente con oro ____.

   (a.) una vez al mes
   (b.) dos veces al año
   (c.) en el día de su cumpleaños
   (d.) una vez al año

2. La expedición para buscar El Dorado la formaban ____.

   (a.) soldados de Ponce de León
   (b.) los más fuertes e inteligentes
   (c.) solamente jóvenes
   (d.) pobres en busca de oro

3. Hernando de Soto no encontró el legendario país de El Dorado pero descubrió ____.

   (a.) Florida
   (b.) el río Amazonas
   (c.) el río Misisipí
   (d.) el Gran Cañón del Colorado

REFUERZO DEL VOCABULARIO

NOMBRES

las armas de fuego *firearms*
el barco *boat*
el caballo *horse*
la cantidad *quantity*
el cañón *cannon*
el conquistador *conqueror*
el deseo *desire*
la empresa *undertaking*
el hambre (f.) *hunger*
la leyenda *legend*
la lucha *struggle*
el obstáculo *obstacle*
el origen *origin*
el país *country*
la resistencia *resistance*
el rey *king*
el soldado *soldier*
la superstición *superstition*
el temor *fear*
la tierra *land*

ADJETIVOS

físico, -a *physical*
fuerte *strong*
poderoso, -a *powerful*
valeroso, -a *brave, valiant*

VERBOS

aterrorizar *to frighten*
atravesar *to cross*
conquistar *to conquer*
contribuir *to contribute*
descubrir *to discover*
destacar *to stand out*
dirigirse a *to go toward*
emprender *to undertake*
enviar *to send*
explorar *to explore*
fundar *to found*
lograr *to succeed*
luchar *to struggle*
prometer *to promise*
regresar *to return*

VOCABULARIO ADICIONAL

a veces *at times*
el arco *bow*
el aventurero *adventurer*
contra *against*
la conversión *conversion*
cristiano, -a *Christian*
los demás *the rest, the others*
en busca de *in search of*
la exploración *exploration*
favorecer *to favor*
la fe *faith*
la flecha *arrow*
el (la) indígena *native*
el istmo *isthmus*
llegar a ser *to become*
el misionero *missionary*
la resistencia *resistance*
tanto como *as well as*
el triunfo *triumph*

LECCIÓN 

Pizarro y el Inca Atahualpa

PRIMERA PARTE—The meeting in Cajamarca between Francisco Pizarro and Atahualpa, the Inca emperor, was one of the most dramatic episodes of the Spanish conquest.

Francisco Pizarro era un hombre ambicioso, valiente y cruel. Era de origen humilde°. No sabía leer; ni siquiera° sabía escribir su nombre. Se cuenta° que hablaba poco y jamás reía.

En 1531 Pizarro organizó una expedición para explorar y conquistar el gran imperio inca. Salió de Panamá con tres barcos y unos doscientos hombres. Después de navegar por algún tiempo, los españoles anclaron° en una bahía de la costa peruana°, y siguieron el camino° por tierra. Algunos prisioneros indios les sirvieron de intérpretes. Los indios dijeron a los españoles que había guerra civil en el imperio inca. El emperador Atahualpa, vencedor de su hermano Huáscar, se encontraba con sus tropas cerca de Cajamarca, ciudad situada en los Andes.

Al oír noticias, Pizarro decidió ir al encuentro° del emperador inca. La marcha, desde la costa hasta Cajamarca, fue difícil y peligrosa°; duró° dos meses. Cuando los españoles entraron en el valle de Cajamarca, vieron en las sierras cercanas° miles de tiendas° blancas. Era el campamento de Atahualpa. La ciudad de Cajamarca estaba desierta. Los habitantes se refugiaron en las montañas. Los españoles se instalaron en los edificios abandonados que rodeaban° la plaza principal de la ciudad.

humilde *lowly, humble*
ni siquiera *not even*
se cuenta *it is told*
anclaron *dropped anchor*
peruana *Peruvian*
siguieron el camino *continued on their way*
ir al encuentro *to go to meet*
peligrosa *dangerous*
duró *lasted*
sierras cercanas *nearby mountains*
tiendas *tents*
rodeaban *surrounded*

Inca wall motif, Bolivia

Preguntas

1. ¿Quién era Atahualpa? 2. ¿Era Pizarro un hombre educado? 3. ¿Para qué organizó Pizarro una expedición en Panamá? 4. ¿En qué año salieron los españoles para la costa peruana? 5. ¿Quiénes les sirvieron de intérpretes? 6. ¿Qué le dijeron los intérpretes a Pizarro? 7. ¿Dónde estaba Atahualpa en aquel momento? 8. ¿Cuánto tiempo duró la marcha desde la costa hasta Cajamarca?

SEGUNDA PARTE—Pizarro ordered his lieutenant, Hernando de Soto, to communicate with the Inca emperor.

Hernando de Soto se dirigió al campamento del Inca. Todos los indios salieron de las tiendas para ver los caballos. Los españoles se abrieron paso° entre la multitud india y llegaron a la tienda de Atahualpa. El emperador estaba rodeado de sus nobles. Hernando de Soto se acercó al emperador y por medio de° un intérprete le explicó las buenas intenciones de su jefe; en nombre de Pizarro le invitó a una comida de buena amistad. El Inca, orgulloso° y altivo, vaciló° antes de contestar, pero al fin consintió en aceptar la invitación.

se abrieron paso *forced their way*

por medio de *by means of*

orgulloso *proud*
vaciló *wavered*

Los españoles regresaron a Cajamarca donde los esperaba Pizarro. El gran número de indios les había inquietado°. Eran pocos españoles contra miles de indios. Pizarro decidió atacarlos por sorpresa y apoderarse° del Inca, como hizo Cortés con Moctezuma.

les había inquietado *made them uneasy*
apoderarse *to seize*

Escriba

a. Usando las palabras dadas y basándose en las lecturas, escriba una frase completa.

1. Pizarro... expedición... imperio inca
2. marcha... Cajamarca... peligrosa
3. españoles... instalaron... plaza principal
4. Hernando de Soto... intérprete... amistad
5. atacar... apoderarse... Moctezuma

b. Busque estas expresiones en las lecturas.

1. He didn't even know how to write his name.
2. He never laughed.
3. They continued on their way over (the) land.
4. there was civil war
5. on hearing (this) news
6. The emperor was surrounded by his nobles.
7. Hernando de Soto approached the emperor.
8. He consented to accept the invitation.
9. against thousands of Indians
10. to attack them by surprise

Traduzca (Traduzca al español las palabras en inglés.)

1. Carlos era *the president* del club. 2. *He sent an invitation* a varios socios. 3. Algunos muchachos *did not even answer.* 4. Carlos era *a proud boy.* 5. *Never* hablaba de sus problemas. 6. Carlos se levantó y *went toward* la puerta. 7. Esta situación *could not last* mucho tiempo. 8. *The following day* un amigo llegó a su casa. 9. *He was surrounded by* varios muchachos. 10. Querían demostrar *their friendship.*

Rural Scene—Chile

ASPECTOS GRAMATICALES

A. Pretérito y gerundio de los verbos en **-ir** con cambio de radical (Repaso)

Servir	**Dormir**
serví	dormí
serviste	dormiste
sirvió	durmió
servimos	dormimos
servisteis	dormisteis
sirvieron	durmieron

In the preterite tense, the stem-changing **-ir** verbs change the stem vowel **e** to **i** and **o** to **u** in the third person singular and plural and in the gerund (present participle): **sirviendo, durmiendo.**

Sustitución

1. El señor pidió la cuenta a la mesera.
   Ellos ______________________________.
   Yo ______________________________.
   Nosotros ______________________________.
   Francisca ______________________________.

2. Ellos consintieron en aceptar la invitación.
   Lola ______________________________.
   Yo ______________________________.
   Tú ______________________________.
   Uds. ______________________________.

3. Los alumnos están repitiendo las frases varias veces.
   El alumno ______________________________.
   Yo ______________________________.
   Nosotros ______________________________.
   Ud. ______________________________.

4. Carlos se despidió de los amigos.
Yo ______________________.
Los muchachos ______________.
Ud. ______________________.
Nosotros __________________.

5. Tú te vestiste pronto.
Yo ______________.
Mi amigo ________.
Ana y yo ________.
Los muchachos ____.

6. Todos se están divirtiendo.
Yo __________________.
El muchacho __________.
Tú __________________.
Ud. __________________.

7. Anoche yo serví la comida.
______ mi madre ______.
______ nosotros ______.
______ ellos ________.
______ tú __________.

8. Yo me sentí mal esta mañana.
Ud. ____________________.
Nosotros ________________.
Ellos ___________________.
Lucía ___________________.

9. Todos se rieron en voz alta.
Yo ____________________.
Luis ___________________.
Nosotros _______________.
Ud. ___________________.

10. Los hombres siguieron el ejemplo del jefe.
El pueblo ______________________.
Nosotros ______________________.
Tú ____________________________.
Uds. __________________________.

Preguntas personales

1. ¿Durmió Ud. ocho horas anoche? 2. ¿Se sintió Ud. bien esta mañana? 3. ¿Se vistió Ud. pronto? 4. ¿Sirvió Ud. el desayuno? 5. ¿Se despidió Ud. de sus padres? 6. ¿Se divirtieron Uds. en la fiesta? 7. ¿Repitieron Uds. los ejercicios en voz alta? 8. ¿Pidieron Uds. sus papeles?

Traduzca (Traduzca al español las palabras en inglés.)

1. Mi amigo *consented* en acompañarme. 2. *I had a good time* durante el viaje. 3. *We asked for* permiso para salir. 4. *I dressed* temprano. 5. ¿Por qué *did your friends laugh?* 6. Alfredo *slept* en la clase esta mañana. 7. Las dos muchachas *continued* hablando. 8. Tú *served* los refrescos.

B. Pretérito de **decir, hacer** y **traer** (Repaso)

Decir	**Hacer**	**Traer**
dije	hice	traje
dijiste	hiciste	trajiste
dijo	hizo*	trajo
dijimos	hicimos	trajimos
dijisteis	hicisteis	trajisteis
dijeron	hicieron	trajeron

Sustitución

1. Yo no dije eso.
   ________ nada.
   ________ mucho.

2. ¿Qué le dijiste cuando llamó?
   ¿________________ entró?
   ¿________________ regresó?

3. El muchacho nos dijo que el camino era difícil.
   ________________________________ peligroso.
   ________________________________ imposible.

4. Nosotros le dijimos que fuimos a la fiesta.
   ________________ que duró una hora.
   ________________ que fue interesante.

* **C** changes to **z** in **hizo** to preserve the *s* sound. (Spanish-American)

5. ¿Qué trajeron los profesores?
¿__________ los socios?
¿__________ los padres?

6. Yo traje los ejercicios ayer.
______ muchos libros __.
______ mi tarea ______.

7. ¿Hiciste tu trabajo al día siguiente?
¿______________ esta mañana?
¿______________ anoche?

8. ¿Qué hizo Ud. con el papel que estaba en la mesa?
¿__________ con el lápiz __________________?

Transformación (Cambie el verbo del presente al pretérito.)

1. Hago el trabajo con mucho gusto. 2. ¿Qué dicen los muchachos? 3. Hacemos muchos ejercicios. 4. Gracias, dice el señor. 5. ¿Cómo haces esto? 6. No decimos nada. 7. Hacen un viaje. 8. Le digo la verdad. 9. ¿Por qué dices eso? 10. ¿Qué hace Ud. esta mañana?

C. Números cardinales (Repaso)

1	uno (un, una)	11	once	21	veintiuno	29	veintinueve
2	dos	12	doce		(veinte y uno)	30	treinta
3	tres	13	trece	22	veintidós	31	treinta y uno
4	cuatro	14	catorce		(veinte y dos)	40	cuarenta
5	cinco	15	quince	23	veintitrés	50	cincuenta
6	seis	16	diez y seis	24	veinticuatro	60	sesenta
7	siete	17	diez y siete	25	veinticinco	70	setenta
8	ocho	18	diez y ocho	26	veintiséis	80	ochenta
9	nueve	19	diez y nueve	27	veintisiete	90	noventa
10	diez	20	veinte	28	veintiocho	99	noventa y nueve

The numerals 21 through 29 are usually written as one word. The numerals 16–19 may also be written as one word (**dieciséis, diecisiete,** *etc.*).

un muchacho *one boy*
una muchacha *one girl*
treinta y un libros *thirty-one books*
treinta y una sillas *thirty-one chairs*

Uno and numerals ending in **uno** drop the **o** before masculine nouns. They change the **o** to **a** before feminine nouns.

100–1,000,000

100	ciento (cien)	600	seiscientos, -as
200	doscientos, -as	700	setecientos, -as
300	trescientos, -as	800	ochocientos, -as
400	cuatrocientos, -as	900	novecientos, -as
500	quinientos, -as	1,000	mil

2,000	dos mil
1,000,000	un millón
2,000,000	dos millones

Note the irregular forms **quinientos,** *500;* **setecientos,** *700;* and **novecientos,** *900.*

cien alumnos *one hundred pupils*
cien mil *one hundred thousand*
cien millones *one hundred million*
but
ciento cincuenta alumnos *one hundred fifty pupils*

Ciento becomes **cien** immediately before a noun and before **mil** and **millones.**

doscientos libros *two hundred books*
quinientas páginas *five hundred pages*

The numerals 200 through 900 change **-os** to **-as** when used with feminine nouns.

ciento veinte *one hundred twenty*
mil dólares *one thousand dollars*
un millón de soldados *one million soldiers*

Un is used before **millón,** but not before **ciento** or **mil. Millón** and **millones** require **de** when followed by a noun.

dos mil *two thousand*
mil novecientos sesenta *nineteen hundred sixty*
tres mil seiscientos *thirty-six hundred*

Note that **mil** is not made plural in multiples of one thousand.

Numerals like 1900 and 3600 must be expressed in Spanish by one thousand nine hundred, three thousand six hundred.

Escriba (Escriba los siguientes números en español.)

7, 15, 26, 79, 111, 383, 532, 791, 868, 945, 1960, 3600, 1,000,000, 5,000,000

Complete

a. Complete con **un, una,** o **uno.**

1. La fiesta duró ____ día. 2. Nos quedamos allí ____ hora. 3. Cuesta setenta y ____ dólares. 4. Hay veinte y ____ naciones panamericanas.

b. Complete con **cien** o **ciento.**

1. Es una ciudad de ____ mil habitantes. 2. El libro tiene ____ noventa páginas. 3. ____ alumnos asistieron al concierto. 4. Vendieron casi ____ millones de discos. 5. Hay ____ oficinas en el edificio.

¿Cómo se dice en español?

1. fifty-one horses 2. two hundred thirty men 3. a thousand soldiers 4. four hundred women 5. one hundred dollars 6. a million inhabitants 7. in the year nineteen hundred fifty-five 8. twenty-one cities

Reading the Sunday papers, Plaza de Armas—Santiago, Chile

VARIEDADES

Estudio de palabras

No puede trabajar. *He can't work.*
No sabe leer. *He can't read.*

Poder y **saber** mean *can.* **Poder** expresses physical capacity and **saber** expresses mental capacity.

Complete con la forma correcta del presente de **poder** o **saber.**

1. ¿____ Uds. hablar español? 2. Nosotros no ____ ir con Ud. mañana. 3. Yo ____ tocar la guitarra. 4. ¿Quién ____ alcanzar aquel plato? 5. ¿____ Ud. bailar el tango?

El servicio postal de los incas

Mucho antes del descubrimiento del Nuevo Mundo, los indios del Perú tenían un servicio postal muy práctico y eficaz. No había caballos ni coches para transportar la correspondencia y el papel era completamente desconocido en este continente. Los incas habían construido numerosas estaciones postales a lo largo de sus magníficas carreteras. Para el servicio postal se usaban mensajeros llamados "chasquis", los cuales eran hombres que podían correr a velocidad prodigiosa. Un "chasqui" recibía el mensaje en forma de quipos extendidos sobre una barra horizontal, e inmediatamente partía corriendo hacia la próxima estación. Allí le esperaba otro chasqui que recogía el mensaje y, a su vez, salía sin perder tiempo para la estación siguiente. Así, cambiando de manos, el mensaje llegaba a su destino con gran rapidez. Estas "cartas" incaicas contenían noticias del día y, a veces, complicadas transacciones comerciales entre los distantes lugares del imperio inca.

Comprensión (Complete las frases con las palabras adecuadas.)

1. Mucho antes del descubrimiento del Nuevo Mundo, los indios del Perú ____.

   (a.) no tenían servicio postal
   (b.) usaban el papel
   (c.) transportaban la correspondencia en caballos
   (d.) tenían un servicio postal muy práctico

2. Los chasquis eran ____.

   (a.) mensajeros que corrían a gran velocidad
   (b.) enemigos de los incas
   (c.) religiosos que interpretaban la Biblia
   (d.) los hijos de los españoles

3. Los quipos que eran mensajes extendidos sobre una barra contenían ____.

   (a.) noticias del año pasado
   (b.) informes de la guerra
   (c.) noticias del día y transacciones comerciales
   (d.) cartas escritas en papel

REFUERZO DEL VOCABULARIO

NOMBRES

la amistad *friendship*
la bahía *bay*
la costa *coast*
el edificio *building*
la intención *intention*
el intérprete *interpreter*
la marcha *march*
la montaña *mountain*
la multitud *crowd*
la plaza *town square*
la sorpresa *surprise*

VERBOS

aceptar *to accept*
acercarse *to approach*
atacar *to attack*
consentir (ie) *to consent*
contar (ue) *to tell, relate*
contestar *to answer*
durar *to last*
esperar *to wait for, hope*
explicar *to explain*
organizar *to organize*
reír *to laugh*
rodear *to surround*
seguir (i) *to follow, continue*
servir (i) *to serve*
vacilar *to waver*

ADJETIVOS

abandonado, -a *abandoned*
altivo, -a *haughty*
ambicioso, -a *ambitious*
cercano, -a *nearby*
desierto, -a *deserted*
humilde *humble*
orgulloso, -a *proud*
peligroso, -a *dangerous*
peruano, -a *Peruvian*
valiente *brave, valiant*

VOCABULARIO ADICIONAL

abirse paso *to force a way*
al fin *finally*
anclar *to drop anchor*
antes de *before*
apoderarse *to seize*
el campamento *camp, encampment*
en nombre de *in the name of*
la expedición *expedition*
inquietarse *to become uneasy*
instalar *to install*
ir al encuentro *to go to meet*
jamás *never*
el jefe *chief*
miles de *thousands of*
navegar *to sail*
ni siquiera *not even*
poco *little (quantity)*
por medio de *by means of*
refugiarse *to take refuge*
las tropas *troops*

LECCIÓN 

El encuentro en Cajamarca

PRIMERA PARTE—*In Cajamarca, Pizarro and his soldiers were preparing to receive Atahualpa.*

El emperador llegó a la plaza de Cajamarca sentado en un trono° de oro. Iba acompañado de sus nobles y de esclavos que llevaban regalos de oro y plata. Todos estaban sin armas°. ¡Era una visita de buena amistad!

La plaza se hallaba° desierta. Los soldados españoles ocultos° en los edificios próximos°, esperaban la señal° de su jefe. Primero salió el padre Valverde y se dirigió a Atahualpa. Saludó al inca y empezó a hablarle de la fe cristiana y del emperador Carlos V (Quinto), a quien debía someterse°. El intérprete tradujo las palabras del padre, pero el Inca no pudo comprender nada de eso. Entonces el sacerdote le enseñó la Biblia que llevaba en la mano y le dijo: —"Todo está escrito en este libro sagrado°." El Inca tomó la Biblia y la miró con indiferencia; al fin la tiró° al suelo con desprecio°. Entonces Pizarro dio el grito de guerra: ¡Santiago!*

Los españoles salieron al ataque. Dispararon° los cañones y algunos soldados a caballo° se lanzaron° sobre los indios. Los incas huyeron en todas direcciones. Muchos perecieron° bajo el fuego de las armas españolas. Pizarro quiso salvar la vida de Atahualpa. Le hizo prisionero y le llevó a lugar seguro°.

trono *throne*
armas *weapons*
se hallaba *was*
ocultos *hidden*
próximos *nearby*
señal *signal*
someterse *to submit*
sagrado *sacred*
tiró *threw*
desprecio *scorn*
dispararon *they fired*
a caballo *on horseback*
se lanzaron *hurled themselves*
perecieron *perished*
seguro *safe*

* ***Santiago,*** *St. James,* is the patron saint of Spain. His name was used as the war cry in the wars of the Spaniards against the Moors.

Mayan pottery figurine 700–900 A.D.

Complete

1. Atahualpa llegó a la plaza de Cajamarca acompañado de ____. 2. Era una visita de ____. 3. Los soldados españoles esperaban la señal de ____. 4. El padre Valverde se dirigió al Inca y empezó a hablarle de ____. 5. Atahualpa no pudo comprender nada de ____. 6. El Inca tomó la Biblia y ____. 7. Dispararon los cañones y ____. 8. Pizarro hizo prisionero a Atahualpa y le ____.

SEGUNDA PARTE—Atahualpa knew that gold and silver were very important to the Spanish conquerors. He offered Pizarro enough gold and silver to fill the room where he was imprisoned.

disimuló *concealed*
concedió *granted*
cumplir *to fulfill*

—¿Hasta qué altura? —le preguntó Pizarro. —Hasta la altura de un hombre, —contestó el Inca. Pizarro disimuló° su alegría y le concedió° dos meses para cumplir° su promesa.

tesoro *treasure*
valía *was worth*

Pronto empezaron a llegar de todas partes del imperio inca, grandes cantidades de oro, plata y objetos preciosos. Al terminar los dos meses, la promesa de Atahualpa estaba cumplida. El tesoro° valía° una fortuna sin igual en aquellos días.

suerte *fate, luck*
haber conspirado *having conspired*

Llegó el momento de poner en libertad al monarca, pero Pizarro le reservaba otra suerte°. Le acusó de haber conspirado° contra los españoles y de haber asesinado a su propio hermano Huáscar. Atahualpa fue llevado ante un tribunal y condenado a muerte. En medio de la multitud silenciosa de indios y españoles fue ejecutado el último emperador inca.

se fundó *was established*

Pizarro tomó posesión del rico imperio de los incas. En 1535 se fundó° la ciudad de Lima, a la que se dio el nombre de Ciudad de los Reyes. Durante toda la época colonial Lima fue la ciudad más importante de las Américas.

En 1541 Pizarro fue asesinado en su palacio de Lima. Como otros conquistadores Pizarro dominó por las armas y murió víctima de ellas.

Traduzca (Traduzca al inglés.)

1. estaban sin armas 2. una visita de amistad 3. le enseñó la Biblia 4. al fin 5. grito de guerra 6. huyeron en todas direcciones 7. un lugar seguro 8. su propio hermano

Transformación (Cambie las frases según la información dada en las lecturas.)

1. Había muchas personas en la plaza. 2. El sacerdote tradujo las palabras de la Biblia. 3. El Inca leyó la Biblia con mucho interés. 4. Porque Pizarro quería matar a Atahualpa, le hizo prisionero. 5. El tesoro no valía nada. 6. Le acusó de haber conspirado contra los indios y de haber matado a su hermano Huáscar. 7. En 1535 Pizarro fue llevado ante un tribunal y condenado a muerte.

Gaucho Monument—Montevideo, Uruguay

ASPECTOS GRAMATICALES

A. Verbos irregulares en el pretérito—continuación (Repaso)

Dar di, diste, dio, dimos, disteis, dieron
Saber supe, supiste, supo, supimos, supisteis, supieron
Poder pude, pudiste, pudo, pudimos, pudisteis, pudieron
Poner puse, pusiste, puso, pusimos, pusisteis, pusieron
Andar anduve, anduviste, anduvo, anduvimos, anduvisteis, anduvieron
Querer quise, quisiste, quiso, quisimos, quisisteis, quisieron
Venir vine, viniste, vino, vinimos, vinisteis, vinieron
Traducir traduje, tradujiste, tradujo, tradujimos, tradujisteis, tradujeron

Otros verbos en **-ducir (conducir, producir)** se conjugan como **traducir.**

Sustitución

1. El niño quiso saludar al presidente.
   Vicente y Ernesto ______________.
   Yo ______________.
   Ud. ______________.
   Mi amigo y yo ______________.

2. Nosotros no lo supimos hasta más tarde.
   Elena ______________.
   Tú ______________.
   Los alumnos ______________.
   Yo ______________.

3. El intérprete tradujo las palabras al inglés.
   Yo ______________.
   El profesor ______________.
   Ellos ______________.
   Nosotros ______________.

4. Yo no puse los libros en el suelo.
   Nosotros ____________________.
   Carlota ____________________.
   Uds. ____________________.
   Tú ____________________.

5. Pablo y Ana vinieron temprano.
   Yo ____________________.
   El niño ____________________.
   Tú ____________________.
   Ud. ____________________.

6. Cuando apareció, todos dieron un grito.
   ____________ yo ____________.
   ____________ nosotros ____________.
   ____________ la señorita ____________.
   ____________ tú ____________.

7. Anoche anduvimos por la plaza principal.
   ______ Pepe y su compañero ____________.
   ______ mi amigo ____________.
   ______ Ud. ____________.
   ______ yo ____________.

8. Yo no pude salvar al joven.
   Nosotros ____________________.
   Ud. ____________________.
   Tú ____________________.
   Ellos ____________________.

Transformación (Cambie el verbo del presente al pretérito.)

1. Quieren celebrar la victoria. 2. El emperador le da regalos de oro y plata. 3. Sé la importancia de su decisión. 4. Sí, andamos por el parque. 5. Lo ponen en su habitación. 6. Él traduce bien. 7. Mi padre viene de la oficina a las cinco. 8. No puedes ayudarle. 9. Alfredo conduce su automóvil nuevo. 10. Las minas producen una gran cantidad de plata.

Traduzca (Traduzca al español las palabras en inglés usando el pretérito.)

1. Los alumnos *translated* la lección. 2. *We knew* que Tomás llegó esta mañana. 3. ¿Dónde *were you* (tú) anoche? 4. ¿Quién le *gave* la carta? 5. *I did not want* hacer el trabajo. 6. *They came* a nuestra casa. 7. ¿*Who drove* el coche? 8. ¿Dónde *did you put* el diccionario? 9. Ayer *I walked* por el pueblo. 10. Este árbol *produced* mucha fruta el año pasado.

Conteste (Conteste las preguntas según las indicaciones.)

1. ¿Quién le dio el dinero? (Mi padre) 2. ¿Supo Ud. la lección al día siguiente? (No) 3. ¿Dónde puso Ud. mi libro? (encima de la mesa) 4. ¿Tradujo Ud. toda la lectura? (Sí) 5. ¿A quién dio Ud. su papel? (a Roberto) 6. ¿Cómo vinieron Uds.? (en coche) 7. ¿Condujeron Uds. su propio automóvil? (No, ____ el automóvil de mi tío.) 8. ¿Por dónde anduvieron Uds.? (por la calle principal) 9. ¿Con quién quisieron Uds. hablar? (con la secretaria) 10. ¿Pudieron Uds. hablar con ella? (No)

Angel—part Baroque and part Indian—Arequipa, Peru

B. Números ordinales

primero, -a (primer) *first*	**sexto, -a** *sixth*
segundo, -a *second*	**séptimo, -a** *seventh*
tercero, -a *third*	**octavo, -a** *eighth*
cuarto, -a *fourth*	**noveno, -a** *ninth*
quinto, -a *fifth*	**décimo, -a** *tenth*

los primeros habitantes *the first inhabitants*
la segunda casa *the second house*

Ordinal numerals, like adjectives, must agree with the noun to which they refer.

el primer libro *the first book*
el tercer alumno *the third pupil*
but
el primero de la clase *the first in the class*
la tercera lección *the third lesson*

Primero and **tercero** drop the final **o** when they come immediately before a masculine singular noun.

el séptimo piso *the seventh floor*
Alfonso Sexto *Alphonse VI*
but
el piso catorce *the 14th floor*
Alfonso Trece *Alphonse XIII*

Ordinal numerals beyond **décimo** are generally replaced by cardinal numerals. Note that in such cases the cardinal numeral follows the noun.

el primero de enero *the first of January*
el tres de noviembre *the third of November*

With dates, **primero** is used for the first day of the month, but cardinal numerals are used with all other days.

Traduzca (Dé en español la forma correcta de la palabra entre paréntesis.)

1. (first) ____ momento; ____ reunión; ____ de julio
2. (second) ____ mes; ____ semana; ____ de mayo
3. (third) ____ acto; ____ fila; ____ de enero
4. (fourth) ____ piso; ____ puerta; ____ de junio
5. (fifth) ____ edificio; ____ casa; ____ de febrero
6. (sixth) ____ año; ____ avenida; ____ de septiembre
7. (seventh) ____ ejercicio; ____ lección; ____ de marzo
8. (eighth) ____ día; ____ noche; ____ de diciembre
9. (ninth) ____ siglo; ____ calle; ____ de abril
10. (tenth) ____ partido; ____ vez; ____ de agosto

¿Cómo se dice en español?

1. the first seat 2. the sixth month 3. Charles V 4. the second week 5. the first lessons 6. the third page 7. Alfonso (the) Twelfth 8. the eighth floor 9. the nineteenth century 10. the second of December

Going to market, Peru

VARIEDADES

Estudio de palabras

¿Qué hora es? —preguntó Juan.
What time is it?, asked John.
Todos preguntaron por tu familia.
Everybody asked about your family.

Diego pide un libro.
James asks for a book.
Pidió una taza de café.
He asked for (ordered) a cup of coffee.

Preguntar and **pedir** both mean *to ask.* **Preguntar** means to ask a question or to inquire about someone or something. **Pedir** means to ask for something, to request.

¿Cómo se dice en español?

1. He asks what time it is. 2. The girls always ask permission to leave. 3. Helen asked him for his book. 4. The students ask the teacher when they don't understand. 5. I asked him for the money.

Preguntas personales

1. ¿Tiene Ud. mucha suerte? 2. ¿Saludan Uds. al profesor al entrar en la clase? 3. ¿Cumple Ud. siempre su palabra? 4. ¿Cuántas habitaciones tiene su casa? 5. ¿Da Ud. un grito de alegría al ver a sus amigos? 6. ¿Tira Ud. sus libros al suelo cuando está enojado (-a)? 7. ¿Gana Ud. su propio dinero? 8. ¿Vale mucho una buena educación? 9. ¿Le gusta trabajar bajo la dirección de un jefe? 10. ¿Se queda Ud. tranquilo (-a) cuando hay un fuego?

Las minas de Potosí

el cerro *hill*

no saquéis *do not take out*

hilos *threads*

Según una tradición, el más poderoso de los incas del Perú, Huaina Cápac, vio el cerro° de Potosí mientras hacía un viaje por su reino y, admirando su grandeza y hermosura, dijo: "Sin duda hay plata dentro de este cerro". Por orden suya, algunos indios llevaron sus instrumentos para excavar. Cuando comenzaban el trabajo se oyó un gran ruido y una voz que decía: "No saquéis° la plata de este cerro, pues es para otra gente". Los indios se retiraron para contar al inca lo que había pasado. No relata la tradición lo que contestó el inca, pero las minas no se abrieron.

Ochenta años más tarde un indio descubrió las minas de plata. El indio, que era pastor de llamas, en una noche fría hizo fuego en el cerro y al día siguiente notó con sorpresa que en la tierra brillaban hilos° de plata. El indio llevó la plata a su capitán, quien fundó el pueblo de Potosí en aquel lugar. Desde entonces las minas de Potosí han producido millones de pesos en plata. Hoy día se usa la expresión "vale un Potosí" para indicar una riqueza extraordinaria.

Comprensión (Complete las frases con las palabras adecuadas.)

1. El más poderoso de los incas del Perú según una tradición era ____.

   (a.) Moctezuma (c.) Huáscar
   (b.) Huaina Cápac (d.) Potosí

2. Cuando los indios excavaban para sacar la plata ____.

   (a.) se oyó una voz (c.) desapareció la montaña
   (b.) se derrumbó el monte (d.) encontraron el tesoro

3. Ochenta años más tarde un indio, pastor de llamas, haciendo fuego en el cerro ____.

   (a.) vio a Huaina Cápac (c.) se durmió
   (b.) notó con sorpresa que brillaban hilos de plata (d.) lo destruyó

REFUERZO DEL VOCABULARIO

NOMBRES

el ataque *attack*
el desprecio *scorn*
el fuego *fire*
la indiferencia *indifference*
el jefe *chief*
la mano *hand*
la promesa *promise*
la señal *signal*
el sueldo *salary*
la suerte *fate, luck*
el tesoro *treasure*
la víctima *victim*

VERBOS

acusar *to accuse*
cumplir *to fulfill*
disimular *to hide, conceal*
empezar (ie) *to begin*
enseñar *to show*
huir *to flee*
lanzar *to throw*
salvar *to save*
someter *to submit*
terminar *to end, finish*
tirar *to throw*
traducir *to translate*

ADJETIVOS

oculto, -a *hidden*
sagrado, -a *sacred*
seguro, -a *sure, safe*
silencioso, -a *silent*

VOCABULARIO ADICIONAL

a caballo *on horseback*
la altura *height*
las armas *arms, weapons*
asesinar *to assassinate*
la Biblia *Bible*
conceder *to grant, concede*
condenar *to condemn*
conspirar *to plot, conspire*
disparar *to shoot*
ejecutar *to execute*
en medio de *in the middle of*
entonces *then, next*
la época *epoch*
el esclavo *slave*
la fe cristiana *Christian faith*
el grito de guerra *war cry*
el lugar *place*
nada *nothing*
perecer *to perish*
el sacerdote *priest*
sin igual *without equal*
el trono *throne*

BOLIVAR
LIBERTADOR
COLOMBIANOS !
MIS · VLTIMOS · VOTOS · SON · POR · LA
FELICIDAD · DE · LA · PATRIA — SI · MI · MVERTE
CONTRIBVYE · PARA · QVE · CESEN · LOS · PARTIDOS
Y · SE · CONSOLIDE · LA · VNION · YO · BAJARE
TRANQVILO · AL · SEPVLCRO ·

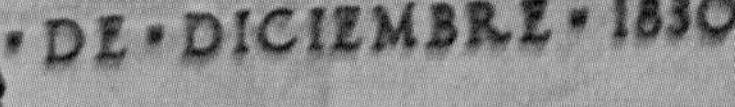
DE · DICIEMBRE · 1830

LECCIÓN 

La época colonial

PRIMERA PARTE—After the conquest, thousands of Spaniards came to the New World. Many married Indian women and established their homes here.

Los reyes de España concedieron tierras a muchos españoles. Nombraron virreyes° y capitanes generales para gobernar los inmensos dominios americanos. Estos gobernadores° eran representantes directos del rey. Vivían con gran esplendor en sus palacios, rodeados de una pequeña corte. Todavía se conservan algunos de los viejos palacios coloniales; hoy día° sirven para oficinas de gobierno o como museos.

Los españoles trajeron al Nuevo Mundo su cultura y tradiciones. Edificaron catedrales e iglesias. Fundaron universidades y organizaron escuelas en los conventos. Las Universidades de México y de San Marcos de Lima fueron fundadas casi un siglo antes que la Universidad de Harvard, la universidad más antigua de los Estados Unidos.

En la época colonial hubo° grandes diferencias entre las clases sociales. Los españoles nacidos° en España constituían el grupo privilegiado; los criollos, es decir, los españoles que nacieron en suelo americano, también pertenecían° a la clase elevada pero gozaban° de menos privilegios. Luego seguían° los mestizos, hijos de españoles e indias. Con el tiempo los mestizos fueron la clase más numerosa de la población.

Los indios pertenecían a la clase baja y eran obligados a trabajar en las minas y en los campos. Algunos misioneros protestaron contra el cruel trato que se daba a° los indios. Los reyes españoles establecieron leyes°

virreyes *viceroys*
gobernadores *governors*
hoy día *nowadays*
hubo *there were*
nacidos *born*
pertenecían *belonged*
gozaban *enjoyed*
seguían *followed*
se daba a *was given to*
leyes *laws*

Monument to Simón Bolívar, Colombia

para su protección pero muchas veces las leyes no se cumplían. Los misioneros convertían a los indios a la fe cristiana. En las misiones los indios aprendían el español, varios oficios° y el cultivo de la tierra.

oficios *trades*

Preguntas

1. ¿Quiénes gobernaron los dominios americanos? 2. ¿Para qué sirven hoy día los viejos palacios coloniales? 3. ¿Cuándo se fundaron las Universidades de México y de San Marcos de Lima? 4. ¿Quiénes eran los criollos? ¿los mestizos? 5. ¿Qué aprendieron los indios en las misiones?

SEGUNDA PARTE—The colonial period lasted for three centuries. The influence of those days can still be seen today in many of the traditions and customs of Spanish-speaking countries.

Muchas poblaciones coloniales estaban aisladas; las distancias entre ellas eran grandes y faltaban° caminos.

Los ricos llevaban una vida de gran lujo°: tenían tertulias°, bailes y juegos. Para los pobres la vida era difícil aunque también tenían sus fiestas religiosas y populares.

La riqueza° principal de las colonias procedía de las minas de oro y plata y de los productos de la tierra. Se prohibía el comercio con países extranjeros°. Dos veces al año una gran flota° española, protegida por barcos de guerra, llegaba al Nuevo Mundo. Al principio° Veracruz en México y Cartagena en Colombia fueron los únicos puertos abiertos al comercio. La gente° que vivía en lugares remotos tenía que atravesar altas montañas para llevar sus productos a los puertos. La flota llevaba a las colonias plantas, animales y productos de las fábricas° de España. La llegada de las flotas era ocasión para celebrar ferias° que duraban varias semanas. Los barcos regresaban a España cargados de° oro y plata, piedras preciosas, maderas finas° y gran variedad de frutas y plantas tropicales.

Durante la época colonial, piratas franceses, holandeses e ingleses atacaban a las flotas españolas y saqueaban° los puertos. Aún° pueden verse en el puerto colombiano de Cartagena restos° de la muralla° construida para proteger la ciudad contra los ataques de los piratas.

faltaban *were lacking*
lujo *luxury*
tertulias *parties*
riqueza *wealth*
extranjeros *foreign*
flota *fleet*
al principio *at first*
gente *people*
fábricas *factories*
ferias *fairs*
cargados de *loaded with*
maderas finas *fine woods*
saqueaban *plundered*
aún *still*
restos *remains*
muralla *wall*

Preguntas

1. ¿Por qué muchas poblaciones estaban aisladas? 2. ¿Cómo se divertía la gente durante la época colonial? 3. ¿Qué llevaban los barcos que regresaban a España? 4. ¿Qué llevaba la flota española a las colonias? 5. ¿Por qué iba la flota española protegida por barcos de guerra?

Traduzca

a. Busque las frases siguientes en las lecturas.

1. that is to say
2. they enjoyed fewer privileges
3. they belonged to the low class
4. the laws were not fulfilled
5. roads were lacking
6. twice a year
7. the only ports
8. fine woods
9. the people had to cross
10. they lasted several weeks

b. Traduzca al español las palabras en inglés.

1. ¿En qué año *were you born?* 2. José trabaja en *a factory.* 3. *At first* el trabajo era muy duro. 4. Mi amigo *has not arrived yet.* 5. Me gusta visitar los *foreign countries.* 6. No voy a comprar un automóvil *although* lo necesito. 7. Esta ciudad tiene *a population* de cien mil habitantes. 8. Este hombre *enjoys* mucha influencia política.

Escriba

Ordene las palabras entre paréntesis para formar una frase nueva. Use el verbo en el mismo tiempo que en la frase dada.

Modelo: La época colonial duró tres siglos.
(fiestas . . . religiosas . . . durar . . . varias . . . semanas)
Las fiestas religiosas duraron varias semanas.

1. Los reyes de España concedieron tierras a muchos españoles.
(españoles . . . traer . . . cultura . . . Nuevo Mundo)
2. Los mestizos fueron la clase más numerosa.
(españoles . . . constituir . . . grupo . . . privilegiado)
3. Vivían con gran esplendor en sus palacios.
(trabajar . . . mucho . . . esfuerzo . . . campos)
4. La flota llegaba al Nuevo Mundo con muchos productos.
(barcos. . . regresar. . . España. . . cargados de. . . piedras preciosas)
5. Fundaron universidades y organizaron escuelas en los conventos.
(establecer . . . leyes . . . convertir . . . indios . . . fe cristiana)

ASPECTOS GRAMATICALES

A. La voz pasiva (*The passive voice*)

Pizarro fue asesinado por sus enemigos.
Pizzaro was assassinated by his enemies.
América fue descubierta por Colón.
America was discovered by Columbus.
Los imperios indios fueron destruidos por los españoles.
The Indian empires were destroyed by the Spaniards.

In each of the above sentences the verb is in the passive voice because the action is performed upon the subject of the sentence. The passive voice is generally expressed in Spanish by the verb **ser,** *to be,* and the past participle, which must agree with the subject in gender and number.

Note that *by* is translated by **por;** however, it is sometimes translated by **de.** Note the following expressions: **acompañado de,** *accompanied by;* **rodeado de,** *surrounded by;* **seguido de,** *followed by.*

Sustitución

1. Atahualpa fue condenado por Pizarro.
   Los incas ______________________.
2. La ciudad fue protegida por los indios.
   Los pueblos ______________________.
3. El palacio fue construido por los españoles.
   La iglesia ______________________.
4. Los hombres fueron rodeados de enemigos.
   La población ______________________.
5. El jefe fue nombrado por el rey.
   Los capitanes ______________________.
6. Gran parte de América fue explorada por los españoles.
   Gran parte de las tierras ______________________.
7. Los aztecas fueron conquistados por Cortés.
   Moctezuma ______________________.
8. Esta historia fue escrita por un autor español.
   Estas novelas ______________________.
9. Los generales fueron saludados por los soldados.
   El capitán ______________________.
10. Los héroes son respetados por todos.
    La reina ______________________.

Pipe player, Peru

Traduzca (Traduzca al español las palabras en inglés.)

1. El océano Pacífico *was discovered by* Balboa. 2. La población *was destroyed by* los soldados. 3. Los españoles *were invited by* Atahualpa. 4. Las colonias *were governed by* los virreyes. 5. Hernando de Soto *was sent by* Pizarro. 6. El emperador *was accompanied by* sus nobles. 7. *They were saved by* el rey. 8. La ciudad *was founded by* el conquistador. 9. Los misioneros *were followed by* los indios. 10. El puente *was attacked by* el enemigo.

Transformación (Cambie las frases anteriores (*previous*) de la forma pasiva a la forma activa.)

Modelo: La ciudad fue fundada por Pizarro.
Pizarro fundó la ciudad.

B. Uso del pronombre reflexivo **se** para expresar la voz pasiva

Se prohibe el comercio. *Commerce is prohibited.*
Se organizó una expedición. *An expedition was organized.*
Se conservan algunos palacios coloniales.
Some colonial palaces are preserved.

but

Una expedición fue organizada por la escuela.
An expedition was organized by the school.

The reflexive **se** with the third person singular or plural of the verb is commonly used to express the passive voice when the performer of the action is not mentioned or implied. Note that in such cases the subject usually follows the verb.

Se dice que es muy rico.
People say (It is said) that he is very rich.
Aquí se habla español.
Spanish is spoken here. (They speak Spanish here.)
Se pueden ver las ruinas incas en el Perú.
One can see the Inca ruins in Peru.
(The Inca ruins can be seen in Peru.)

The reflexive **se** is frequently used in Spanish when the subject is indefinite, such as *one, people, they.*

Sustitución

1. ¿Dónde se venden periódicos?
¿____________ revistas?
¿____________ pan?
¿____________ leche?

2. Se celebró el cumpleaños ayer.
________ las ceremonias ____.
________ la fiesta ________.
________ las fiestas ________.

3. ¿A qué hora se cierra la tienda?
¿____________ las oficinas?
¿____________ la escuela?
¿____________ los mercados?

4. ¿En qué siglo se construyó la universidad?
   ¿____________________ la iglesia?
   ¿____________________ los palacios?
   ¿____________________ el puente?

5. Se puede ver el palacio desde aquí.
   __________ las ruinas _________.
   __________ las montañas ______.
   __________ el mar __________.

Complete (Complete la traducción de las frases.)

1. Spanish is spoken in our class. ____ en nuestra clase.
2. How does one say that in Spanish? ¿Cómo ____ eso en español?
3. Where do they serve good meals? ¿Dónde ____ buenas comidas?
4. Concerts are given every Sunday. ____ conciertos todos los domingos.
5. People do not know why he did it. ____ por qué lo hizo.
6. Can one go in? ¿____ entrar?

Traduzca (Traduzca las frases al español según los modelos.)

Modelo: Spanish is spoken here.
Aquí se habla español.

1. Magazines are sold here. 2. Tickets are bought here. 3. Refreshments are served here. 4. English is taught here. 5. To smoke (fumar) is not permitted here. 6. To park (estacionarse) is prohibited here.

Modelo: It is believed that he is very rich.
Se cree que es muy rico.

1. It is believed that she sent the letter. 2. It is said that she is ninety years old. 3. It is said that he lost all his money. 4. It is known that he wrote the article. 5. It is known that he helps his friends.

Modelo: How does one say that?
¿Cómo se dice eso?

1. How does one do that? 2. How does one call that? 3. How does one write that? 4. How does one explain that? 5. How does one know that?

C. Uso del infinitivo después de preposiciones (Repaso)

antes de volver *before returning*
sin comer *without eating*
en vez de acostarse *instead of going to bed*
al llegar *on (upon) arriving*

In Spanish the infinitive form of the verb is generally used after a preposition.

Traduzca (Traduzca las frases según los modelos.)

Modelo: He left without speaking to me.
Salió sin hablarme.

1. He left without seeing me. ______________________.
He left without hearing me. ______________________.
He left without calling me. ______________________.
He left without listening to me. ______________________.

Modelo: On meeting him, I handed him the letter.
Al encontrarle le entregué la carta.

2. On leaving the house, ______________________.
On seeing him, ______________________.
On greeting him, ______________________.
On receiving the money, ______________________.

Modelo: Instead of waiting, he went away.
En vez de esperar, se fue.

3. Instead of working, ______________________________.
Instead of sleeping, ______________________________.
Instead of studying, ______________________________.

Modelo: He phoned me before coming.
Me llamó por teléfono antes de venir.

4. He phoned me before leaving. ______________________.
He phoned me before going to bed. ____________________.
He phoned me before buying the car. ___________________.

Modelo: After eating supper, we went out for a walk.
Después de cenar, salimos de paseo.

5. After studying, _________________________________.
After reading the paper, ____________________________.
After returning from school, __________________________.

VARIEDADES

Estudio de palabras

Tienen poco dinero. *They have little money.*
Esta caja es demasiado pequeña. *This box is too little.*

Poco and **pequeño** both mean *little.* **Poco** refers to *quantity* or *amount;* **pequeño** refers to *size.*

Traduzca al español las palabras en inglés.

1. Hace *little work.* 2. Pasa *very little time* en casa. 3. ¿Quiere Ud. *a little* de agua? 4. Los muchachos están construyendo *a little boat.* 5. El niño se sentó *in the little chair.*

Andrés fue a casa. *Andrew went home.*
Están en casa. *They are at home.*

The expression **a casa,** *home,* is used in the sense of (to go) home, (to arrive) home. The expression **en casa,** *home* or *at home,* is used in the sense of (to be) at home, (to remain) at home.

Complete las frases con **a casa** o **en casa.**

1. Vamos ____. 2. Dolores no está ____. 3. Los niños se quedan ____. 4. Mi padre llegó ____ a las seis. 5. Arturo trae el periódico ____.

Preguntas personales

1. ¿Gozan Uds. de muchos privilegios en su escuela? 2. ¿Pertenecen Uds. a un club social? 3. ¿Asistió Ud. a muchas tertulias este año? 4. ¿A qué hora regresó Ud. a casa ayer? 5. ¿Fue difícil el español al principio? 6. ¿Faltan buenos caminos en su ciudad? 7. ¿Hay fábricas de aviones en su ciudad? 8. ¿Hay en su estado leyes para la protección de los animales?

Pequeño repaso

(Give a summary of the following paragraph in Spanish. Include only the most pertinent information.)

My mother was born in a small town. It was founded by her grandparents. Although she belonged to a rich family, she did not enjoy her life. She had few friends. When she married my father, they left the town and never returned. After some years, many factories were built in the town, and today it is a large city with tall buildings and wide streets. My mother's house can still be seen on the main street of the city. My mother told me much about this town. However, it is very different now. I went there one day and I was not very happy with the things I saw. Even my mother's house had changed.

La quinina

Los polvos de la Condesa *The Powders of the Countess*

esperanza *hope*
milagro *miracle*

quino *cinchona tree*

Ricardo Palma es uno de los célebres escritores del Perú. Debe su fama a sus nueve libros de Tradiciones peruanas. "Los polvos de la Condesa°" es el título de una de estas tradiciones.

En junio del año 1631 estaba muy enferma la joven y bella condesa de Chinchón. Se hallaba atacada de la fiebre que desde el tiempo de los incas había causado muchas muertes en el valle del Rimac. Los mejores médicos de Lima fueron consultados, pero ninguno de ellos pudo curar a la condesa. Al fin dijo el médico del palacio: "No hay esperanza°. Sólo un milagro° puede salvarla".

El mismo día llegó al palacio un viejo sacerdote que prometió curar a la condesa. Le dio unos polvos blancos hechos de la madera de cierto árbol llamado quino°. Antes de un mes la condesa estaba buena, y se dio una gran fiesta para celebrar su feliz curación. Por muchos años la gente de Lima llamaba a esa medicina "polvos de la condesa". Hoy se llama "quinina".

Comprensión (Complete las frases con las palabras adecuadas.)

1. El célebre escritor del Perú, Ricardo Palma, debe su fama a ____.

   (a.) la condesa de Chinchón (c.) su gran simpatía
   (b.) sus libros de Tradiciones Peruanas (d.) un sacerdote

2. La quinina se extrae de un árbol llamado ____________.

   (a.) quino (c.) quinto
   (b.) pino (d.) polvo

3. La gente de Lima llamaba a la quinina ____________.

   (a.) polvos de la condesa (c.) la milagrosa
   (b.) Rimac (d.) la curación

REFUERZO DEL VOCABULARIO

NOMBRES

la catedral *cathedral*
el comercio *trade, commerce*
el cultivo *cultivation*
la cultura *culture*
la época *epoch*
el esplendor *splendor*
la fábrica *factory*
la gente *people*
el gobierno *government*
la ley *law*
el lugar *place*
el lujo *luxury*
la madera *wood*
la muralla *wall*
el museo *museum*
la oficina *office*
el oficio *trade*
la población *population, town*
los restos *remains*
la riqueza *wealth*
la tertulia *party*
la tradición *tradition*
el trato *treatment*

VERBOS

conceder *to grant, concede*
conservar *to conserve*
constituir *to constitute*
establecer *to establish*
faltar *to lack*
gozar *to enjoy*
nombrar *to name*
pertenecer *to belong*
proceder *to proceed*
proteger *to protect*
protestar *to protest*

ADJETIVOS

abierto, -a *open*
aislado, -a *isolated*
antiguo, -a *old, antique*
bajo, -a *low*
cargado, -a de *loaded with*
directo, -a *direct*
extranjero, -a *foreign*
general *general*
inmenso, -a *immense*
nacido, -a *born*
obligado, -a *obligated*
remoto, -a *remote*
rodeado, -a *surrounded*
único, -a *only*

VOCABULARIO ADICIONAL

al principio *at first*
atacar *to attack*
aún *still*
contra *against*
el convento *convent*
convertir (ie) *to convert*
la corte *court*
el dominio *dominion*
e (before i or hi) *and*
la feria *fair*
la flota *fleet*
el gobernador *governor*
hoy día *nowadays*
la misión *mission*
el misionero *missionary*
muchas veces *often*
privilegiado, -a *privileged*
el representante *representative*
saquear *to plunder, ransack*
todavía *still*

PERSPECTIVAS CULTURALES

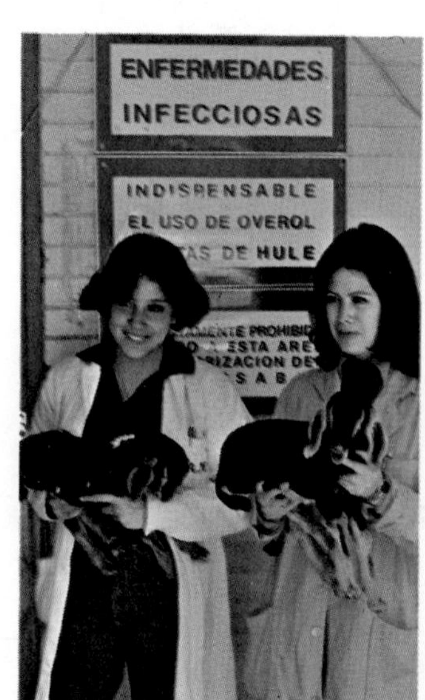

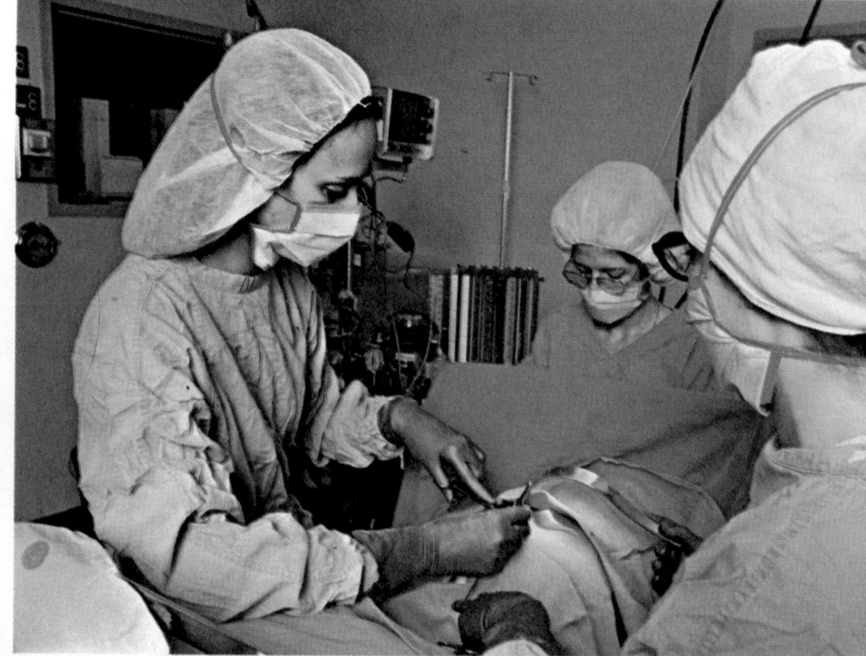

Carreras y estudios vocacionales

The future is now! Communications and the computer sciences, education, transportation, medicine, energy, business and international trade are some of the fields that are now growing at a rapid pace. Hundreds of new job opportunities in these fields and in others will be available during this decade and into the foreseeable future.

A good knowledge of Spanish and an appreciation of the Hispanic culture combined with specialized training in one of those fields will surely provide you with the required skills that will be needed to meet the demands for your career.

Flight attendants on airlines and clerks in hotels can make traveling more pleasant for the Spanish-speaking; secretaries and receptionists can be helpful in offices and medical people can help the Spanish-speaking with their health problems.

Have you been thinking about your career lately? Before you make any definite decisions, remember that you must know yourself, your abilities and your skills. Once you know all of this, your chances of success will be unlimited.

REPASO

REFUERZO DEL VOCABULARIO

NOMBRES

la amistad *friendship*
las armas de fuego *firearms*
el ataque *attack*
la bahía *bay*
el barco *boat*
el caballo *horse*
el calendario *calendar*
el camino *road*
la cantidad *quantity*
el cañón *cannon*
la catedral *cathedral*
la civilización *civilization*
el comercio *trade, commerce*
la comunidad *community*
el conquistador *conqueror*
el continente *continent*
la costa *coast*
el cultivo *cultivation*
la cultura *culture*
el deseo *desire*
el desprecio *scorn*
el edificio *building*
el emperador *emperor*
la empresa *undertaking*
la época *epoch*
el esplendor *splendor*
la fábrica *factory*
el fuego *fire*
la gente *people*
el gobierno *government*
la guerra *war*
los habitantes *inhabitants*
el hambre (f.) *hunger*
el imperio *empire*
la indiferencia *indifference*
el ingeniero *engineer*
la intención *intention*
el intérprete *interpreter*
el jefe *chief*
la justicia *justice*
la ley *law*
la leyenda *legend*
la lucha *struggle*
el lugar *place*
el lujo *luxury*
la llegada *arrival*
la madera *wood*
la mano *hand*
la marcha *march*
el mercado *market*
la mina *mine*
la montaña *mountain*
la muerte *death*
la multitud *crowd, multitude*
el mundo *world*
la muralla *wall*
el museo *museum*
el obstáculo *obstacle*
la oficina *office*
el oficio *trade*
la ofrenda *offering*
el origen *origin*

el oro *gold*
el país *country*
el palacio *palace*
la pared *wall*
la piedra *stone*
la plata *silver*
la plaza *town square*
la población *population, town*
el prisionero *prisoner*
la promesa *promise*
el puente *bridge*
la resistencia *resistance*
los restos *remains*
el rey *king*
la riqueza *wealth*
el sacerdote *priest*
la señal *signal*
el siglo *century*
el soldado *soldier*
la sorpresa *surprise*
el sueldo *salary*
la suerte *fate*
la superstición *superstition*
el temor *fear*
la tertulia *party*
el tesoro *treasure*
la tierra *land*
la tradición *tradition*
el trato *treatment*
el valle *valley*
la víctima *victim*

VERBOS

aceptar *to accept*
acercarse *to approach*
alcanzar *to reach, attain*
atacar *to attack*
aterrorizar *to frighten*
atravesar (ie) *to cross*
conceder *to grant, concede*
conquistar *to conquer*
consentir (ie) *to consent*
conservar *to conserve*
constituir *to constitute*
construir *to construct*
contar (ue) *to tell, relate*
contestar *to answer*
contribuir *to contribute*
cuidar (a) *to take care (of)*
cumplir *to fulfill*
desaparecer *to disappear*
descubrir *to discover*
destacar *to stand out*
dirigir *to direct*
dirigirse a *to go towards*
disimular *to hide, conceal*
durar *to last*
edificar *to build*
empezar (ie) *to begin*
emprender *to undertake*
enseñar *to show*
enviar *to send*
esperar *to wait for, hope*
establecer *to establish*
explicar *to explain*
explorar *to explore*
extender (ie) *to extend*
faltar *to lack*
fundar *to found*
gobernar (ie) *to govern*
gozar *to enjoy*
hallarse *to be, to be found*
huir *to flee*
lanzar *to throw*
lograr *to succeed*
luchar *to struggle*
nombrar *to name*

organizar *to organize*
permanecer *to remain*
pertenecer *to belong*
proceder *to proceed*
prometer *to promise*
proteger *to protect*
protestar *to protest*
quitarse *to take off, remove*
regresar *to return*
reír *to laugh*
rodear *to surround*
salvar *to save*
seguir (i) *to follow, continue*
servir (i) *to serve*
someter *to submit*
terminar *to end, finish*
tirar *to throw*
traducir *to translate*
unir *to unite*
utilizar *to use*
vacilar *to waver*

ADJETIVOS

abandonado, -a *abandoned*
abierto, -a *open*
aislado, -a *isolated*
altivo, -a *haughty*
ambicioso, -a *ambitious*
antiguo, -a *old, ancient*
avanzado, -a *advanced*
bajo, -a *low*
cargado, -a (de) *loaded* (*with*)
cercano, -a *nearby*
cruel *cruel*
cubierto, -a *covered*
desierto, -a *deserted*
directo, -a *direct*
elevado, -a *raised, upper*
extranjero, -a *foreign*
fértil *fertile*
físico, -a *physical*
fuerte *strong*
general *general*
humilde *humble*
inmenso, -a *immense*
nacido, -a *born*
notable *notable*
obligado, -a *obligated*
oculto, -a *hidden*
organizado, -a *organized*
orgulloso, -a *proud*
peligroso, -a *dangerous*
poblado, -a *populated*
poderoso, -a *powerful*
precioso, -a *precious*
remoto, -a *remote*
rodeado, -a *surrounded*
sagrado, -a *sacred*
severo, -a *severe*
silencioso, -a *silent*
único, -a *only*
valeroso, -a *brave, valiant*
valiente *brave, valiant*

EJERCICIOS

I. Cambie el infinitivo a la forma correcta del imperfecto. (Refer to p. 110 for irregular verbs in the imperfect tense.)

1. Yo (visitar) a Francisca todos los días. 2. Ella (ser) mi vecina. 3. Nosotros (ir) a la misma escuela. 4. Sus amigos la (querer) mucho. 5. Cuando ella (estar) en Europa, yo le (escribir) con frecuencia. 6. Francisca y yo (almorzar) en la cafetería. 7. Cuando regresó, yo la (ver) de vez en cuando. 8. Me dio un reloj que (valer) mucho. 9. Tú no (saber) que nosotros (ser) buenos amigos. 10. Nosotros (divertirse) mucho durante los veranos.

II. Repita las frases dando la forma correcta del verbo en el pretérito.

1. Uds. tomaron refrescos.
   ____ pedir ________.
   ____ vender ________.
   ____ comprar ________.
   ____ traer ________.
   ____ servir ________.
   ____ querer ________.

2. Recibimos el regalo.
   Ver ________.
   Enviar ________.
   Devolver ________.
   Dar ________.
   Presentar ________.
   Abrir ________.

3. Tomás trabajó en casa.
   _____ quedarse _____.
   _____ estar ________.
   _____ comer ______.
   _____ dormir ______.
   _____ leer ________.
   _____ divertirse ____.

4. Yo lo traduje.
   _____ tener.
   _____ saber.
   _____ hacer.
   _____ decir.
   _____ aceptar.
   _____ cumplir.

5. Tú volviste el dos de abril.
   ___ irse ____________.
   ___ venir ____________.
   ___ despedirse __________.
   ___ nacer ____________.
   ___ regresar __________.
   ___ salir ____________.
   ___ llegar ____________.

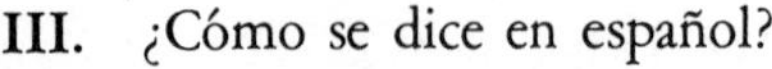

III. ¿Cómo se dice en español?

1. My parents returned this morning from Peru. 2. I didn't know that they were arriving by plane. 3. I was waiting for them at the railroad station. 4. My father said that he had written me a letter, but I did not receive it. 5. What luck that my brother was at home! 6. When they arrived they were tired and they were hungry. 7. Generally breakfast is served on the plane. 8. But it was seven in the morning and there was little time to have breakfast. 9. My father enjoyed himself on his trip. 10. My mother also; she used to live in Peru when she was young and she had always wanted to visit her friends some day.

IV. Escoja el sinónimo o el antónimo de la primera palabra de cada grupo.

1. triste: listo, feliz, lindo, corto
2. regresar: enviar, atravesar, volver, luchar
3. jamás: nadie, nada, todavía, nunca
4. cuarto: silla, piso, suelo, habitación
5. encima de: enfrente de, al lado de, sobre, lejos de
6. limpio: orgulloso, poderoso, sucio, hermoso
7. los demás: los siguientes, los otros, los únicos, los últimos
8. caminar: nombrar, andar, tirar, vencer
9. permanecer: alcanzar, fundar, pertenecer, quedarse
10. nacer: lograr, durar, huir, morir

V. Cambie las frases del pretérito perfecto al pluscuamperfecto.

1. Ellos han hablado con Jorge. 2. Los chilenos han visitado nuestra escuela. 3. Mi padre y yo hemos leído el periódico. 4. Marta lo ha creído. 5. El reportero ha escrito el artículo. 6. José y Pablo han oído la música. 7. ¿Qué ha visto Ud.? 8. ¿A qué hora han vuelto ellos? 9. La profesora ha abierto una ventana. 10. Mi hermano ha dicho la verdad. 11. ¿Quién ha puesto los libros en el suelo? 12. ¿Quiénes han hecho el trabajo? 13. ¿Por qué se ha quejado? 14. Su hermano se ha despertado tarde. 15. ¿Ha oído Ud. las noticias?

VI. Conteste las siguientes preguntas.

1. ¿En qué año nació Ud.? 2. ¿Es Ud. hijo único (hija única)? 3. ¿A quién vio Ud. hoy al entrar en la escuela? 4. ¿Qué le dijo Ud.? 5. Dónde estuvo Ud. ayer? 6. ¿Qué hizo Ud.? 7. ¿Cuándo fue Ud. a casa? 8. ¿Cuántas horas durmió Ud. anoche? 9. ¿A qué hora se sirve el desayuno en su casa? 10. ¿Cuántos libros leyeron Uds. en esta clase? 11. ¿Vieron Uds. una película en español? 12. ¿Fueron Uds. a un restaurante mexicano? 13. ¿Cuánto dinero dio Ud. a la Cruz Roja? 14. ¿Es Ud. respetado (-a) por sus amigos? 15. ¿Se prohibe hablar inglés en la clase de español? 16. ¿Le gusta ir de compras los sábados?

VII. Escriba las frases expresando los números en letras.

1. El libro tiene 700 páginas. 2. Mi hermanita pesa 91 libras. 3. Creo que cuesta 100 dólares. 4. Nació en el año 1948. 5. Ese país tiene 14.000.000 de habitantes. 6. ¿Cuándo se celebra la fiesta, el 1° de agosto o el 2 de agosto? 7. Trabaja en una tienda en la 5ª Avenida. 8. Su oficina está en el 3er piso. 9. Felipe II vivió en el siglo XVI. 10. Pagamos 2.500 dólares por este automóvil.

VIII. Escriba sobre uno de los siguientes temas.

1. **Mi cumpleaños**—(When is your birthday? How did you celebrate your last birthday? What gifts did you receive?)
2. **Una carta**—(Write about an interesting letter you received. Who sent it and from where? What news or information did it contain?)
3. **Una fiesta**—(What party did you attend recently? With whom did you go? What was served? What did you do there?)

Inca art
Ceramic double bowl
Peru A.D. 1438–1532

LECCIÓN 

Un argentino en los Estados Unidos

Carlos Moreno has just arrived in the United States. His aunt and uncle are planning a party in his honor and they have invited Elena Morales and her friend Paula Hernández. Let's see why both girls are so delighted to have received an invitation.

ELENA: Paula, tú conoces a nuestros nuevos vecinos de la Argentina, ¿verdad?

PAULA: ¿A los Moreno? Sí, los he visto recientemente en tu casa. Son muy simpáticos.

ELENA: Un sobrino° suyo está de visita en los Estados Unidos y acaba de llegar aquí de Nueva York. Sus tíos quieren dar una fiesta en su honor y desean que yo invite a algunos de mis amigos.

PAULA: ¿Cuántos años tiene el sobrino?

ELENA: Carlos tendrá unos dieciocho años; es muy inteligente y además muy guapo°.

PAULA: Espero que comprenda el inglés.

ELENA: ¡Por supuesto! Lo ha estudiado en la escuela de Buenos Aires. Yo prefiero que me hable en español, pero él siempre me pide° que hablemos inglés. Dice que necesita practicar.

PAULA: ¿Cuándo me lo vas a presentar?

ELENA: Va a llegar en seguida°.

PAULA: ¡Ojalá que venga pronto! Tengo que irme dentro de poco°.

sobrino *nephew*
guapo *handsome*
me pide *asks me*
en seguida *immediately*
dentro de poco *shortly*

Courtyard of a large home—Córdoba, Spain

Preguntas

1. ¿Cómo se llaman los vecinos de Elena? 2. ¿De dónde son? 3. ¿Quién viene a visitarlos? 4. ¿Cómo es Carlos? 5. ¿Dónde estudió Carlos el inglés?

Escriba (Complete las frases. Después, escriba toda la frase.)

1. Paula y Elena son ____. 2. Carlos es el sobrino de ____. 3. Los tíos de Carlos quieren dar ____. 4. Carlos tendrá ____. 5. Paula tiene que irse dentro de poco y espera que Carlos ____.

ASPECTOS GRAMATICALES

A. El subjuntivo—Introducción (*Introduction to the Subjunctive Mood*)

Indicativo (*Indicative*)

Subjuntivo (*Subjunctive*)

Hecho (*Fact*) Certidumbre (*Certainty*)

Voluntad (*Volition*) Incertidumbre (*Uncertainty*)

Yo sé que Juan estudia.
Es seguro que María está aquí.

Quiero que Antonia **esté** presente.
Dudo que Juan **estudie.**

B. Empleo del subjuntivo

CUADRO GRAMATICAL		
Cláusula principal (*Main clause*)		Cláusula subordinada (*Dependent clause*)
Si el verbo expresa incertidumbre voluntad posibilidad sentimientos	← QUE →	el verbo está en SUBJUNTIVO

C. Presente de subjuntivo

Desean que yo invite a mis amigos.
They wish me to invite my friends.
¡Ojalá (que)* venga pronto!
I hope he comes soon!

CUADRO GRAMATICAL		
Hablar	**Leer**	**Escribir**
habl**e**	le**a**	escrib**a**
habl**es**	le**as**	escrib**as**
habl**e**	le**a**	escrib**a**
habl**emos**	le**amos**	escrib**amos**
habl**éis**	le**áis**	escrib**áis**
habl**en**	le**an**	escrib**an**

The present subjunctive of the **-ar** verbs have the vowel **e** in all the endings, and **-er** and **-ir** verbs have the vowel **a** in all the endings.

* **¡Ojalá** can be used without **que**.

CUADRO GRAMATICAL			
El subjuntivo de algunos verbos irregulares			
Tener	**Decir**	**Salir**	**Traer**
yo teng(o)	yo dig(o)	yo salg(o)	yo traig(o)
teng**a**	dig**a**	salg**a**	traig**a**
teng**as**	dig**as**	salg**as**	traig**as**
teng**a**	dig**a**	salg**a**	traig**a**
teng**amos**	dig**amos**	salg**amos**	traig**amos**
teng**áis**	dig**áis**	salg**áis**	traig**áis**
teng**an**	dig**an**	salg**an**	traig**an**
Venir	**Hacer**	**Poner**	**Ver**
yo veng(o)	yo hag(o)	yo pong(o)	yo ve(o)
veng**a**	hag**a**	pong**a**	ve**a**
veng**as**	hag**as**	pong**as**	ve**as**
veng**a**	hag**a**	pong**a**	ve**a**
veng**amos**	hag**amos**	pong**amos**	ve**amos**
veng**áis**	hag**áis**	pong**áis**	ve**áis**
veng**an**	hag**an**	pong**an**	ve**an**

The present subjunctive of all regular verbs and of many irregular verbs is formed by dropping the **-o** of the **yo** form of the present indicative and adding the endings of the present subjunctive. Note that the first and third persons singular are identical.

D. Uso del subjuntivo en cláusulas subordinadas después de verbos que expresan deseo (*Use of the subjunctive in dependent clauses after verbs expressing desire*).

Marta desea cantar.

Marta desea que ellos **canten.**

Pablo quiere estudiar.

Pablo quiere que ella **estudie.**

Quiero que Uds. hablen español.
I want you to speak Spanish. (*I want that you speak Spanish.*)
Mi madre desea que yo escriba la carta.
My mother wishes me to write the letter (*. . . that I write the letter.*)
Prefieren que nosotros hagamos el trabajo.
They prefer that we do the work.
Espero que me inviten a la fiesta.
I hope (*that*) *they invite me to the party.*
¡Ojalá (que) vengan!
I hope (*that*) *they will come!*

Verbs in the main clause expressing a wish or desire (i.e., **querer, desear, preferir, esperar**) are followed by the subjunctive in the dependent clause when there is a change in the subject: **Mi madre desea que yo escriba la carta.** If the subject of both clauses is the same, the infinitive is used in Spanish just as in English: **Mi madre desea escribir la carta.**

The subjunctive is used in a dependent clause following **ojalá** since the meaning of **ojalá** implies a wish or hope.

Traduzca (Traduzca al español las palabras en inglés.)

1. *I want to visit* a España. 2. *I want you to visit* a España. 3. Carlos *wishes to invite* a mis amigos. 4. Carlos *wishes me to invite* a mis amigos. 5. *They hope to leave* temprano. 6. *They hope that we will leave* temprano, también. 7. Tomás *wants us to see* su nuevo coche. 8. *I want him to bring* sus discos. 9. *We prefer that you speak* al director. 10. ¡*I hope he comes* pronto! 11. ¿Quién *wants to write* la carta? 12. Prefiero *that Alice write it.*

Sustitución

1. Desean que su sobrino pase varios días con ellos.
   __________ los niños ____________________.
   __________ nosotros ____________________.
   __________ Ud. ____________________.
   __________ tú ____________________.

2. El profesor quiere que nosotros leamos esa obra.
   ____________________ yo _______________.
   ____________________ los alumnos __________.
   ____________________ Pepe _______________.

3. Esperan que Ud. asista al partido.
   __________ todos __________.
   __________ nosotros __________.
   __________ tú __________.
   __________ yo __________.

4. Prefiere que Uds. lo hagan en seguida.
   ________ nosotros ____________.
   ________ tú ______________.
   ________ Elena ____________.

5. ¡Ojalá (que) ellos vengan dentro de poco!
   ¡________ Ud. ______________!
   ¡________ yo ______________!
   ¡________ tú ______________!

Complete

a. Complete las frases según el modelo.

Modelo: Quiero visitar a España.
Quiero que Ud. visite a España.

1. Carlos desea hablar inglés.
   Carlos desea que yo ______________________.
2. Prefiero llamar a Dolores.
   Prefiero que Uds. ______________________.
3. Esperan salir dentro de poco.
   Esperan que tú ______________________.
4. Tú no quieres ver la nueva película.
   Tú no quieres que yo ______________________.
5. Ud. prefiere hablar con el director.
   Ud. prefiere que nosotros ______________________.
6. Ellos no quieren decir lo que pasó.
   Ellos no quieren que Ud. ______________________.
7. Espero levantarme temprano.
   Espero que tú ______________________.
8. Desean asistir a la fiesta.
   Desean que todos ______________________.
9. Ud. quiere traer las flores.
   Ud. quiere que yo ______________________.
10. Carmen prefiere poner la mesa.
    Carmen prefiere que nosotros ______________________.

b. Complete cada frase con la forma apropiada del verbo.

1. Espero que Josefina ____ a Pedro. (invitar)
2. Mi madre desea que yo ____ la mesa temprano. (poner)
3. Quiere que nosotros ____ a las cinco. (comer)
4. Prefiero que ellos me ____. (llamar)
5. ¿Por qué quieren que yo ____ en seguida? (venir)
6. Desean ____ una casa. (comprar)
7. ¡Ojalá que yo ____ una carta de mi amigo! (recibir)
8. Ellos quieren ____ la película. (ver)
9. ¿Prefiere Ud. que yo le ____? (ayudar)
10. Espero que Ud. me ____. (ver)

La vida de los gauchos

Elena introduces her friend, Paula Hernández, to Carlos. The girls are delighted to meet someone from Argentina and wish to hear about the gauchos who live on the South American pampas. Their conversation proves very interesting.

ELENA: Pasa, Carlos.
CARLOS: (Entrando) Buenas tardes, Elena, ¿qué tal?
ELENA: Bien gracias, ¿y tú?
CARLOS: Muy bien, gracias.
ELENA: Quiero presentarte a mi íntima amiga, Paula.
CARLOS: Mucho gusto en conocerte.
PAULA: Igualmente. Elena me dice que eres de la Argentina. ¿Es tu primera visita a los Estados Unidos?
CARLOS: A los Estados Unidos, no, pero nunca he estado en California. Quiero conocer el oeste de tu país.
PAULA: Me imagino que esperabas encontrar muchos vaqueros° en el oeste.
CARLOS: Te equivocas°. Nosotros sabemos que los típicos vaqueros aquí van desapareciendo, tal como° los gauchos tradicionales de nuestra pampa argentina.

vaqueros *cowboys*
te equivocas *you are mistaken*
tal como *just as*

ELENA: He leído varios cuentos sobre la vida de los gauchos y siempre me han parecido muy pintorescos y románticos.

CARLOS: Pintorescos, quizás°, por su traje; románticos, no tanto. Llevaban una vida muy solitaria. Su único compañero era el caballo del cual° nunca se separaban. De vez en cuando se reunían° con otros gauchos y se divertían tocando la guitarra y cantando coplas°. De veras, no es una vida romántica.

ELENA: Me gustaría visitar la Argentina.

CARLOS: Espero que algún día visites mi país. Me encantaría invitarte a una barbacoa.

ELENA: ¡A una barbacoa! ¡Eso sería muy interesante! Si algún día voy a la Argentina, aprovecharé tu invitación.

CARLOS: ¡Ojalá que sea pronto! Sería para mí un gran placer° saludarte en mi país.

PAULA: Siento interrumpirlos, pero tengo que irme. Me esperan en casa. Encantada de haberte conocido°, Carlos.

CARLOS: Igualmente. ¿Tendré el gusto de verte otra vez?

PAULA: ¡Ah, sí! Yo siempre estoy por aquí. Hasta la vista, Elena.

ELENA: Hasta pronto. No dejes de° llamarme más tarde por teléfono.

PAULA: Sí, seguro.

quizás *perhaps*
cual *which*
se reunían *they got together*
coplas *couplets (songs)*
placer *pleasure*
haberte conocido *to have met you*
no dejes de *don't fail to*

Preguntas

1. ¿Por qué quería Carlos visitar a California? 2. ¿Cómo describe Carlos la vida de los gauchos tradicionales de la Argentina? 3. ¿Cómo se divertían los gauchos en la pampa argentina? 4. ¿Tendrá Carlos el gusto de ver a Paula otra vez? 5. ¿Qué sería para Carlos un gran placer?

Design from a Spanish coin

Traduzca

a. Traduzca al inglés.

1. Tendrá unos dieciocho años.
2. Y además es muy guapo.
3. ¡Por supuesto!
4. He aprovechado la invitación.
5. Llevaban una vida solitaria.
6. De vez en cuando se reunían con otros gauchos.
7. Los he visto recientemente.
8. Siento interrumpirlos.

b. Traduzca al español las palabras en inglés.

1. El señor Perry *has a handsome nephew.* 2. Pienso que *you are mistaken.* 3. Dijo que *they are going to return in a little while.* 4. ¿Cuándo vendrás a mi casa? *Perhaps tomorrow.* 5. ¿A qué hora *will he arrive?* 6. Vuelva Ud. *at once.* 7. *Don't fail to see* esa película. 8. *It would be a great pleasure for me* presentar al director de nuestra escuela.

ASPECTOS GRAMATICALES

A. El imperativo familiar afirmativo (*The familiar affirmative command*)

Carlos, invita a tus primos. *Charles, invite your cousins.*
Cierra (tú) la puerta. *Close the door.*
Abre (tú) la ventana. *Open the window.*
Tráeme (tú) aquella mesita. *Bring me that little table.*
Siéntate (tú) a mi lado. *Sit down at my side.*

The singular form of the familiar command in the affirmative is the same as the third person singular of the present indicative.

The direct and indirect object pronouns are attached to the familiar affirmative command. The commands usually have a written accent mark whenever direct, indirect, or reflexive pronouns are added.

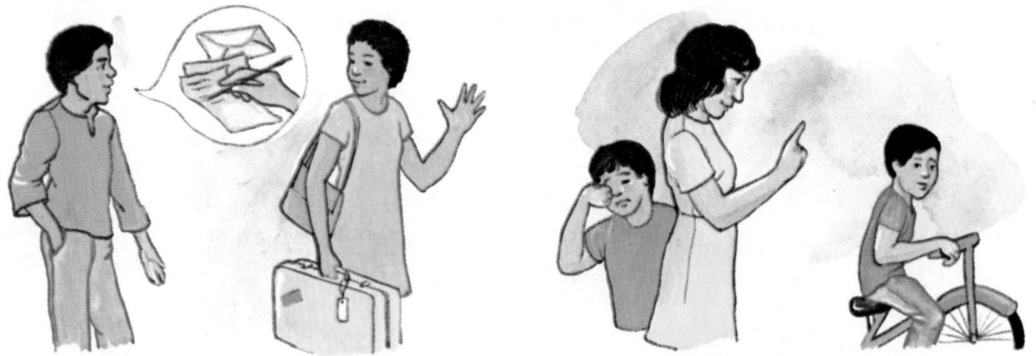

Escríbeme una carta.

Dale la bicicleta.

Regálale un disco.

B. Formas irregulares del imperativo familiar afirmativo

Ven acá. *Come here.*
Haz el favor de apagar la luz. *Please put out the light.*
Ponla a la izquierda. *Put it to the left.*
Dime la verdad. *Tell me the truth.*

The following verbs have an irregular form in the singular familiar affirmative command.

decir:	di	ir:	ve	salir:	sal	tener:	ten
hacer:	haz	poner:	pon	ser:	sé	venir:	ven

Sustitución

1. Pon (tú) el proyector en la mesa.
   _______ las flores ___________.
   _______ los platos ___________.

2. Sé (tú) bueno.
   ______ amable.
   ______ orgulloso.

3. Sal (tú) del cuarto en seguida.
   _________ casa ___________.
   _________ oficina _________.

4. Dime (tú) la verdad.
   _________ las noticias.
   _________ tu secreto.

5. Haz (tú) lo que te digo.
   _____________ te pido.
   _____________ te aconsejo.

6. Ve (tú) a la puerta.
   __________ tienda.
   __________ centro.

7. Ven (tú) pronto.
   _______ dentro de una hora.
   _______ mañana.

8. Ten (tú) cuidado.
   _______ paciencia.
   _______ compasión.

Transformación

a. Cambie las frases según los modelos.

Juan siempre invita a su amigo. Invita a tu amigo también.
Juan siempre trae su libro. Trae tu libro también.

1. Juan siempre prepara su lección. _________________________.
2. ___________ escribe los ejercicios. _________________________.
3. ___________ llega a tiempo. _________________________.
4. ___________ lee en voz alta. _________________________.
5. ___________ se sienta aquí. _________________________.

b. Cambie el infinitivo a la forma singular del imperativo familiar.

Modelo: (Preparar) la lección.
Prepara la lección.

1. (Llamar) a Pedro en seguida. 2. (Leer) este artículo. 3. (Escribir) una carta a tu tío. 4. (Levantarse), Juanita. 5. (Volver) a casa temprano. 6. (Pedir) una taza de café al camarero. 7. (Tener) paciencia, hijo mío. 8. (Salir) de aquí ahora mismo. 9. (Ir) a la fiesta mañana. 10. (Venir) al mercado conmigo. 11. (Ser) bueno, Juanito. 12. (Decirlo) a tu padre.

c. Cambie el imperativo formal a la forma familiar.

Modelo: Tome Ud. el tren.
Toma el tren.

1. Hable Ud. en voz alta. 2. Salga Ud. del cuarto. 3. Ayude Ud. al viejo. 4. Hágalo Ud. ahora mismo. 5. Llegue Ud. temprano. 6. Acuéstese Ud. a las ocho. 7. Saque Ud. un libro de la biblioteca. 8. Vaya Ud. a casa. 9. Mire Ud. aquel avión. 10. Dígame Ud. lo que pasó.

¿Cómo se dice en español? (Use the familiar form of the imperative throughout.)

1. Come to my house. 2. Be happy. 3. Wash your hands. 4. Go with your friends. 5. Serve the meal. 6. Close the windows.

C. El imperativo familiar negativo

No entres por esa puerta. *Don't enter through that door.*
No abras la ventana. *Don't open the window.*
No lo pongas tan lejos. *Don't put it so far away.*
No te sientes en el suelo. *Don't sit on the floor.*
No lo traigas aquí. *Don't bring it here.*

The singular form of the familiar negative command is the same as the **tú** form of the present subjunctive. Object pronouns precede familiar commands in the negative.

Conteste (Conteste las preguntas según el modelo.)

1. ¿Quieres que yo compre pan? No, no compres (tú) pan.
2. ¿Quieres que yo abra la ventana? __________.
3. ¿__________ cierre la puerta? __________.
4. ¿__________ ponga el radio? __________.
5. ¿__________ vaya al centro? __________.
6. ¿__________ pague la cuenta? __________.
7. ¿__________ me siente en el sofá? __________.

Transformación (Cambie el infinitivo a la forma singular del imperativo familiar.)

Modelo: No (comer) los pasteles.
No comas los pasteles.

1. No (abrir) la caja de dulces. 2. No (volver) tarde. 3. No (hacer) tanto ruido°. 4. No (creerlo). 5. No (llevar) este vestido. 6. No (venir) tarde. 7. No (quedarse) en el cuarto. 8. No (ser) tonto°. 9. No (cruzar) la calle. 10. No (decir) una mentira.

ruido *noise*
tonto *silly*

VARIEDADES

Conversación o composición

Describe the drawing using the functional vocabulary below as a guide. Use the present subjunctive as often as possible.

Vocabulario funcional		
La Argentina	guapo,-a	preferir (ie)
la barbacoa	ojalá (que)	presentar
conocer	la pampa	quizás
equivocarse	pedir (i)	el sobrino
esperar	el placer	el vaquero

Estudio de palabras

llegar *to arrive* **la llegada** *arrival*
salir *to leave* **la salida** *exit, departure*

Some Spanish nouns are formed by changing the final **o** of the past participle to an **a.**

Give the Spanish noun derived from each of the following verbs and its translation in English.

1. entrar 2. comer 3. beber 4. ver 5. mirar 6. partir 7. caer 8. subir 9. bajar 10. volver

Granada, Spain

REFUERZO DEL VOCABULARIO

NOMBRES

la barbacoa *barbecue*
el compañero *companion*
la copla *couplet, song*
el cuento *story*
el honor *honor*
el oeste *west*
la pampa *pampa*
el placer *pleasure*
el sobrino *nephew*
el traje *suit*
el vaquero *cowboy*
el (la) vecino, (-a) *neighbor*

ADJETIVOS

algunos, -as *some*
guapo, -a *handsome*
íntimo, -a *intimate*
nuevo, -a *new*
pintoresco, -a *picturesque*
romántico, -a *romantic*
simpático, -a *nice*
solitario, -a *solitary*
típico, -a *typical*
varios, -as *several*

VERBOS

aprovechar *to take advantage of*
cantar *to sing*
comprender *to understand*
decir *to say, tell*
desear *to desire*
divertirse (ie) *to enjoy oneself*
encantar *to charm*
encontrar (ue) *to find*
equivocarse *to make a mistake, be mistaken*
imaginar *to imagine*
interrumpir *to interrupt*
necesitar *to need*
parecer *to seem, appear*
pedir (i) *to ask (for)*
practicar *to practice*
preferir (ie) *to prefer*
sentir (ie) *to feel, regret*
separarse *to separate*

OTRAS PALABRAS

acabar de + inf. *to have just + past part.*
además *furthermore*
buenas tardes *good afternoon*
¿cuántos años tiene? *how old is?*
de vez en cuando *from time to time*
dentro de poco *in a little while*
igualmente *likewise*
no dejes de + inf. *don't fail to + inf.*
nunca *never*
otra vez *again*
¡pasa! *come in!*
por supuesto *of course*
quizás *perhaps*
recientemente *recently*
sobre *on, upon, about*
tal como *just as*
¿verdad? *isn't that so?*

LECCIÓN 

Diferentes conceptos sobre educación

Rafael Gómez is a participant in a student exchange program. He is from Colombia and is living with the Pearson family. He has already become a very good friend of the whole Pearson family but especially of the teen-agers, Ted and Sue.

SRA. PEARSON: Ya que hace dos meses° que estás aquí, ¿qué piensas de nuestras escuelas, Rafael?

RAFAEL: En algunos aspectos se parecen a las nuestras. Tenemos también seis años de escuela primaria y seis de secundaria. Nuestros maestros son más estrictos y la falta de disciplina que a veces se ve° aquí no se permitiría en mi país.

SR. PEARSON: ¿Es obligatoria la educación en Colombia?

RAFAEL: Sí, pero en muchos casos la ley no se cumple°. La mayoría de los alumnos terminan su educación en la escuela primaria.

SUSANA: ¿No les exigen° a los muchachos que continúen estudiando° en la escuela secundaria?

RAFAEL: No; además hay estudiantes que prefieren aprender algún oficio° en escuelas especiales.

SUSANA: Aquí estos cursos se pueden seguir en nuestras escuelas secundarias.

ya que hace dos meses *now that it has been two months*

se ve *is seen*

no se cumple *is not carried out*

exigen *require*

continúen estudiando *continue studying*

oficio *trade*

Rural scene—Spain

RAFAEL: En mi país los alumnos que van a las escuelas secundarias estudian materias generales°; casi todos se preparan para ingresar en la universidad.

materias generales *academic subjects*

SR. PEARSON: ¿Qué asignaturas° estudiabas tú en Colombia?

asignaturas *subjects*

RAFAEL: Historia, matemáticas, ciencias naturales, literatura, castellano° y dos idiomas extranjeros.

castellano *Spanish*

SUSANA: ¡Dos idiomas extranjeros!

RAFAEL: Sí, mi madre insiste en que yo aprenda el francés y el inglés.

SUSANA: ¿Cómo es posible estudiar tantas asignaturas en un semestre?

RAFAEL: Es que las clases de cada asignatura se dan sólo° dos o tres veces por semana.

sólo *only*

SUSANA: En tu país las muchachas van a distintas escuelas, ¿verdad?

RAFAEL: En general sí, pero hay coeducación hoy día en algunas escuelas. Sin embargo°, la mayoría de los padres todavía prefiere que sus hijas vayan a escuelas separadas.

sin embargo *however*

SUSANA: ¿Exigen los profesores que los alumnos hagan muchas tareas en casa?

RAFAEL: ¡Ya lo creo!

Preguntas

1. ¿Se parecen las escuelas de Colombia a nuestras escuelas? 2. ¿Se permite la falta de disciplina en las escuelas? 3. ¿Es obligatorio asistir a la escuela secundaria? 4. ¿Dónde se aprenden los oficios? 5. ¿Estudian los alumnos en Colombia tantas asignaturas como aquí? 6. ¿Tienen muchas tareas que hacer?

Escriba

(Escriba, poniendo en orden lógico la siguiente conversación.)

1. ¡Ya lo creo!
2. Historia, matemáticas, ciencias naturales, literatura, castellano y dos idiomas extranjeros.

3. En algunos aspectos se parecen a las nuestras, pero nuestros maestros son más estrictos y la falta de disciplina, que a veces se ve aquí, no se permitiría en mi país.
4. ¿Exigen los profesores que los alumnos hagan muchas tareas en casa?
5. ¿Qué piensas de nuestras escuelas?
6. Es que las clases de cada asignatura se dan sólo dos o tres veces por semana.
7. ¿Qué asignaturas estudias tú en Colombia?
8. ¿Cómo es posible estudiar tantas asignaturas en un semestre?

ASPECTOS GRAMATICALES

A. Verbos con formas irregulares en el presente de subjuntivo

CUADRO GRAMATICAL					
Dar	**Estar**	**Ser**	**Ir**	**Haber**	**Saber**
dé	esté	sea	vaya	haya	sepa
des	estés	seas	vayas	hayas	sepas
dé	esté	sea	vaya	haya	sepa
demos	estemos	seamos	vayamos	hayamos	sepamos
deis	estéis	seáis	vayáis	hayáis	sepáis
den	estén	sean	vayan	hayan	sepan

Note accent on **dé (dar)** and on all forms of **estar** except **estemos.**

Traduzca (Traduzca al español las palabras en inglés.)

1. *Give me* una descripción de su ciudad. 2. Alicia *prefers that I go* a su casa. 3. *He doesn't want her to know* su dirección. 4. *We hope that you are* contento. 5. Todos desean *that there be* (haber) paz en el mundo. 6. *They want us to be here* a las nueve. 7. ¡Ojalá que *John will be* presidente del club! 8. *I want them to give* los boletos a Clara. 9. *They want us to go* con ellos. 10. *I prefer that they know* la verdad.

Sustitución

1. Mi familia desea que yo vaya a la universidad.
   __________ mi hermano __________.
   __________ nosotros __________.
   __________ ellos __________.

2. Espera que su padre le dé permiso para hacer el viaje.
   __________ yo __________.
   __________ nosotros __________.
   __________ tú __________.

3. Prefieren que Alicia sea maestra.
   __________ yo __________.
   __________ Ud. __________.
   __________ tú __________.

4. ¡Ojalá que ellos lo sepan!
   ¡__________ yo __________!
   ¡__________ nosotros __________!

5. Quiere que Ud. esté allí a las once.
   __________ nosotros __________.
   __________ yo __________.
   __________ ellas __________.

Transformación (Cambie las frases según los modelos.)

	¿Tiene Inés el dinero?	¡Ojalá (que) tenga el dinero!
1.	¿Está contenta Susana?	¡__________!
2.	¿Es simpático el nuevo alumno?	¡__________!
3.	¿Hay un partido mañana?	¡__________!
4.	¿Sabe Anita la dirección?	¡__________!

	¿Vienen sus primos mañana?	Espero que vengan mañana.
1.	¿Dan sus amigos una fiesta?	__________.
2.	¿Van sus compañeros a la fiesta?	__________.
3.	¿Son bonitas las muchachas?	__________.
4.	¿Están sus padres en casa?	__________.

B. Uso del subjuntivo después de verbos que expresan ruego, orden o permiso. (*Use of the subjunctive after verbs expressing request, command, or permission*)

Piden que yo lo haga.
They ask me to do it.
Dígale Ud. al muchacho que vaya a la oficina.
Tell the boy to go to the office.
Manda a Pedro que salga en seguida.
He orders Peter to leave immediately.
El profesor exige que los alumnos hablen español en la clase.
The teacher requires the pupils to speak Spanish in class.
El consejero no permite que el muchacho cambie su programa.
The counselor does not permit the boy to change his program.

The subjunctive is used in a dependent clause when the verb in the main clause implies a request, a command, or permission. The most common verbs of this type are:

pedir (i) *to ask (for)*
rogar (ue) *to request, to beg*
aconsejar *to advise*
mandar* *to order, to command*
exigir *to require, to demand*
insistir en *to insist on*
decir *to tell (someone to do something)*
prohibir* *to prohibit, to forbid*
permitir* *to permit, to allow*

* The verbs **mandar, prohibir,** and **permitir** are often followed by the infinitive instead of the subjunctive when they have an indirect object pronoun: **No nos permite hablar.** *He does not permit us to speak.* **Le mandaron salir en seguida.** *They ordered him to leave at once.*

Sustitución (Conteste las preguntas según las indicaciones.)

1. ¿Por qué lo hace Ud. ahora? Luis me pide que lo haga.
   ¿________ cambia ______? ________________________.
   ¿________ vende ______? ________________________.

2. ¿Por qué lo lee Ud.? Ellos me aconsejan que lo lea.
   ¿________ dice ________? ________________________.
   ¿________ compra ______? ________________________.

3. ¿Por qué salen los alumnos? El director exige que salgan.
   ¿______ esperan ________? ________________________.
   ¿______ se van ________? ________________________.

4. ¿Por qué lo abre Ud.? Todos insisten en que yo lo abra.
   ¿________ rompe ______? ________________________.
   ¿________ toma ________? ________________________.

5. ¿Por qué no llaman Uds. a Ana? No nos permite que la llamemos.
   ¿________ visitan ________? ________________________.
   ¿________ ven ________? ________________________.

Complete

a. Complete la traducción de las frases.

1. I insist that you tell me the truth. Insisto en que Ud. ____ la verdad.
2. He asks his friend to do him a favor. Pide a su amigo que ____ un favor.
3. The mother does not permit the children to run in the patio. La madre no permite que los chicos ____ en el patio.
4. Tell them to write me. Dígales que ____.
5. I beg you not to do it. Le ruego que ____.
6. The general orders the soldiers not to kill the prisoners. El general manda a los soldados que ____ a los prisioneros.

7. My uncle advises my father to sell the house. Mi tío aconseja a mi padre que ____.
8. The government requires us to have a passport before leaving the country. El gobierno ____ un pasaporte antes de salir del país.
9. The policeman forbids them to make noise. El policía ____ ruido.
10. The clerk asks him to sign the check. El dependiente ____ el cheque.

b. Complete las frases según el modelo.

Modelo: Catalina hace mucho ruido.
El profesor le dice que no haga mucho ruido.

1. Mi amigo Tomás cambia su programa.
Le pido que no ____________________.
2. Estudio para abogado.
El señor Mateo me aconseja que no ____________________.
3. Viven en la ciudad.
Todos insisten en que no ____________________.
4. Alberto me espera a la entrada de la escuela.
Le ruego que no ____________________.
5. Algunas veces voy al centro después de las clases.
Mi madre no me permite que ____________________.

Spanish coat of arms on an Inca wall in Peru

Valores culturales y progreso material

Mrs. Pearson, Rafael and Ted are discussing the practical and cultural values of different countries.

seguir *to pursue*

SRA. PEARSON: ¿Qué carrera piensas seguir° al terminar la secundaria?

RAFAEL: Todavía no lo he decidido. Mi familia desea que estudie para diplomático.

tal vez *perhaps*

TED: Tal vez° algún día seas embajador en Washington.

con ser cónsul *being a consul (diplomatic position)*

RAFAEL: Ya me contentaría con ser cónsul° en esta bella ciudad.

TED: ¡Sería estupendo!

aconseja *advises*

por lo menos *at least*

RAFAEL: Un diplomático, amigo de mi familia, me aconseja° que reciba primero una buena educación general y para eso necesitaré, por lo menos°, cinco años.

hay que *one must*

TED: Pero así hay que° pasar mucho tiempo estudiando y no me parece práctico.

RAFAEL: Tienes razón, Ted. Nosotros los latinoamericanos somos poco prácticos.

TED: La América latina ha producido pocos grandes hombres de ciencia, ¿no es verdad?

en cuanto a *as for*

RAFAEL: Es cierto, Ted. En cuanto a° nuestros conocimientos técnicos, tenemos bastante que aprender de los Estados Unidos.

TED: Me parece que Uds. se preocupan demasiado de los valores culturales y no dan suficiente importancia al progreso material.

es que *the fact is that*

los bienes *possessions*

RAFAEL: Es que° para nosotros los valores culturales son de tanta importancia como los bienes° materiales.

SRA. PEARSON: Estoy completamente de acuerdo con esa filosofía. El progreso material no es el único objeto de la vida. Parece que nosotros también tenemos que aprender de Uds.

Escriba

a. Cambie las siguientes frases para expresar lo que se dice en la lectura.

1. Mi familia desea que estudie para embajador en Washington.
2. La América latina ha producido muchos poetas notables, ¿verdad?
3. En cuanto a nuestros valores culturales, tenemos bastante que aprender de Uds.
4. Me parece que Uds. se preocupan demasiado del progreso material y no dan suficiente importancia a los valores culturales.

b. Escriba frases originales usando las palabras que se le indican.

1. secundaria . . . carrera . . . estudia
2. cónsul . . . ciudad . . . contentarse
3. práctico . . . valor . . . preocuparse
4. material . . . cultural . . . importancia

ASPECTOS GRAMATICALES

A. Usos del presente de subjuntivo para expresar órdenes

Estudie Ud. la lección. *Study the lesson.*
Lean Uds. el ejercicio. *Read the exercise.*

The present subjunctive form of the verb is used to express commands with **Ud.** and **Uds.**

Invitemos a Juan. *Let's invite John.*
Que hablen ellos. *Let them speak.*
Que traiga el dinero. *Have him (her) bring the money.*

The present subjunctive is used in indirect commands expressed in English by *let* or *have.* **Que** is used to introduce the command with the third person singular and plural: **Que venga Juan.** *Let John Come.* **Que vengan ellos.** *Let them come.*

Let us may also be expressed by **vamos a** + infinitive: **Leamos** or **Vamos a leer.** *Let's read.*

Complete (Complete las frases según los modelos.)

Yo no quiero comprar el regalo. Que lo compre Carlos.
Yo no quiero ver la comedia. Que la vean los muchachos.

1. ____________ relatar el suceso. ____________ Alicia.
2. ____________ mandar la tarjeta. ____________ Pedro.
3. ____________ traer la guitarra. ____________ el joven.
4. ____________ discutir el asunto. ____________ los socios.
5. ____________ leer la noticia. ____________ su hermana.
6. ____________ hacer el trabajo. ____________ ellos.
7. ____________ comer la carne. ____________ el perro.
8. ____________ dar el dinero. ____________ mi padre.

Traduzca (Traduzca al español las palabras en inglés.)

1. *Bring* su cuaderno. 2. *Show it* a la clase. 3. *Read* (*pl.*) las frases. 4. *Let us speak* en voz alta. 5. *Let us tell* la verdad. 6. *Let us read* el primer párrafo. 7. *Let Paul write* en la pizarra. 8. *Let the pupils say* si es correcto o no. 9. Alberto, *stand up,* por favor, y *come here.* 10. *Take your book and put it* en la mesa. 11. *Let him look at* su papel. 12. *Study* (*pl.*) *this lesson* para mañana.

Conteste (Conteste las preguntas según el modelo.)

¿Deseas estudiar conmigo? Sí, estudiemos juntos.
Sí, vamos a estudiar juntos.

1. ¿______ cenar ________________? ________________.
2. ¿______ poner la mesa ________? ________________.
3. ¿______ preparar la comida _____? ________________.
4. ¿______ subir ________________? ________________.
5. ¿______ entrar ________________? ________________.
6. ¿______ salir ________________? ________________.

¿Cómo se dice en español?

1. Let's speak Spanish. 2. Let's read the lesson out loud. 3. Put (*pl.*) your books on the table. 4. Bring me your notebook, please. 5. Let Paul write the sentences on the blackboard. 6. Let the students say if there are any mistakes. 7. Let Mary do the second exercise. 8. Have John open the door for the teacher. 9. Have the boys come in. 10. Let them sit down.

VARIEDADES

Conversación o composición

Susana Pearson y su amigo Rafael Gómez quieren comer algo. Son las cuatro de la tarde y los dos jóvenes se dirigen a un restaurante. Mire el dibujo y describa la conversación entre la mesera y los dos jóvenes.

Preguntas personales

1. ¿Qué edad tiene Ud.? 2. ¿Se parece Ud. a su padre o a su madre? 3. ¿Estudia Ud. para un oficio o una profesión? 4. ¿Les permiten a Uds. elegir sus asignaturas? 5. ¿Le gustan los profesores estrictos? ¿Por qué? 6. Hay que ir a una escuela comercial para ser un buen hombre de negocios? 7. ¿Estudian el castellano muchos alumnos en su escuela? 8. ¿Va Ud. a la biblioteca por lo menos una vez a la semana?

Pequeño repaso (Escriba en español.)

FRANK: Did you see John Turner today?
GEORGE: Was he in school?
FRANK: Yes, until noon.
GEORGE: He told me he was going to look for a job.
FRANK: It seems that his father insists that he finish his studies first. He says that nowadays one must have at least a high school diploma. His father advises him to learn some trade.
GEORGE: He is right.

Estudio de palabras

Carlos piensa en su amigo con frecuencia.
Charles thinks of his friend frequently.
¿Qué piensa Ud. de su amigo?
What do you think of his friend?

Pensar en means *to think of, to direct one's thought to* someone or something. **Pensar de** means *to think of, to have an opinion about.*

Traduzca al español.

1. George and I think of you often. 2. What do you think of Rafael? 3. He told us what he thinks of the United States. 4. Do you think of cultural values? 5. What do you think of our schools?

REFUERZO DEL VOCABULARIO

NOMBRES

la asignatura *subject*
el aspecto *aspect*
los bienes *possessions*
la carrera *career*
el caso *case*
el castellano *Spanish language*
el concepto *concept*
el conocimiento *knowledge*
el cónsul *consul*
el curso *course*
el diplomático *diplomat*
la disciplina *discipline*
la educación *education*
la falta *lack*
la filosofía *philosophy*
el idioma *language*
la importancia *importance*
la literatura *literature*
el maestro *teacher*
las matemáticas *mathematics*
las materias generales *academic subjects*
la mayoría *majority*
el objeto *object*
los padres *parents*
el progreso *progress*
el semestre *semester*
la tarea *task, work*
el valor *value*

VERBOS

aconsejar *to advise*
aprender *to learn*
continuar *to continue*
decidir *to decide*
exigir *to require, demand*
ingresar *to enroll*
insistir en *to insist on*
parecerse a *to be similar to*
permitir *to permit*
preocuparse por *to be concerned with*
terminar *to end*

OTRAS PALABRAS

a veces *at times*
así *so, thus*
bastante *rather, enough*
completamente *completely*
de acuerdo *agreed*
demasiado *too, too much*
en casa *at home*
en cuanto a *as for*
hay que *it is necessary*
por lo menos *at least*
sin embargo *however, nevertheless*
sólo *only*
tal vez *perhaps*
tener razón *to be right*
¡ya lo creo! *I should say so!*

ADJETIVOS

bello, -a *beautiful*
cierto, -a *certain*
cultural *cultural*
distinto, -a *different*
estricto, -a *strict*
obligatorio, -a *obligatory*
práctico, -a *practical*
primario, -a *primary*
secundario, -a *secondary*
separado, -a *separate*
suficiente *sufficient*
técnico, -a *technical*

LECCIÓN 13

*Las costumbres van cambiando**

The end of the school year is fast approaching and Rafael will have to leave his friends, the Pearsons, and return to Colombia.

SRA. PEARSON: ¿Qué pasa, Rafael? Parece que estás muy preocupado° esta tarde.

RAFAEL: Esta mañana recibí una carta de mi padre en la que me dice que vuelva a casa al concluir° el año escolar.

TED: ¿No le escribiste que deseamos hacer un viaje por° los Estados Unidos este verano?

RAFAEL: Sí, en mi última carta le expliqué nuestro proyecto°.

TED: ¿Y no te permite que pases las vacaciones con nosotros?

RAFAEL: Dudo° que mi padre consienta en eso°. No quiere que esté más tiempo fuera de° casa.

TED: ¿Crees que una carta de mi familia pueda tener algún efecto?

RAFAEL: No creo que mi padre cambie de opinión°. En nuestro país, como te he dicho, el padre es quien resuelve° los asuntos importantes de la familia. Los hijos no tienen voz ni voto en la casa.

SRA. PEARSON: Y aquí son los hijos los que° mandan.

preocupado *worried*
al concluir *upon finishing*
por *through*
proyecto *plan*
dudo *I doubt*
consienta en eso *will consent to that*
fuera de *away from*
cambie de opinión *will change his mind*
resuelve *solves*
los que *the ones who*

* The verb **ir** is sometimes used instead of **estar** with the present participle to emphasize that the action is continued.

Amateur flamenco dancing at the Spring Fair—Seville, Spain

impresionado *impressed*
confianza *confidence*

RAFAEL: Pues a mí, siempre me ha impresionado° la confianza° que existe aquí entre padres e hijos. (dirigiéndose a Ted) ¡La libertad que tienes, Ted, para discutirlo todo con tu padre!

TED: ¡Ah, sí! En cuanto a discusiones las tenemos y muy largas, pero mi padre siempre se sale con la suya°.

se sale con la suya *gets his way*

SRA. PEARSON: Y tu madre, Rafael, ¿qué parte toma en las decisiones de la familia?

está de acuerdo *agrees*

RAFAEL: Mi madre siempre está de acuerdo° con mi padre.

Escriba

a. Complete las siguientes frases. Después, escriba toda la frase.

1. El padre de Rafael quiere que su hijo _____. 2. En su carta Rafael explicó a su padre que Ted y él deseaban _____. 3. Según Rafael, el padre latinoamericano siempre resuelve _____. 4. A Rafael le impresiona la confianza que existe _____. 5. La madre latinoamericana siempre está de acuerdo con _____.

b. Ordene las palabras entre paréntesis para formar una frase nueva. Use el verbo en el mismo tiempo que en la frase dada.

Modelo: La época colonial duró tres siglos.
(fiestas . . . religiosas . . . durar . . . varias . . . semanas)
Las fiestas religiosas duraron varias semanas.

1. No creo que mi padre cambie de opinión.
(dudar . . . muchacho . . . decir . . . verdad)
2. El padre es quien resuelve los asuntos importantes de la familia.
(profesor . . . corregir . . . exámenes . . . escritos . . . alumnos)
3. ¿No le escribiste que deseamos hacer un viaje este verano?
(decir . . . pensar . . . volver . . . a casa . . . a las tres)
4. Rafael tendrá que regresar a su país al concluir el año escolar.
(jefes revolucionarios . . . tener que . . . librar . . . prisioneros . . . dentro de . . . seis . . . meses)

ASPECTOS GRAMATICALES

A. Uso del subjuntivo después de verbos de duda o negación

Duda que Ana esté en casa. *He doubts that Ann is at home.*
Niega que sean ricos. *He denies that they are rich.*
No creo que él vuelva. *I do not think he will return.*
Creo que Juan tiene razón. *I believe that John is right.*

The subjunctive is used after **dudar,** *to doubt;* **negar (ie),** *to deny;* and after **creer,** *to believe* or *to think,* when **creer** is in the negative.

Conteste (Conteste las preguntas según los modelos.)

¿Está Felipe en la oficina? No creo que esté en la oficina.

1. ¿Tiene Emilio los libros? ____________.
2. ¿Entiende Carlota el castellano? ____________.
3. ¿Recuerda Juan la fecha? ____________.
4. ¿Cambia María de opinión? ____________.

¿Saben los niños nadar? Dudamos que sepan nadar.

1. ¿Van los alumnos al museo? ____________.
2. ¿Tienen los socios confianza en su presidente? ______.
3. ¿Estudian mucho los alumnos? ____________.
4. ¿Dan los vecinos un regalo a los novios? ________.

¿Tiene Dorotea cuarenta años? Niega que tenga cuarenta años.

1. ¿Está Jaime preocupado? ____________.
2. ¿Es rico el señor Vargas? ____________.
3. ¿Recibe Ana muchas cartas de su amigo? ________.
4. ¿No quiere Pepe trabajar? ____________.

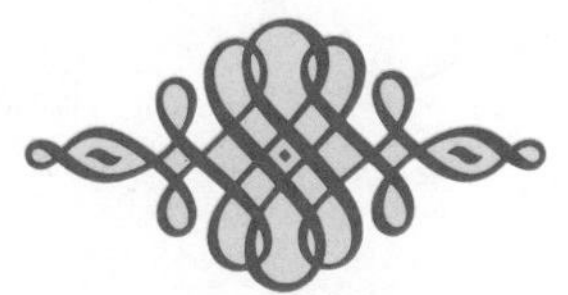

Complete (Complete las frases según el modelo.)

Modelo: Todos dicen que Pedro trabaja demasiado.
Dudo que trabaje demasiado.

1. Arturo piensa que Alicia es bonita.
   Yo no creo que ______.
2. Yo sé que la hermana de Elena tiene novio.
   Ella niega que ______.
3. Mis padres creen que saldrán para México este verano.
   Dudo que ______.
4. Nuestros tíos nos escriben que volverán pronto.
   Dudamos que ______.
5. Muchos dicen que es posible vivir en paz.
   Yo no creo que ______.
6. Ud. cree que su madre está cansada.
   Ella niega que ______.
7. Parece que habrá un baile el sábado.
   Mi amigo duda que ______.
8. Dicen que José sabe tocar la guitarra.
   Él niega que ______.

Conteste (Conteste las preguntas de acuerdo al dibujo.)

1. ¿Es él su novio?
   Ella niega que ______.

2. ¿Está la discoteca abierta?
   No, no creo que ______.

Las familias latinoamericanas

Mrs. Pearson and her son Ted are speaking with Rafael about the characteristics of Latin American families.

SRA. PEARSON: ¿Es cierto que en las familias latinoamericanas las madres se dedican sólo al hogar° y a dirigir el trabajo de la casa?

RAFAEL: Los tiempos van cambiando, señora. Hoy día muchas señoras se reúnen con sus amigas dos o tres veces por semana para coser°, charlar°, tomar té y jugar a las cartas°.

SRA. PEARSON: Yo he oído decir que los hombres se reúnen con sus amigos diariamente° en los cafés, donde pasan largas horas discutiendo de negocios° y de política.

RAFAEL: Sí, es verdad.

TED: Entonces, ¿por qué se dice que la familia latinoamericana es tan unida y que la vida familiar es tan importante?

RAFAEL: Es que siempre estamos todos en casa a las horas de las comidas. También nos reunimos con nuestros parientes° y amigos para celebrar cumpleaños, aniversarios y otras fiestas familiares.

SRA. PEARSON: He leído que los padres latinoamericanos son demasiado indulgentes con los niños pequeños.

RAFAEL: Con los niños pequeños sí, pero son muy estrictos con los muchachos de mi edad.

SRA. PEARSON: ¿Es verdad, Rafael, que no se permite que las muchachas salgan solas con el novio° o con un amigo?

RAFAEL: Sí, generalmente las acompaña la madre o alguna amiga. Pero estas costumbres ya van cambiando también.

TED: Yo no creo que esta constante vigilancia de las muchachas sirva para nada°. Lo considero falta° de confianza.

hogar *home*
coser *to sew*
charlar *to chat*
cartas *cards*
diariamente *daily*
negocios *business*
parientes *relatives*
novio *fiancé*
sirva para nada *is good for anything*
falta *lack*

RAFAEL: Estoy de acuerdo contigo, Ted. Ya las muchachas empiezan a rebelarse contra nuestras restricciones tradicionales.

TED: ¡Magnífico! ¡Y viva° la valiente juventud°!

viva *long live*
juventud *youth*

Escriba (Complete las siguientes frases. Después, escriba toda la frase.)

1. Las señoras latinoamericanas visitan a sus amigas para ____. 2. Los hombres latinoamericanos pasan el tiempo ____. 3. Los parientes y amigos asisten con frecuencia a ____. 4. Se permite a las muchachas latinoamericanas salir solas con ____. 5. Ted considera la constante vigilancia de las muchachas ____.

Traduzca

a. Traduzca al inglés.

1. Parece que estás muy preocupado. 2. al concluir el año escolar 3. fuera de casa 4. como te he dicho 5. No tienen voz ni voto. 6. en cuanto a las discusiones

Parade in Seville, Spain

b. Traduzca al español las palabras en inglés.

1. Dorotea es *Paul's fiancée.* 2. *Do they have many plans* para el futuro? 3. *I doubt it* mucho. 4. Mi hermana siempre *changes her mind.* 5. Alicia *is chatting with her friends.* 6. *Her relatives* viven en Santa Ana.

ASPECTOS GRAMATICALES

A. El subjuntivo de verbos con cambio de radical

CUADRO GRAMATICAL

Cerrar	**Entender**	**Contar**	**Volver**
cierre	entienda	cuente	vuelva
cierres	entiendas	cuentes	vuelvas
cierre	entienda	cuente	vuelva
cerremos	entendamos	contemos	volvamos
cerréis	entendáis	contéis	volváis
cierren	entiendan	cuenten	vuelvan

In the present subjunctive of the stem-changing **-ar** and **-er** verbs, as in the present indicative, the stem vowel **e** changes to **ie** and the stem vowel **o** to **ue** in all the persons of the singular and in the third person plural. The stem vowel does not change in the **nosotros** and **vosotros** forms.

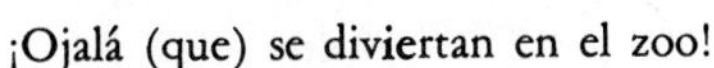
¡Ojalá (que) se diviertan en el zoo!

No creo que entiendan el inglés.

CUADRO GRAMATICAL		
Sentir	**Dormir**	**Pedir**
sienta	duerma	pida
sientas	duermas	pidas
sienta	duerma	pida
sintamos	durmamos	pidamos
sintáis	durmáis	pidáis
sientan	duerman	pidan

In the present subjunctive of the stem-changing **-ir** verbs, as in the present indicative, the stem vowel **e** changes to **ie,** the **o** to **ue,** and the **e** to **i** in all the persons of the singular and in the third person plural.

In the **nosotros** and **vosotros** forms of these verbs, the stem vowel **e** changes to **i** and the **o** to **u: s*i*ntamos, s*i*ntáis; d*u*rmamos, d*u*rmáis; p*i*damos, p*i*dáis.**

Sustitución

1. Espero que Ud. pueda resolver el asunto.
   _______ ellos _______________.
   _______ tú _______________.
   _______ nosotros _______________.

2. El profesor pide que yo cierre todas las ventanas de la clase.
   _______________ nosotros _______________.
   _______________ Carlos _______________.
   _______________ Uds. _______________.

3. Exige que Juan vuelva mañana.
   _______ ellos _________.
   _______ Ud. _________.
   _______ nosotros _________.

Architectural detail—Córdoba, Spain. Notice the decorative use of mosaics.

4. ¡Ojalá que Uds. se diviertan!
¡________ tú ____________ !
¡________ Rafael _________ !
¡________ nosotros _______ !

5. El profesor no quiere que yo pierda el tiempo.
________________________ nosotros __________.
________________________ los estudiantes ____.
________________________ Ud. ______________.

6. Insiste en que Ud. duerma en su casa.
_____________ tú ___________________.
_____________ yo ___________________.
_____________ nosotros ______________.

Traduzca (Traduzca al español las palabras en inglés.)

1. El médico me aconseja que *I sleep* ocho horas al día. 2. El maestro exige que *the students repeat* las palabras. 3. La madre de Luisa *wants her to return* a casa temprano. 4. Espero que ellos *will enjoy themselves* en la fiesta. 5. *Don't lose* Ud. las llaves. 6. El director manda que *they return* los libros. 7. *They ask him to serve* los refrescos. 8. Mi madre *forbids us to eat* en la sala.

¿Cómo se dice en español?

1. He wants John to close the windows. 2. He wants John to return the books. 3. I hope they will enjoy themselves. 4. I hope they will serve refreshments. 5. They insist that we sleep at their house. 6. They insist that we ask for the book. 7. We hope that you can come. 8. We hope that you won't lose our address. 9. My parents don't want me to go to bed late. 10. My parents want me to return before twelve.

VARIEDADES

Conversación o composición

Mire los dibujos y describa la conversación entre Rafael y los señores Pearson sobre las características de la familia latinoamericana en contraste con la norteamericana. Use como norma (*guide*) el vocabulario de la lección.

Preguntas personales

1. ¿Tiene Ud. proyectos interesantes para el futuro? 2. ¿Pierde Ud. mucho tiempo charlando con sus amigos? 3. ¿Cambia Ud. de opinión con frecuencia o raras veces? 4. ¿Se preocupa Ud. cuando recibe malas notas? 5. ¿Tienen sus padres mucha confianza en Ud.? 6. ¿Quiénes charlan más por teléfono, los muchachos o las muchachas? 7. ¿Viven algunos parientes suyos en Europa? 8. Cuando discute con sus padres, ¿qué resultados obtiene? 9. ¿Está Ud. siempre de acuerdo con sus amigos? 10. ¿Sale Ud. solo (-a) con su novio (-a)?

Pequeño repaso (Escriba en español.)

SUSANA: Can you come to my house this afternoon? I want to talk to you about our plan for this weekend.

GLORIA: Impossible, Susan. My mother wants me to return home at once. Some relatives and my cousin Alice and her fiancé are coming to visit us tonight.

SUSANA: I have spoken to my parents about our plan and I doubt that they will permit me to go to the mountains for two days.

GLORIA: Do you want my mother to talk to them?

SUSANA: I don't think that she can convince them.

GLORIA: Perhaps they will change their minds.

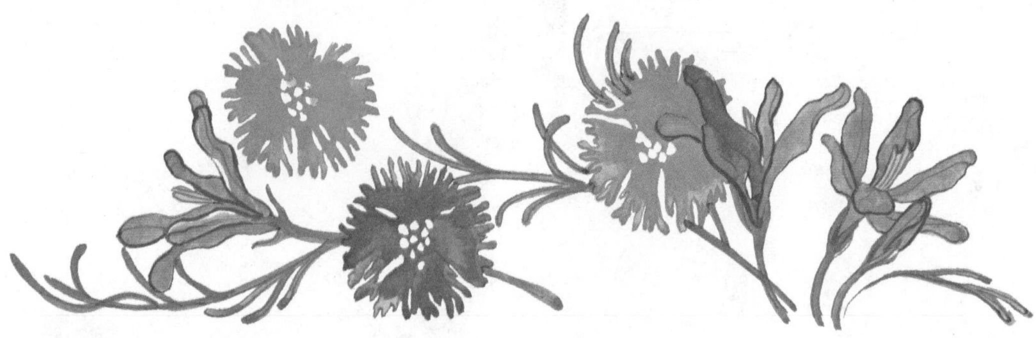

Estudio de palabras

estricto	*strict*	**estación**	*station*
español	*Spanish*	**escuela**	*school*

Many English words that begin with **s** and a consonant begin with **es** and a consonant in Spanish.

Traduzca al inglés.

1. espacio 2. estadio 3. estudio 4. esplendor 5. escena 6. espectáculo 7. estatua 8. escultura 9. esclavo 10. estilo 11. espíritu 12. estupendo 13. estúpido 14. escándalo 15. estómago

REFUERZO DEL VOCABULARIO

NOMBRES

el aniversario *anniversary*
la carta *letter, playing card*
la confianza *trust*
la costumbre *custom*
la decisión *decision*
la discusión *discussion*
el efecto *effect*
el hogar *home*
la juventud *youth*
la libertad *liberty*
el novio *fiancé*
la opinión *opinion*
el pariente *relative*
la política *politics*
el proyecto *project*
la restricción *restriction*
las vacaciones *vacation*
el verano *summer*
el voto *vote*
la voz *voice*

VERBOS

cambiar *to change*
concluir *to conclude*
coser *to sew*
charlar *to chat*
discutir *to discuss*
dudar *to doubt*
existir *to exist*
impresionar *to impress*
jugar (ue) *to play*
mandar *to order, command*
rebelarse *to rebel*
resolver (ue) *to resolve*

ADJETIVOS

indulgente *lenient*
largo, -a *wide*
magnífico, -a *magnificent*
pequeño, -a *small*
preocupado, -a *worried, concerned*
tradicional *traditional*

OTRAS PALABRAS

diariamente *daily*
en cuanto a *as for*
estar de acuerdo *to agree*
fuera de *away from, outside of*
hacer un viaje *to take a trip*
por semana *per week*
se sale con la suya *gets his way*
también *also, too*
todo *all, every*
viva *long live*

Filatelia
COMPRA-VENTA DE SELLOS
PARA COLECCIONES
ELECTRICIDAD
NUESTRAS CAPILLAS Y ALTARES
¡PRECIOS DE FABRICA!

LECCIÓN 

Invitación a una boda

Mr. and Mrs. Pearson have received an invitation to the wedding of Rafael's sister. They are speaking about the invitation when Rafael arrives.

SRA. PEARSON: Rafael, esta mañana recibimos una invitación para la boda de tu hermana.

SR. PEARSON: ¡Cuánto nos gustaría poder estar con Uds. ese día! Pero temo° que no sea posible.

RAFAEL: Sería un gran placer para nosotros la presencia de Uds.

HELEN: No sabía que tu hermana ya estaba en edad de casarse.

RAFAEL: Mercedes sólo tiene diecisiete años y siento que no espere por lo menos un año más.

SRA. PEARSON: Veo que en tu país, como aquí, las muchachas hoy día se casan cada vez más jóvenes.

HELEN: Yo no pienso casarme hasta que tenga° por lo menos veinte años.

SR. PEARSON: Eso está por ver°.

HELEN: ¿Ha tenido tu hermana que pedir permiso a tus padres para casarse?

RAFAEL: No sólo a mis padres; estoy seguro de que todos nuestros parientes fueron consultados. Pocas veces los jóvenes de buena sociedad se casan sin la aprobación° de la familia.

temo *I'm afraid*

hasta que tenga *until I am*

está por ver *is to be seen*

aprobación *approval*

Arcade of the Plaza Mayor—Madrid, Spain

HELEN: ¡Pobres novios! ¡Pero uno no se casa con la familia!

RAFAEL: Es verdad; sin embargo, para nosotros es importante que las familias de los novios sean de la misma clase social.

Escriba (Complete las siguientes frases. Después, escriba toda la frase.)

1. La familia Pearson recibió ____. 2. A los Pearson les gustaría mucho asistir a la boda pero ____. 3. Rafael cree que su hermana es demasiado joven para ____. 4. Antes de casarse Mercedes tuvo que consultar no sólo a sus padres sino ____. 5. Para los colombianos es importante que las familias de los novios sean de la misma ____.

Preguntas personales

1. ¿Tiene Ud. novio (novia)? 2. ¿A qué edad piensa Ud. casarse? 3. ¿Cree Ud. en el amor a primera vista? 4. ¿Debe un joven consultar a sus padres antes de casarse? 5. ¿Es importante en Colombia casarse con una persona de la misma clase social?

ASPECTOS GRAMATICALES

A. Uso del subjuntivo después de verbos que expresan emoción

Siento que sus padres estén enfermos.
I am sorry that your parents are ill.
Se alegran de que vayamos a la fiesta.
They are glad that we are going to the party.
Tememos que Pedro no venga a tiempo.
We fear that Peter will not come on time.

The subjunctive is used after verbs which express emotion (i.e., **sentir,** *to regret, to feel sorry;* **alegrarse de,** *to be glad;* **temer, tener miedo,** *to fear, to* *be afraid*) when the subject of the main clause and the subject of the dependent clause are different; **Yo siento que Ud. diga eso.** *I am sorry that you say that.* If the subjects are the same, the infinitive is used as in English; **Siento decir eso.** *I am sorry to say that.*

Complete

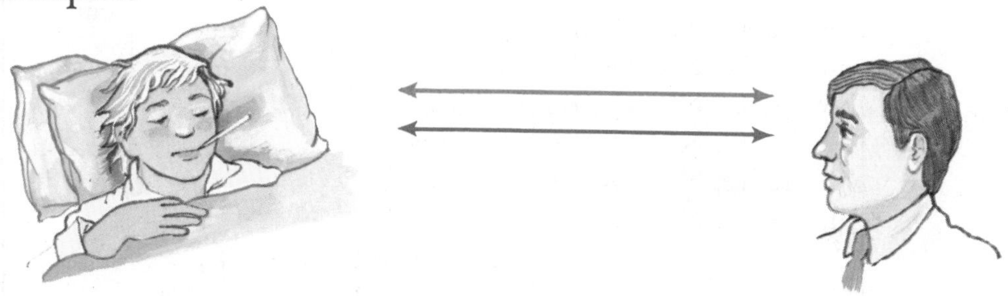

El niño está enfermo. Al padre le preocupa que el niño . . .

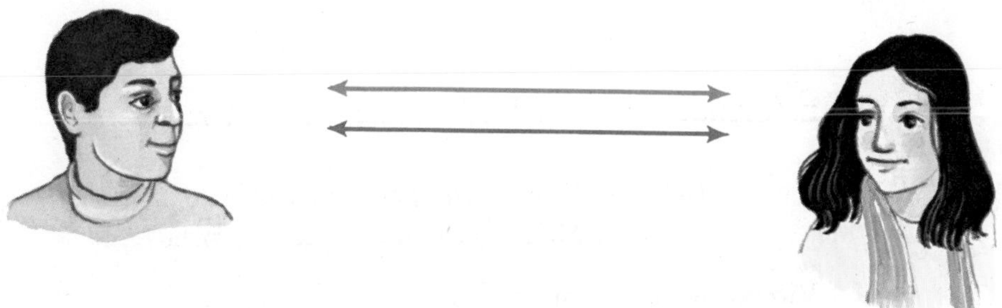

Carlos la admira. A Pilar le gusta que él la . . .

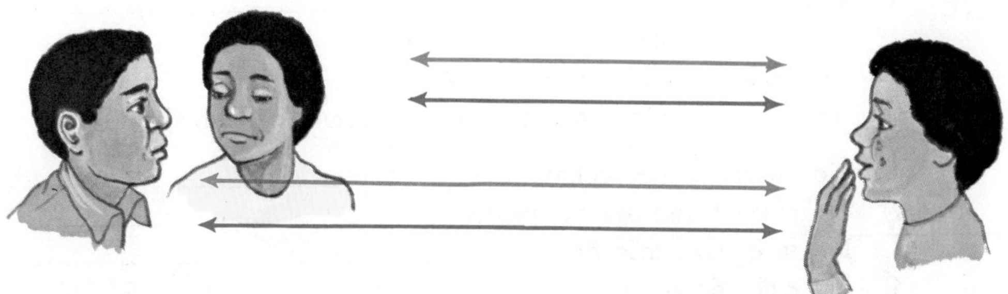

Ellos están tristes. A ella le conmueve que ellos . . .

CUADRO GRAMATICAL	
PRONOMBRES	**Otros verbos de emoción**
Me, Te, Le, Nos, Os, Les	agrada } que . . .
Me, Te, Le, Nos, Os, Les	encanta } que . . .
Me, Te, Le, Nos, Os, Les	apena } que . . .
Me, Te, Le, Nos, Os, Les	extraña } que . . .
Me, Te, Le, Nos, Os, Les	entristece } que . . .
Me, Te, Le, Nos, Os, Les	conmueve } que . . .
Me, Te, Le, Nos, Os, Les	emociona } que . . .
Me, Te, Le, Nos, Os, Les	duele } que . . .
	sentir } que . . .
	celebrar } que . . .
	temer } que . . .
	lamentar } que . . .
	estar extrañado, -a de } que . . .
	estar sorprendido, -a de } que . . .
	estar satisfecho, -a de } que . . .

Practique los verbos y expresiones anteriores (*previous*) en frases originales.

Transformación (Cambie las frases según los modelos.)

Modelo: Vicente comprará un coche.
Me alegra que compre un coche.

1. Vicente irá a la universidad. ________________.
2. Vicente se casará con Elena. ________________.
3. Vicente pasará la luna de miel en México. ________________.
4. Vicente dará una fiesta. ________________.
5. Vicente hará un viaje a Europa. ________________.

Modelo: No quieren ir a la boda.
Siento mucho que no quieran ir a la boda.

1. No pueden volver conmigo. ________________.
2. No piden permiso a sus padres. ________________.
3. No se quedan más tiempo. ________________.
4. No están de acuerdo. ________________.
5. No son buenos amigos. ________________.

Modelo: ¿Viene a tiempo?
Temo que no venga a tiempo.
Tengo miedo de que no venga a tiempo.

1. ¿Dice la verdad? ________________.
2. ¿Hace buen tiempo? ________________.
3. ¿Está contento? ________________.
4. ¿Sale bien en el examen? ________________.
5. ¿Es posible? ________________.

Traduzca (Traduzca al español las palabras en inglés.)

1. Sentimos que *they do not write to us.* 2. La madre teme que *her son will lose* el dinero. 3. Me alegro de que *she is in my class.* 4. *He is sorry that they do not find* trabajo. 5. *We are glad that he is returning* mañana. 6. Los padres *fear that he will not finish* sus estudios. 7. *They are glad that we are buying* aquella casa. 8. *I am sorry to say* que no estoy de acuerdo con Ud. 9. *I fear that the team will not win* el campeonato. 10. *He is glad to see* a sus amigos.

Complete (Complete las frases según los modelos.)

Modelo: Creo que María está en mi clase.
Me alegro de que María esté en mi clase.

1. Dicen que la profesora está ausente. Siento mucho que ____. 2. Creo que no hay examen hoy. Me alegro de que ____. 3. Parece que muchos alumnos van a la biblioteca. Dudo que ____. 4. Sé que no se permite hablar allí. Temo que ____. 5. Veo que algunos alumnos no tienen sus cuadernos. La profesora siente mucho que ____. 6. Dicen que pueden estudiar en casa. No creo que ____. 7. Parece que sus clases comienzan el próximo lunes. Dudamos que ____. 8. Creen que les permitirán llegar tarde. No creo que ____. 9. Magdalena y Margarita van a pasar un año a la Universidad de México. Eduardo no cree que ____. 10. Enrique dice que su hermana no prepara bien su lección. Teme que ____.

Modelo: Dicen que María está enferma.
Siento mucho que María esté enferma.

1. Van a vivir con nosotros. Mis padres se alegran de que ____. 2. Sabemos que el novio no gana bastante. Tememos que ____. 3. Dice que puede mantener a su esposa. Ojalá que ____. 4. Creo que eso no es posible. Temo que ____. 5. Creemos que mi hermana está contenta. Espero que ____. 6. Estoy seguro de que no tienen dinero. Siento mucho que ____. 7. Dicen que volverán dentro de una semana. Me alegro de que ____. 8. Sus amigos le darán una recepción. Espero que ____. 9. Juan hace un viaje a México. Estoy contento de que ____. 10. Isabel recibe buenas notas. Esperamos que ____.

Una boda lujosa

In the following conversation Rafael gives the Pearson family some additional information about his sister's wedding.

HELEN: ¿Es joven el novio de tu hermana?

RAFAEL: No creo que Roberto haya cumplido aún los veinte años; todavía estudia en la universidad.

HELEN: ¿Se conocieron° en la universidad?

RAFAEL: No, la primera vez que se vieron fue un domingo al salir de la iglesia, y desde el primer momento se enamoraron°.

SRA. PEARSON: ¿Cómo va a mantener° a su esposa si aún está estudiando en la universidad?

RAFAEL: Por el momento, supongo° que vivirán con mis padres.

HELEN: A mí no me gustaría vivir con la familia después de casarme; preferiría trabajar para ayudar a mi esposo.

RAFAEL: En Colombia no se ve bien° que trabaje una mujer casada° mientras° su esposo estudia.

TED: Estoy de acuerdo; yo, al casarme, quiero mantener a mi esposa.

se conocieron *did they meet*
se enamoraron *they fell in love*
mantener *to support*
supongo *I suppose*
no se ve bien *isn't considered proper*
casada *married*
mientras *while*

SRA. PEARSON: Por la invitación que hemos recibido, parece que tus padres preparan una boda elegante.

RAFAEL: La ceremonia religiosa se celebrará en la catedral y después habrá° una recepción.

HELEN: ¿Tendrá tu hermana padrino y madrina de boda°?

RAFAEL: Sí, y también muchas damas de honor.

SRA. PEARSON: Me encantan las bodas lujosas°.

RAFAEL: Me alegro de que mis padres hayan decidido dar la recepción en casa en vez de darla en algún hotel. Tenemos jardines preciosos.

HELEN: ¿Dónde van a pasar los novios su luna de miel°?

RAFAEL: Dudo que se lo digan a nadie.

habrá *there will be*
padrino y madrina de boda *best man and maid of honor*
lujosas *lavish*
luna de miel *honeymoon*

Escriba (Complete las siguientes frases. Después, escriba toda la frase.)

1. Mercedes y Roberto se enamoraron cuando ________________.
2. El esposo de Mercedes no podrá mantener a su esposa porque ____.
3. A Helen no le gustaría vivir con la familia después de ______.
4. A muchos padres les encantan las bodas ________________.
5. Los novios casi nunca quieren decir donde van a pasar ______.

Traduzca (Traduzca al español las palabras en inglés.)

1. Andrés *fell in love with* Julia. 2. *They celebrated the wedding* en una iglesia. 3. *They spent their honeymoon* en México. 4. Andrés *cannot support her.* 5. Andrés asiste a la escuela *while she works.*

Preguntas personales

1. ¿Deben los jóvenes casarse cuando aún están asistiendo a la escuela? 2. ¿Cree Ud. que un joven debe casarse cuando no es capaz de mantener a una familia? 3. ¿Debe el esposo prohibir a la mujer que trabaje después de casarse? 4. ¿Prefiere Ud. una boda sencilla o elegante? 5. ¿Dónde le gustaría pasar su luna de miel?

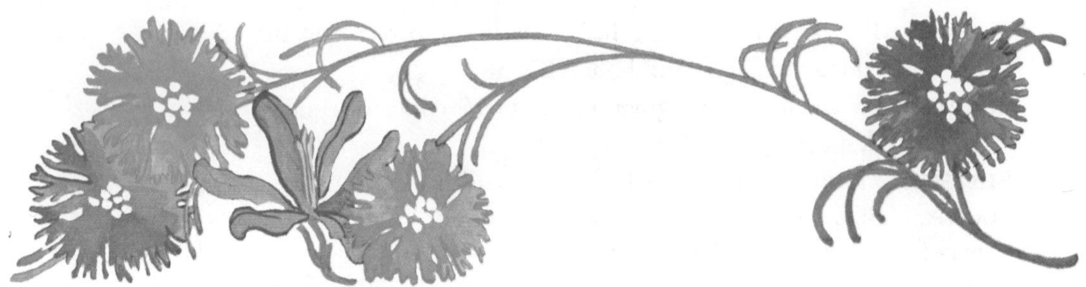

ASPECTOS GRAMATICALES

A. El préterito perfecto de subjuntivo

No creo que Ud. lo haya visto. *I do not believe that you have seen it.*
Duda que ellos hayan llegado. *He doubts that they have arrived.*
Se alegran de que hayamos ganado. *They are glad that we have won.*

The present perfect subjunctive is formed by the present subjunctive of **haber (haya, hayas, haya, hayamos, hayáis, hayan)** followed by a past participle.

Conteste (Conteste según los modelos.)

¿Ha llegado? No creo que haya llegado todavía.

1. ¿Han salido? ______________________.
2. ¿Han vuelto? ______________________.
3. ¿Ha cumplido quince años? ______________________.
4. ¿Han comido? ______________________.
5. ¿Han esperado? ______________________.

Carlos lo hará. Sentimos que no lo haya hecho antes.

1. Mi hermano lo pagará. ______________________.
2. El joven lo devolverá. ______________________.
3. Tomás lo traerá. ______________________.
4. Mi amigo lo verá. ______________________.
5. Enrique lo venderá. ______________________.

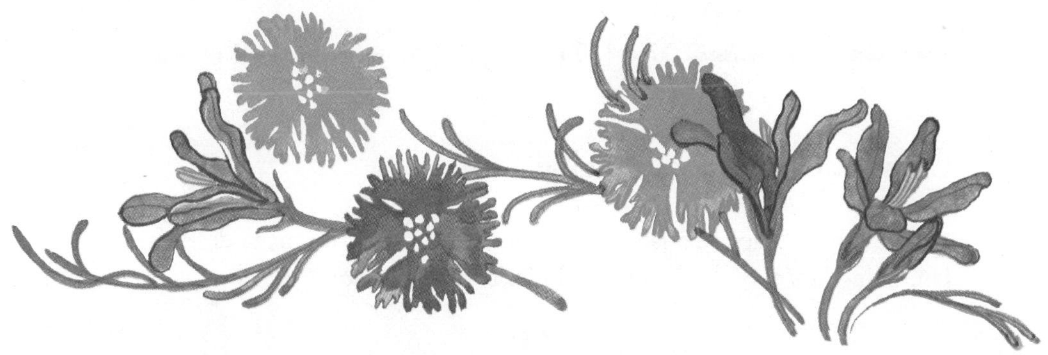

Traduzca (Traduzca al español las palabras en inglés.)

1. ¿Cree Ud. que *he has eaten?* 2. Me alegro de que *you have returned.* 3. Temen que tú *have changed* de opinión. 4. Dudo que Lola *has written* a sus amigos. 5. No creo que *they have gone* hoy a la escuela. 6. Esperamos que *he has not taken* aquel avión. 7. No creo que Pablo *has arrived.* 8. Dudamos que Uds. *have received* la invitación. 9. No creen que *she has spoken* con el profesor. 10. Temo que *they have heard* las noticias.

Complete

1. ¿Tú crees que él ha tomado tu libro?
   Niego que ______________________________.
2. Juan lo ha dicho.
   Dudo que ______________________________.
3. Han hablado con el profesor.
   Me alegro de que ______________________________.
4. No hemos asistido a la clase.
   Siento mucho que Uds. ______________________________.
5. Quizás ha cambiado de opinión.
   Ojalá que ______________________________.
6. Todos han llegado.
   No creo que ______________________________.
7. ¿Quién ha traído los discos?
   Temo que nadie ______________________________.
8. Hemos decidido comer en la cafetería.
   Siento mucho que ______________________________.

VARIEDADES

Conversación o composición

Mire el dibujo y describa la boda de Mercedes Gómez, hermana de Rafael. Use como norma (*guide*) el vocabulario de la lección 14.

Estudio de palabras

religioso *religious* **precioso** *precious*
montañoso *mountainous* **nervioso** *nervous*

Many Spanish words ending in **-oso** have a corresponding English word ending in *-ous*.

Traduzca al inglés.

1. ambicioso 2. numeroso 3. maravilloso 4. glorioso 5. supersticioso 6. famoso 7. misterioso 8. delicioso 9. furioso 10. curioso 11. riguroso 12. sospechoso 13. victorioso 14. generoso

Dresses for sale—Seville, Spain

Pequeño repaso (Escriba en español.)

Dear Jane:

I am glad that you can attend my wedding. I don't believe that I have written to you about my fiancé. Last month while Robert was here on a visit he told me, for the first time, that he had fallen in love with me when I was sixteen years old, but I never knew it.

My mother is sorry that we have decided to have only 100 guests. We will not be able to invite all our friends. My mother is afraid that some of them will be offended; but I told her that we will give a reception after our honeymoon trip.

I hope you'll come soon.

Your friend,
Mercedes

Preguntas personales

1. ¿Asistió Ud. alguna vez a una boda? 2. ¿Dónde se celebró? 3. ¿Hubo una recepción después? 4. ¿Quiénes asistieron? 5. ¿Qué edad tenían los novios? 6. ¿Cómo se conocieron? 7. ¿Dónde iban a vivir después de casarse? 8. ¿Recibieron muchos regalos de boda?

¡Doble sorpresa!

sobre *envelope*
entradas *tickets*

Unos recién casados que acababan de instalarse en su nueva casa, recibieron por correo una agradable sorpresa. Era un sobre° con dos entradas° para el mejor teatro de la ciudad, pero sin indicación de quien las enviaba. La pareja no pudo imaginarse quien sería el buen amigo que les regalaba las entradas.

La función en el teatro fue excelente, pero al regresar a la casa, vieron los recién casados que todos los regalos de boda habían desaparecido. En lugar bien visible, el ladrón dejó la siguiente nota: "Ya saben ustedes quien les envió los billetes."

Esto sólo pasa en este país

gerente *manager*

En un gran hotel de Nueva York estaba de gerente° un cubano. Tenía la costumbre de inspeccionar todas las semanas los cuartos, las cocinas y los demás departamentos del hotel. En una de sus visitas vio a un criado lavando el suelo en el corredor. El criado que le reconoció, le saludó en español.

—¿Es usted cubano? —preguntó el gerente. —No sabía que aquí tenía a un compatriota. ¿Desde cuándo trabaja usted con nosotros?

—Hace tres días que trabajo en el hotel, —contestó el criado con tristeza. Al ver la expresión de su empleado, el gerente le dijo:

¡Anímese! *Cheer up!*

—¡Anímese°, hombre, anímese! Yo también comencé limpiando suelos, y ahora soy gerente de este magnífico hotel. Eso sólo pasa en este país.

El criado se puso aún más triste y contestó: —Mire usted, señor, yo comencé por ser gerente de un hotel mejor que éste. Ahora . . . limpio suelos. ¡Esto también sólo pasa en este país!

REFUERZO DEL VOCABULARIO

NOMBRES

la aprobación *approval*
la boda *wedding*
la ceremonia *ceremony*
la dama de honor *bridesmaid*
el (la) esposo (-a) *husband, (wife)*
la iglesia *church*
el jardín *garden*
la luna de miel *honeymoon*
la madrina de boda *maid of honor*
el novio *fiancé*
el padrino de boda *best man*
el permiso *permission*
la presencia *presence*
la sociedad *society*

ADJETIVOS

elegante *elegant*
joven *young*
lujoso, -a *luxurious*
mismo, -a *same*
posible *possible*
precioso, -a *precious*
religioso, -a *religious*

VERBOS

alegrarse (de) *to be happy (to)*
ayudar *to aid, help*
casarse (con) *to get married (to)*
enamorarse (de) *to fall in love (with)*
esperar *to wait for, hope*
mantener *to support*
suponer *to suppose*
temer *to fear*
tener que + inf. *to have to + inf.*
vivir *to live*

OTRAS PALABRAS

aún *yet, still, even*
cada vez *each time*
cuánto *how, how much*
en vez de *instead of*
eso está por ver *that remains to be seen*
hasta que *until*
nadie *no one*
la primera vez *the first time*
sin embargo *however, nevertheless*

LECCIÓN 

Etiqueta española

Luis Almeida and Hugo Varela have both received scholarships to attend the University of Chicago. Luis is from Barcelona, Spain and Hugo from Santiago de Chile. At the university they meet an American girl, Dorothy Chapman, who invites them to her home for dinner. When they arrive, Dorothy introduces her new friends to her parents and they all share a pleasant meal together.

SRA. CHAPMAN: (a los jóvenes) Hace mucho calor. ¿Por qué no se quitan° Uds. la chaqueta?

LUIS: Gracias, señora, pero, no me puedo acostumbrar° a sentarme a la mesa en mangas de camisa°.

DOROTEA: ¡Etiqueta española!

HUGO: Es cosa de costumbre, Dorotea.

LUIS: En general he notado que los jóvenes norteamericanos se preocupan menos que nosotros del modo de vestir.

DOROTEA: Sí, es verdad.

LUIS: Dorotea, ¿te gustaría ir al cine con nosotros después de la cena?

DOROTEA: Muchas gracias, Luis, pero no creo que lleguemos a tiempo. Podemos ver la televisión. Esta noche hay una película interesante.

HUGO: La televisión es un invento maravilloso. Uds. son muy afortunados en tener tantas estaciones° y poder escoger° entre muchos programas interesantes.

se quitan *remove, take off*
no me puedo acostumbrar *I can't get accustomed to*
mangas de camisa *shirt sleeves*
estaciones *stations*
escoger *to choose*

Interior of the Mosque of Córdoba, Spain

LUIS: ¿No has notado Hugo, que aquí todo el mundo también tiene automóvil?

SRA. CHAPMAN: Todo el mundo, no. Sin embargo el automóvil es indispensable para muchas personas.

he oído decir *I've heard*
todos tienen prisa *everyone is in a hurry*

HUGO: He oído decir° que para los norteamericanos el tiempo es oro; por eso parece que todos tienen prisa° y viven corriendo.

LUIS: Ni aun tienen tiempo para comer con tranquilidad. En este aspecto somos nosotros muy diferentes.

gocen de la vida *enjoy life*

SRA. CHAPMAN: Es posible que Uds. gocen de la vida° más que nosotros.

perder *to miss*

DOROTEA: A propósito, ¿qué hora es? No quiero perder° el programa de televisión.

SRA. CHAPMAN: Todavía tienes unos quince minutos.

Escriba

a. Complete las siguientes frases. Después, escriba toda la frase.

1. Dorotea ha invitado a dos estudiantes extranjeros de la universidad a ____. 2. El señor Chapman pide a los jóvenes que se quiten la chaqueta porque ____. 3. Los jóvenes latinoamericanos se preocupan más que nosotros del ____. 4. En los Estados Unidos hay muchas estaciones de televisión y por eso es posible ____. 5. Para los norteamericanos el tiempo ____.

b. Escriba frases originales con las palabras que se le indican.

1. televisión . . . estación . . . programa
2. tiempo . . . prisa . . . correr
3. gozar . . . tranquilidad . . . etiqueta

ASPECTOS GRAMATICALES

A. Presente de subjuntivo de verbos con cambios ortográficos

INFINITIVO	PRESENTE DE INDICATIVO	PRESENTE DE SUBJUNTIVO
proteger	protejo	proteja, protejas, proteja, *etc.*
dirigir	dirijo	dirija, dirijas, dirija, *etc.*
seguir	sigo	siga, sigas, siga, *etc.*
conocer	conozco	conozca, conozcas, conozca, *etc.*
traducir	traduzco	traduzca, traduzcas, traduzca, *etc.*
destruir	destruyo	destruya, destruyas, destruya, *etc.*

The present subjunctive of the spelling-changing verbs just listed, like the present subjunctive of all regular and most irregular verbs, is derived from the **yo** form of the present indicative.

INFINITIVO	PRETÉRITO	PRESENTE DE SUBJUNTIVO
explicar	yo expliqué	explique, expliques, explique, *etc.*
llegar	yo llegué	llegue, llegues, llegue, *etc.*
avanzar	yo avancé	avance, avances, avance, *etc.*

The present subjunctive of verbs ending in **-car**, **-gar**, and **-zar** is derived from the **yo** form of the preterite tense.

INFINITIVO	PRESENTE DE INDICATIVO	PRESENTE DE SUBJUNTIVO
enviar	envío	env**í**e, env**í**es, env**í**e, enviemos, enviéis, env**í**en
continuar	continúo	contin**ú**e, contin**ú**es, contin**ú**e, continuemos, continuéis, contin**ú**en

The present subjunctive of **enviar** and **continuar,** like the present indicative of these two verbs, takes an accent mark on the **i** and **u,** respectively, in all the persons of the singular and the third person of the plural.

Conteste (Conteste las preguntas según el modelo.)

Modelo: ¿Busca Juan empleo?
No creo que busque empleo.

1. ¿Toca Alfredo el violín? ______________________.
2. ¿Explica Felipe bien la lección? ______________________.

Modelo: ¿Llegan temprano?
Esperamos que lleguen temprano.

1. ¿Pagan la cuenta? ______________________.
2. ¿Juegan mañana? ______________________.

Modelo: ¿Almuerza Ud. en casa?
Quieren que almuerce en casa.

1. ¿Empieza Ud. a trabajar mañana? ______________________.
2. ¿Organiza Ud. un club social? ______________________.

Modelo: ¿Quién va a recoger los papeles?
Prefiero que Ud. los recoja.

1. ¿Quién va a dirigir los juegos? ______________________.
2. ¿Quién va a corregir los ejercicios? ______________________.

Modelo: ¿Va Tomás a conseguir el puesto?
¡Ojalá que lo consiga!

1. ¿Va Juan a seguir nuestro consejo? ¡______________________!
2. ¿Va Marta a distinguir la diferencia? ¡______________________!

Peru

Complete (Complete la traducción de las frases.)

1. My father wants me to look for a job. Mi padre quiere que ____. 2. I doubt that they will arrive on time. Dudo que ____. 3. His parents forbid him to cross the street. Sus padres prohiben que ____. 4. I do not believe that the police will catch the criminal. No creo que la policía ____. 5. We fear that he will not follow our advice. Tememos que ____ nuestros consejos. 6. The teacher requires us to correct the mistakes. El profesor exige que ____. 7. I advise you to obey him. Le aconsejo que le ____. 8. The general orders the soldiers to destroy the city. El general manda que ____. 9. We are glad that you are sending the money to him. Nos alegramos de que Uds. le ____. 10. Everyone insists that he play the piano. Todos insisten en que ____.

Los quehaceres° de la casa

quehaceres *chores*

After dinner Mr. and Mrs. Chapman excuse themselves. Mrs. Chapman wishes to clean up the kitchen and Mr. Chapman offers to help her. This surprises their guests.

SRA. CHAPMAN: Dorotea, pasa con tus amigos a la sala. Papá y yo vamos a lavar los platos.

LUIS: No puedo imaginarme que un señor en España ayude a su esposa en la cocina. Los quehaceres de la casa se consideran trabajo de mujeres.

SRA. CHAPMAN: Uds. tienen criadas, ¿verdad? Aquí es preciso° que los esposos nos ayuden porque el servicio doméstico cuesta mucho.

HUGO: Lo sé, señora. Cuando me dijeron el sueldo° que gana una sirvienta aquí, apenas° pude creerlo.

LUIS: ¡Y con las comodidades° que hay en la casa! Máquinas lavadoras°, secadoras°, lavaplatos, aspiradoras de polvo°.

HUGO: Hasta° las comidas se preparan en muy poco tiempo con los numerosos aparatos automáticos que tienen las cocinas de Uds.

DOROTEA: Siento interrumpirlos pero ya es la hora del programa. Pasemos a la sala.

LUIS: Muchas gracias por la cena, señora Chapman.

HUGO: Estaba deliciosa; también gracias por mi parte.

SRA. CHAPMAN: Me alegro mucho que les haya gustado°.

es preciso *it is necessary*

sueldo *salary*

apenas *hardly, barely*

comodidades *conveniences*

máquinas lavadoras *washing machines*

secadoras *dryers*

aspiradoras de polvo *vacuum cleaner*

hasta *even*

les haya gustado *you have liked it*

Complete

1. Luis Almeida no puede imaginarse que un señor en España ____. 2. Un padre norteamericano ayuda con frecuencia a su esposa en la cocina porque ____. 3. Apenas pueden creer los extranjeros el sueldo que ganan ____. 4. En muchas familias norteamericanas se pueden preparar las comidas en poco tiempo porque ____. 5. Los dos muchachos dan las gracias a la señora Chapman por ____.

Escriba

¿Qué piensa Ud. de la liberación femenina? Consulte el diálogo y escriba un parrafito citando su opinión.

ASPECTOS GRAMATICALES

A. Uso del subjuntivo después de ciertas expresiones impersonales

Es una lástima que ellos no puedan acompañarnos.
It is a pity that they cannot accompany us.
Es preciso que Ud. venga en seguida.
It is necessary for you to come at once (that you come at once).
Es imposible que lleguemos a tiempo.
It is impossible for us to arrive on time.

but

Es imposible llegar a tiempo.
It is impossible to arrive on time.

The subjunctive is used after impersonal expressions implying necessity, doubt, and emotion if the verb following the impersonal expression has a specific subject: **Es importante que Uds. estudien.** *It is important for you to study.* If no subject is stated, the infinitive form of the verb is used as in English: **Es importante estudiar.** *It is important to study.*

CUADRO GRAMATICAL

Expresiones impersonales

Some impersonal expressions which require the subjunctive:

es necesario *it is necessary*	**es probable** *it is probable*
es preciso *it is necessary*	**es (una) lástima** *it is a pity*
es posible *it is possible*	**es dudoso** *it is doubtful*
es imposible *it is impossible*	**es importante** *it is important*

Some important expressions which imply certainty and do not require the subjunctive:

es cierto *it is certain*
es verdad *it is true*

Es cierto que van a España.
Es verdad que son hermanos.

Conteste (Conteste las preguntas según los modelos.)

Modelos: ¿Es necesario hacerlo?
¡Por supuesto! Es necesario que Ud. lo haga en seguida.

¿Es preciso pedirlo?
¡Por supuesto! Es preciso que Ud. lo pida en seguida.

1. ¿Es necesario traerlo? ________________.
2. ¿Es importante enviarlo? ________________.
3. ¿Es preciso decidirlo? ________________.
4. ¿Es necesario devolverlo? ________________.
5. ¿Es importante verlo? ________________.

Modelo: ¿Cuándo saldrán?
Es probable que salgan mañana.

1. ¿Cuándo pagarán? ________________.
2. ¿______ vendrán? ________________.
3. ¿______ irán? ________________.

Modelo: ¿Cuándo volverán?
Es posible que vuelvan la semana próxima.

1. ¿Cuándo llegarán? ______________________________.
2. ¿______ comenzarán? ______________________________.
3. ¿______ se casarán? ______________________________.

Modelo: ¿Lo tendrán hoy?
Es imposible que lo tengan hoy.

1. ¿Lo terminarán hoy? ______________________________.
2. ¿__ comprarán ____? ______________________________.
3. ¿__ escribirán ____? ______________________________.

Modelo: ¿Puede Ud. acompañarnos?
No. Es una lástima que Ud. no pueda acompañarnos.

1. ¿Conoce Ud. a los señores Pérez? ____________________.
2. ¿Sabe Ud. manejar? ______________________________.
3. ¿Continúa Ud. estudiando el español? ____________________.

Escriba (Escriba una frase original con cada expresión.)

1. Es cierto que ______________________________.
2. Es posible que ______________________________.
3. Es lástima que ______________________________.
4. Es necesario ______________________________.
5. Es verdad que ______________________________.
6. Es dudoso que ______________________________.
7. Es importante ______________________________.
8. Es preciso ______________________________.
9. Es seguro que ______________________________.
10. Es probable que ______________________________.

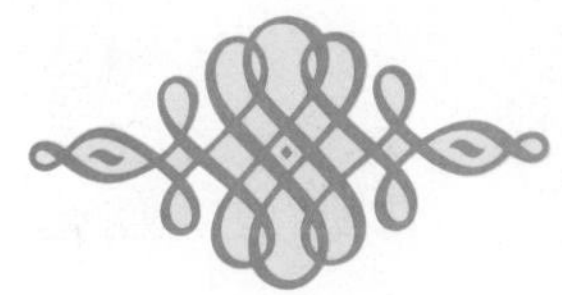

Complete (Complete la traducción de las frases.)

1. It is necessary for us to leave. Es necesario que ____. 2. It is important that he read the letter. Es importante que él ____. 3. It is probable that they have bought the tickets. Es probable que ellos ____. 4. It is possible that he knows my brother. Es posible que él ____. 5. It is a pity that your friends cannot attend the dance. Es lástima que ____ asistir al baile. 6. It is necessary that you study more. ____ más. 7. It is impossible for us to do the work. ____ el trabajo. 8. It is important to know the truth. ____ la verdad. 9. It is doubtful that he will sell his car. ____ su coche. 10. It is a pity that Helen is ill. ____ enferma.

VARIEDADES

Conversación o composición

Mire el dibujo y escriba una conversación de los quehaceres de la casa. ¿Le gustan estas comodidades? ¿Prefiere Ud. el servicio doméstico? ¿Es alto el sueldo que gana una sirvienta? Use como norma el vocabulario de la lección.

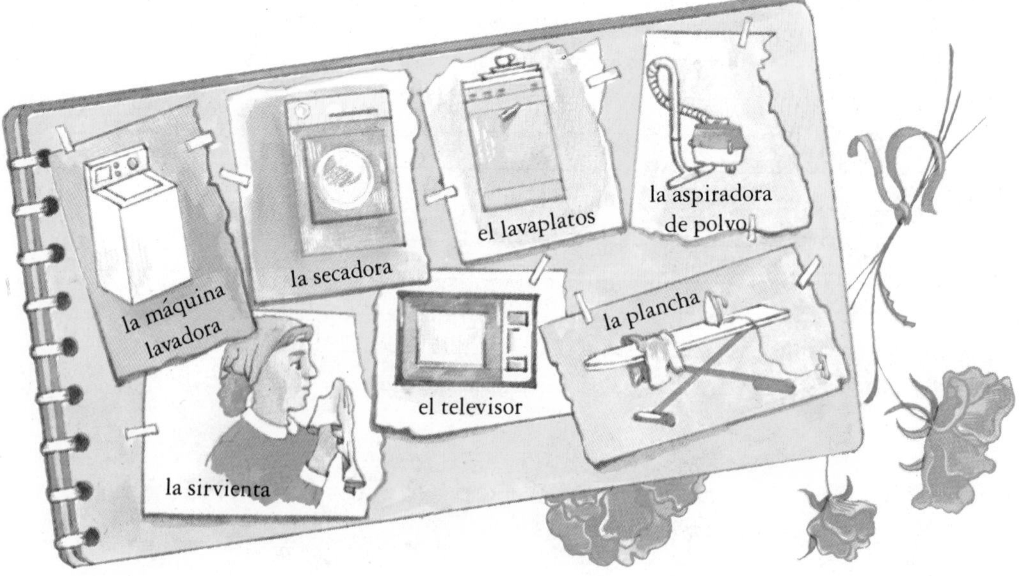

Pequeño repaso (Escriba en español.)

ISABEL: Tom, I want you to meet my cousin Ricardo. He is going to attend the University of Ohio this year.

TOM: I'm glad to know you.

RICARDO: Likewise. (Igualmente)

ISABEL: Ricardo's parents have come with him.

RICARDO: It is doubtful that they will remain here for a year. My mother cannot get accustomed to your way of life. At home we have two servants; here it will be necessary that my mother do all the work.

TOM: And your father, what does he think of the United States?

RICARDO: He likes the country very much. We had scarcely arrived when Mr. Cano, a friend of ours, came to visit him. He is the owner of a large factory and it is possible that he will offer my father a position in his company. In that case my parents will remain.

TOM: By the way, would you like to attend the first football game of the season?

RICARDO: Yes, indeed!

ISABEL: Ricardo is a football fan.

TOM: Good! We'll go together.

Estudio de palabras

los señores Chapman *Mr. and Mrs. Chapman*
los hermanos *the brother(s) and sister(s)*

When a man and a woman are included in a group, the masculine plural form of the noun is used.

Traduzca al inglés.

1. los abuelos 2. los padres 3. los muchachos 4. los niños 5. los tíos 6. los esposos 7. los reyes 8. los hijos

Preguntas personales

1. ¿Sabe Ud. manejar un automóvil? 2. ¿Son caros los nuevos automóviles? 3. ¿Se preocupa Ud. mucho de su modo de vestir? 4. ¿Pasa Ud. mucho tiempo viendo la televisión? 5. ¿Se toma Ud. bastante tiempo para comer con tranquilidad? 6. ¿Quién ayuda a su madre a lavar los platos y a limpiar la casa? 7. ¿Qué sueldo se paga generalmente a una criada? 8. ¿Es difícil que un alumno extranjero se acostumbre a nuestro modo de vivir? 9. ¿Para qué usa la secadora? 10. ¿Tiene en su casa una aspiradora de polvo?

La tarjeta de visita

Una costumbre muy extendida en los países de idioma español es el uso de las tarjetas de visita. Se utilizan para diferentes motivos: invitaciones, despedidas, felicitaciones y pésames°. Cuando se hace una presentación y se desea la amistad de la persona presentada, se le entrega una tarjeta. Al hacer una visita y no encontrar a nadie en casa, se echa la tarjeta de visita por debajo de la puerta o se echa en el buzón. Se ve, pues, que para la gente de habla española la tarjeta no sólo es útil sino indispensable.

pésames *condolences*

Interior Patio—Córdoba, Spain

REFUERZO DEL VOCABULARIO

NOMBRES

el aparato *appliance*
la aspiradora de polvo *vacuum cleaner*
el automóvil *automobile*
la cena *dinner*
la comodidad *convenience*
la chaqueta *jacket*
la estación *station*
la etiqueta *etiquette*
el invento *invention*
el lavaplatos *dishwasher*
las mangas de camisa *shirt sleeves*
la máquina lavadora *washing machine*
el modo de vestir *style of dressing*
la mujer *woman*
la película *film*
el programa *program*
los quehaceres *chores, tasks*
la secadora *clothes dryer*
el servicio doméstico *domestic service*
la sirvienta *maid, servant*
la televisión *television*
el trabajo *work*

ADJETIVOS

afortunado, -a *fortunate*
automático, -a *automatic*
delicioso, -a *delicious*
indispensable *indispensable*
interesante *interesting*
maravilloso, -a *marvelous*
numeroso, -a *numerous*
preciso, -a *necessary*
tanto, -a *so much*

VERBOS

acostumbrarse *to get accustomed to*
considerar *to consider*
costar (ue) *to cost*
escoger *to choose*
gustar *to like, be pleasing*
notar *to note*
perder (ie) *to miss, lose*
preparar *to prepare*
quitarse *to take off, remove*
sentarse (ie) *to sit down*

OTRAS PALABRAS

a tiempo *on time*
apenas *hardly, barely*
hasta *even*
menos *less*
sin embargo *nevertheless*
todo el mundo *everyone*

PERSPECTIVAS CULTURALES

La Comunidad hispana

Herman Badillo Herman Badillo was born in 1929 in Caguas, Puerto Rico. He was graduated from the City College of New York and Brooklyn Law School. He became a practicing attorney in 1955, and in 1970 was elected as a Representative from the State of New York with 84% of the vote. He is America's first Puerto Rican congressman.

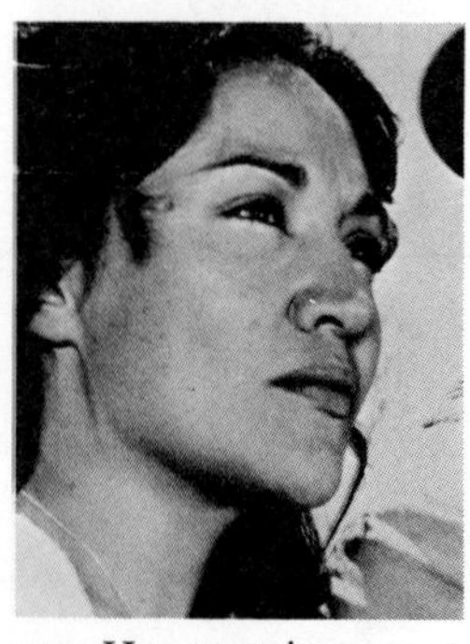

Miriam Colón Miriam Colón is the most accomplished Puerto Rican actress in the United States. She has starred in more than two hundred television shows and has often been featured on Broadway. Her most important contribution, however, is the founding and successful operation of the Puerto Rican National Theater, a traveling theater that tours the streets of New York City. The theater also has a Performing Laboratory Unit that holds classes from January to May and accepts one hundred students per year.

Miriam was born in Ponce, Puerto Rico and her acting career began in Junior High School. She knew that there could never be anything as important for her as the stage. Her potential as an actress and her enthusiasm and eagerness to learn about acting impress all who work with her.

Roberto Clemente As a young boy in Puerto Rico, Roberto Clemente loved to play baseball. He was active in many sports in high school, and his baseball coach, realizing his talents, was instrumental in placing him in the minor leagues. After a few seasons in the minors, he joined the major leagues as a right fielder for the Pittsburgh Pirates. When an earthquake struck Managua, Nicaragua in the end of 1972, he was very upset because he managed a minor league Puerto Rican team that had just played in Managua in the World Series. When asked to help the victims, he accepted immediately. Under his supervision much clothing, medical supplies and $150,000 in cash were collected. He helped to load the plane and then at the last minute decided to go himself to distribute the provisions among the needy. That decision ended his life because the plane crashed. However, in death he accomplished his great dream of building an enormous sport center for the youth of Puerto Rico. The "Clemente Fund," established after his death, continues to help the youth of Puerto Rico.

Vikki Carr Vikki Carr, a Mexican-American, was born in El Paso, Texas as Florencia Bisenta de Casillas Martínez Cardona. She began singing when she was four years old, sang in a choir in high school and had most of the leading parts in her high school musicals. Upon graduation she sang with a Mexican-Irish band. Although this job didn't last very long, it was helpful in developing her singing style. She is now one of the world's top recording stars with over a dozen hit albums and she performs in the best night clubs all over the country. Her best-selling album is one in which she sings all her songs in Spanish. She has given concerts in many European countries, did a tour in Vietnam and was invited by President and Mrs. Nixon to sing at the White House. She is proud of her Mexican-American heritage and helped set up a scholarship fund to aid Mexican Americans who want to go to college.

Joseph Montoya Joseph Montoya spent several successful years in New Mexico's politics and in 1964 was elected senator from that state. He attained national prominence during the Watergate trials.

Rosemary Casals Rosemary Casals was born in San Francisco, California in 1948. Her father, Manuel Casals, an immigrant from San Salvador, introduced her to the game of tennis and has been her coach

through most of her career. She was a good player from the start and has a natural instinct for the game. She played at Wimbledon and other big tournaments when she was still in her teens. Although very successful in the tournaments, she was known only as the girl who played doubles with Billie Jean King and the grand niece of famed cellist, Pablo Casals. She became a big name only after her TV commentary on the Bobby Riggs-Billie Jean King "battle of the sexes" in 1973. Because of her commentary, she was offered several TV commercials. However, tennis is still the most important thing in her life and her goal is to become the best player possible.

REPASO

REFUERZO DEL VOCABULARIO

NOMBRES

el aniversario *anniversary*
el aparato *appliance*
la aprobación *approval*
la asignatura *subject*
el aspecto *aspect*
la aspiradora de polvo *vacuum cleaner*
el automóvil *automobile*
la barbacoa *barbecue*
los bienes *possessions*
la boda *wedding*
la carrera *career*
la carta *letter, playing card*
el caso *case*
el castellano *Spanish language*
la cena *dinner*
la ceremonia *ceremony*
la comodidad *convenience*
el compañero *companion*
el concepto *concept*
la confianza *trust*
el conocimiento *knowledge*
el cónsul *consul*
la copla *couplet, song*
la costumbre *custom*
el cuento *story*
el curso *course*
la chaqueta *jacket*
la decisión *decision*
el diplomático *diplomat*
la disciplina *discipline*
la discusión *discussion*
la educación *education*
el efecto *effect*
el (la) esposo (-a) *husband, (wife)*
la estación *station*
la etiqueta *etiquette*
la falta *lack*
la filosofía *philosophy*
el hogar *home*
el honor *honor*
el idioma *language*
la iglesia *church*
la importancia *importance*
el invento *invention*
el jardín *garden*
la juventud *youth*
el lavaplatos *dishwasher*
la libertad *liberty*
la literatura *literature*
la luna de miel *honeymoon*
el maestro *teacher*
las mangas de camisa *shirt sleeves*
la máquina lavadora *washing machine*
las matemáticas *mathematics*
las materias generales *academic subjects*
la mayoría *majority*
la mujer *woman*
el negocio *business*
el novio *fiancé*
el objeto *object*
el oeste *west*
la opinión *opinion*
la pampa *pampas*
el pariente *relative*
la película *film*

el permiso *permission*
el placer *pleasure*
la política *politics*
la presencia *presence*
el programa *program*
el progreso *progress*
el proyecto *project*
los quehaceres *chores, tasks*
la restricción *restriction*
la secadora *clothes dryer*
el semestre *semester*
la sirvienta *maid, servant*
el sobrino *nephew*
la sociedad *society*
la tarea *task*
la televisión *television*
el trabajo *work*
el traje *suit*
las vacaciones *vacation*
el valor *value*
el vaquero *cowboy*
el vecino *neighbor*
el verano *summer*
el voto *vote*
la voz *voice*

VERBOS

aconsejar *to advise*
acostumbrarse *to get accustomed to*
alegrarse *to be happy*
aprender *to learn*
aprovechar *to take advantage of*
cambiar *to change*
cantar *to sing*
casarse (con) *to get married (to)*
comprender *to understand, include*
concluir *to conclude*
considerar *to consider*
continuar *to continue*
coser *to sew*
costar (ue) *to cost*
charlar *to chat*
decidir *to decide*
decir *to say, tell*
desear *to desire*
discutir *to discuss*
divertirse (ie) *to enjoy oneself*
dudar *to doubt*
enamorarse (de) *to fall in love (with)*
encantar *to charm, enchant*
equivocarse *to make a mistake*
escoger *to choose*
esperar *to wait for, hope*
exigir *to require, demand*
existir *to exist*
gustar *to like, be pleasing*
ingresar *to enroll*
insistir en *to insist on*
interrumpir *to interrupt*
jugar (ue) *to play*
mandar *to order, command, send*
mantener *to support, maintain*
notar *to note*
parecer(se) (a) *to seem, appear, (be similar to)*
pedir (i) *to ask (for)*
perder (ie) *to miss, lose*
permitir *to permit*
practicar *to practice*
preocuparse *to be worried, concerned*
quitar *to take off, remove*
rebelarse *to rebel*
resolver (ue) *to resolve*
sentarse (ie) *to sit down*
separarse *to separate*
suponer *to suppose*
temer *to fear*
tener que + inf. *to have to + inf.*
vivir *to live*

ADJETIVOS

automático, -a *automatic*
bello, -a *beautiful*
cierto, -a *certain*
cultural *cultural*
delicioso, -a *delicious*
distinto, -a *different*
elegante *elegant*
estricto, -a *strict*
guapo, -a *handsome*
indispensable *indispensable*
indulgente *lenient*
interesante *interesting*
íntimo, -a *intimate*
joven *young*
largo, -a *wide*
lujoso, -a *luxurious*
magnífico, -a *magnificent*
maravilloso, -a *marvelous*
mismo, -a *same*
numeroso, -a *numerous*
obligatorio, -a *obligatory*
pequeño, -a *small*
pintoresco, -a *picturesque*
posible *possible*
práctico, -a *practical*
precioso, -a *precious*
preciso, -a *necessary*
preocupado, -a *worried, concerned*
primario, -a *primary*
religioso, -a *religious*
romántico, -a *romantic*
secundario, -a *secondary*
separado, -a *separated*
solitario, -a *solitary*
suficiente *sufficient*
tanto, -a *so much*
técnico, -a *technical*
típico, -a *typical*
tradicional *traditional*

EJERCICIOS

I. Repita las frases según los modelos.

Modelos: Voy a comprar el boleto. — Compra (tú) el boleto ahora mismo; no lo compres más tarde.

Voy a escribir la carta. — Escribe (tú) la carta ahora mismo; no la escribas más tarde.

1. _____ firmar el documento. ______________________.
2. _____ ver la comedia. ______________________.
3. _____ traer el dinero. ______________________.
4. _____ buscar el libro. ______________________.
5. _____ dejar un cuaderno. ______________________.
6. _____ poner la silla aquí. ______________________.
7. _____ hacer el trabajo. ______________________.
8. _____ apagar la luz. ______________________.

II. Traduzca las frases según los modelos.

(Refer to pages 185–186, 203 for a summary of regular and irregular present subjunctive forms.)

1.	I want you to study more.	Quiero que Ud. estudie más.
	________ read ____.	________________.
	________ work ____.	________________.
	________ do ____.	________________.
2.	They ask us to come early.	Nos piden que vengamos temprano.
	________ eat ____.	________________.
	________ arrive ____.	________________.
	________ leave ____.	________________.
	________ return ____.	________________.
3.	We hope they will receive it.	Esperamos que lo reciban.
	________ see ____.	________________.
	________ buy ____.	________________.
	________ have ____.	________________.
	________ believe __.	________________.
4.	I am sorry they have said it.	Siento que lo hayan dicho.
	________ read __.	________________.
	________ done __.	________________.
	________ seen __.	________________.
	________ written.	________________.
5.	They do not believe I know it.	No creen que yo lo sepa.
	________ want __.	________________.
	________ see __.	________________.
	________ need __.	________________.
6.	Let's dance.	Bailemos. (*o*) Vamos a bailar.
	____ see.	______. ________.
	____ eat.	______. ________.
	____ sing.	______. ________.
	____ speak.	______. ________.
7.	It's necessary for us to go.	Es necesario que vayamos.
	________ pay.	________________.
	________ explain.	________________.
	________ win.	________________.
	________ organize.	________________.

8. It's a pity that he is alone. — Es una lástima que esté solo.
   ________________ sad. — ________________.
   ________________ busy. — ________________.
   ________________ ill. — ________________.

9. I doubt that they will know him. — Dudo que le conozcan.
   ________________ protect ___. — ________________.
   ________________ follow ___. — ________________.
   ________________ help ___. — ________________.

10. It's possible that I will go. — Es posible que yo vaya.
   ________________ return. — ________________.
   ________________ remain. — ________________.
   ________________ continue. — ________________.

III. Dé la forma correcta del verbo entre paréntesis.

1. Esperamos que Felipe (venir) pronto. 2. Les aconsejo a Uds. que (aprender) dos lenguas extranjeras. 3. Dígale a Rosa que (volver) a casa. 4. ¡Ojalá nosotros (llegar) a tiempo! 5. La maestra pide a Pedro que (ir) a la biblioteca. 6. Dudo que ellos (estar) en casa. 7. Mis padres desean que yo (estudiar) para ingeniero. 8. No creo que Pedro lo (saber). 9. Nos alegramos de que Uds. (haber) podido acompañarnos. 10. Prefieren que nosotros no lo (ver). 11. Es preciso que yo se lo (explicar) a Ud. 12. El chico teme que su padre le (castigar). 13. Es una lástima que ellos no (gozar) de la vida. 14. No creo que Catalina (tener) las llaves de la casa. 15. Su madre no permite que Alicia (salir) sola de noche.

IV. ¿Cómo se dice en español?

1. I want you to give this book to Jane. 2. Let Mary do it. 3. The teacher doesn't permit the students to talk in class. 4. I believe she's right. 5. Let's return now. 6. I'm afraid it's important. 7. My mother insists that I continue studying Spanish. 8. It's possible that Rose doesn't know your brother.

V. Complete cada frase con la expresión apropiada.

1. Es preciso pensar mucho para (*a*) abrir la puerta. (*b*) aprovechar la ocasión. (*c*) aconsejar a nuestros amigos. (*d*) resolver un problema.

2. El joven era tan guapo que la muchacha (*a*) estaba en edad de casarse. (*b*) no podía acostumbrarse. (*c*) tuvo que pedir permiso. (*d*) se enamoró de él.

3. Muchos extranjeros creen que todos los norteamericanos son millonarios, pero ellos (*a*) se alegran. (*b*) se equivocan. (*c*) se mezclan. (*d*) se despiden.

4. Yo se lo expliqué pero (*a*) no sabe manejar. (*b*) los tiempos van cambiando. (*c*) llevaba una vida solitaria. (*d*) no está de acuerdo.

5. Su padre no gana bastante dinero para (*a*) cumplir años. (*b*) andar lentamente. (*c*) sostener a la familia. (*d*) llamar la atención.

6. Mi madre lavó los platos (*a*) cerca de las casas. (*b*) después de la cena. (*c*) antes del programa. (*d*) sobre el tema.

VI. ¿Cómo se dice en inglés?

1. Espero recibir una carta hoy. 2. La profesora quiere que yo escriba la frase. 3. Mi amiga Alicia prefiere estudiar conmigo. 4. Yo quiero estudiar en la biblioteca. 5. ¡Ojalá que traiga mi libro! 6. La profesora (El profesor) quiere que aprendamos un poema. 7. Mis padres desean que yo haga mi tarea (trabajo) en casa. 8. Quieren salir esta noche. 9. Espero (Ojalá) que no salgan antes de las ocho. 10. Mi padre siempre quiere verme antes de salir.

VII. Conteste las siguientes preguntas.

1. ¿Se equivoca Ud. con frecuencia? 2. ¿Qué le dice el profesor cuando deja de hacer su tarea? 3. ¿A quién se parece Ud.? 4. ¿Exigen sus padres que Ud. llegue a casa antes de la medianoche? 5. ¿Les permite el profesor que hablen en voz alta? 6. ¿Debe Ud. preocuparse por los demás? 7. ¿Duda Ud. de que todas las naciones del mundo puedan vivir en paz? 8. ¿Teme Ud. que haya una guerra mundial? 9. ¿Se alegra Ud. de haber estudiado el castellano? 10. ¿Qué hay que hacer para tener éxito?

VIII. Escriba una composición sobre uno de los dos siguientes temas.

1. **La vida en el campo y en la ciudad** (Contrastes entre una y otra . . . ventajas y desventajas de vivir en la ciudad o en el campo . . . ¿Qué clase de vida le gusta más? ¿Para el presente? ¿Para el futuro?)
2. **Mis planes para el futuro** (¿Qué piensa Ud. hacer al salir de la escuela secundaria? Si decide Ud. continuar estudiando, ¿a qué universidad quiere asistir? ¿Cuáles son sus asignaturas favoritas? ¿Por qué?)

LECCIÓN 

*España bajo la dominación musulmana**

PRIMERA PARTE—Arabs from the north of Africa crossed the Strait of Gibraltar in the year 711 and in three years conquered most of the Iberian Peninsula. Small groups of Spaniards who refused to submit to the Moslem invaders took refuge in a few mountainous places in the north of the peninsula.

Los árabes permanecieron en la Península por ocho siglos (711–1492). Durante la dominación musulmana España llegó a ser uno de los países más ricos y cultos de toda Europa. Los árabes edificaron grandes ciudades; construyeron mezquitas°, alcázares° y palacios adornados de mosaicos, azulejos° y columnas de mármol°. La Mezquita** de Córdoba, aunque ha sufrido transformaciones, se considera todavía una joya° de arquitectura árabe. También la famosa Alhambra de Granada es una maravilla del arte oriental con sus elegantes salones, bellos miradores° y magníficos patios, jardines y fuentes.

Los árabes establecieron muchas bibliotecas y escuelas. Cultivaron la filosofía, la astronomía y la poesía. Se dedicaron a la medicina y a las ciencias naturales. La Universidad de Córdoba alcanzó fama mundial°

mezquitas *mosques*
alcázares *fortresses, castles*
azulejos *glazed tiles*
mármol *marble*
joya *jewel*
miradores *watch towers*
mundial *worldwide*

* Moslem Spain. Moslem refers to the followers of the prophet Mohammed, among whom are the Arabs and the Moors.

** The Mezquita of Córdoba was built during the 8th century amid the ruins of a Visigoth church. Its columns are aglow with jasper, onyx, and marble.

Dancing "La Sardana" in front of the Cathedral of Barcelona, Spain

acudieron *rushed (to a place)*

como centro cultural de la época. A ella acudieron° estudiantes no sólo de España sino de todas partes del mundo.

naranjo *orange tree*

riego *irrigation*

Los musulmanes españoles fueron excelentes agricultores. Llevaron al suelo español el olivo, el naranjo°, la caña de azúcar, el arroz y muchas otras frutas y vegetales. Desarrollaron un excelente sistema de riego° que se usa todavía en España.

amistosas *friendly*

continuasen *to continue*

a pesar de *in spite of*

fuertes tributos *heavy taxes*

En general, los árabes mantenían relaciones amistosas° con los cristianos que vivían entre ellos. Permitían a los cristianos que practicaran su propia religión y que continuasen° en sus negocios. Sin embargo, a pesar de° estas relaciones amistosas, los árabes obligaban a los cristianos a pagar fuertes tributos°.

Preguntas

1. ¿Cuántos siglos se quedaron los árabes en España? 2. ¿Cuáles son los dos edificios árabes más famosos que se han conservado en España hasta hoy día? 3. ¿Cuál era el centro cultural de la España árabe? 4. ¿Qué productos llevaron a España los musulmanes? 5. ¿Qué relaciones tuvieron los árabes con los cristianos que vivían entre ellos?

SEGUNDA PARTE—In 1492 the Reconquest of Spain was completed and Spain was free from Moorish domination.

derrotó *defeated*

caudillos *leaders*

terreno *land*

poderío *power*

decayendo *declining, decaying*

príncipes *princes*

La Reconquista* de España comenzó en las montañas de Asturias. En la batalla de Covadonga (718), el jefe Pelayo derrotó° por primera vez a las fuerzas árabes y fue aclamado rey del pequeño estado cristiano de Asturias. Otros caudillos° organizaron también núcleos de resistencia y poco a poco fueron ganando terreno°. Para extender sus dominios les fue necesario mantener guerra constante contra los árabes. Con el tiempo el poderío° musulmán iba decayendo°, tanto por las continuas guerras como por todas las luchas internas entre los mismos príncipes° moros.

* **La Reconquista,** The Reconquest, refers to the eight-hundred-years (711–1492) struggle to free Spain from Moorish domination.

Cuando Isabel de Castilla se casó con Fernando de Aragón se unieron los dos reinos°, formándose así el estado más poderoso del país. Ambos° continuaron la guerra contra los árabes que se habían retirado al sur de España. Fernando e Isabel mandaron sus tropas a que sitiaran° a Granada. Después de nueve meses de lucha, Boabdil, último rey moro, se declaró vencido. Con esto terminó la guerra de la Reconquista (1492) y España quedó unificada bajo los Reyes Católicos.*

reinos *kingdoms*
ambos *both*
a que sitiaran *to lay siege*

Según la leyenda, Boabdil, al marcharse° de Granada, llegó a cierto lugar desde donde por última vez contempló la ciudad. Suspiró° el rey vencido; cuando la madre vio las lágrimas° de su hijo, le reprendió diciendo: "Bien haces en llorar° como mujer lo que no supiste defender como hombre".

al marcharse *on leaving*
suspiró *sighed*
lágrimas *tears*
llorar *to cry*

Preguntas

1. ¿Cómo se llama la lucha de ocho siglos para expulsar a los moros del suelo español? 2. ¿Por qué es importante la batalla de Covadonga? 3. ¿Con la conquista de qué ciudad se terminó la dominación árabe en España? 4. ¿Quién era Boabdil? 5. ¿Qué monarcas unificaron a España por primera vez?

Escoja

(Escoja la palabra que mejor se relacione con la primera palabra.)

1. ojo: la lágrima, la fuente, el lugar
2. marcharse: extenderse, casarse, irse
3. caudillo: negocio, culpa, jefe
4. terreno: suelo, mundo, propio
5. permanecer: vencer, quedarse, reprender
6. acudir: enviar a un sitio, ir a un sitio, mandar a un sitio

* Ferdinand and Isabella are commonly referred to as **Los Reyes Católicos,** The Catholic Monarchs.

Traduzca (Traduzca al español las palabras en inglés.)

1. *The soil* no era fértil. 2. Todos *cried* cuando el padre murió. 3. Al notar *the tears* del niño, la madre trató de consolarle. 4. *They rushed* a la plaza a ver al presidente. 5. Siempre compraba *jewels* para su esposa.

ASPECTOS GRAMATICALES

A. El imperfecto de subjuntivo—formación

Ana quería que yo hablara (hablase) con Luis.
Ana wanted me to speak with Louis.
Les aconsejó que fueran (fuesen) en seguida.
He advised them to go immediately.

Hablar

PRETERITE (3rd pl.): habla(ron)
IMPERFECT SUBJUNCTIVE:
habla**ra**, habla**ras**, habla**ra**, hablá**ramos**, habla**rais**, habla**ran**
habla**se**, habla**ses**, habla**se**, hablá**semos**, habla**seis**, habla**sen**

Comer

PRETERITE (3rd pl.): comie(ron)
IMPERFECT SUBJUNCTIVE:
comie**ra**, comie**ras**, comie**ra**, comié**ramos**, comie**rais**, comie**ran**
comie**se**, comie**ses**, comie**se**, comié**semos**, comie**seis**, comie**sen**

Dormir

PRETERITE (3rd pl.): durmie(ron)
IMPERFECT SUBJUNCTIVE:
durmie**ra**, durmie**ras**, durmie**ra**, durmié**ramos**, durmie**rais**, durmie**ran**
durmie**se**, durmie**ses**, durmie**se**, durmié**semos**, durmie**seis**, durmie**sen**

Ir o Ser
PRETERITE (3rd pl.): fue(ron) **IMPERFECT SUBJUNCTIVE:** fue**ra**, fue**ras**, fue**ra**, fué**ramos**, fue**rais**, fue**ran** fue**se**, fue**ses**, fue**se**, fué**semos**, fue**seis**, fue**sen**

Dar
PRETERITE (3rd pl.): die(ron) **IMPERFECT SUBJUNCTIVE:** die**ra**, die**ras**, die**ra**, dié**ramos**, die**rais**, die**ran** die**se**, die**ses**, die**se**, dié**semos**, die**seis**, die**sen**

Leer
PRETERITE (3rd pl.): leye(ron) **IMPERFECT SUBJUNCTIVE:** leye**ra**, leye**ras**, leye**ra**, leyé**ramos**, leye**rais**, leye**ran** leye**se**, leye**ses**, leye**se**, leyé**semos**, leye**seis**, leye**sen**

The imperfect (past) subjunctive of all verbs has two sets of endings, the **-ra**, **-ras**, **-ra**, etc., endings, and the **-se**, **-ses**, etc., endings. Either may be used; however, the **-ra** endings are more common.

The imperfect subjunctive is formed by dropping the ending **-ron** of the third person plural of the preterite tense and adding the **-ra** or **-se** endings.

Note that the **nosotros** form of the imperfect subjunctive has an accent mark.

The Alhambra—Patio de los Leones—Granada, Spain

B. Uso del imperfecto de subjuntivo

Yo quiero que Ud. venga.
I want you to come.
Yo quería que Ud. viniera (viniese).
I wanted you to come.

Mi amigo duda que yo lo haga.
My friend doubts that I will do it.
Mi amigo dudaba que yo lo hiciera (hiciese).
My friend doubted that I would do it.

Siento que ellos vayan.
I am sorry that they are going.
Sentía que ellos fueran (fuesen).
I was sorry that they went.

Será necesario que Uds. lo traigan.
It will be necessary for you to bring it.
Sería necesario que Uds. lo trajeran (trajesen).
It would be necessary for you to bring it.

The imperfect subjunctive, like the present subjunctive, is used in dependent clauses after verbs of wishing, requesting, permitting, doubting; after verbs of emotion; and after impersonal expressions.

When the verb in the main clause is in the present or future tense, the present subjunctive is generally used in the dependent clause. When the verb in the main clause is in a past tense or in the conditional, the imperfect subjunctive is generally used.

Sustitución

1. El profesor insistió en que Juan estudiara más.
   ______________________ nosotros ________.
   ______________________ tú ____________.
   ______________________ los alumnos _____.

2. Fue preciso que yo escribiera las invitaciones.
   ____________ tú __________________.
   ____________ ella ________________.
   ____________ nosotros _____________.
   ____________ Uds. ________________.

3. Catalina prefería que sus amigas fueran a su casa.
   _________________ yo ________________.
   _________________ nosotros ____________.
   _________________ Antonio ____________.
   _________________ Uds. ______________.

4. Pidió que nosotros trajéramos algunos refrescos.
   _______ Ud. ______________________.
   _______ yo _______________________.
   _______ Pedro y Miguel _____________.
   _______ tú _______________________.

5. Todos dudaban que Uds. pudieran venir.
   ________________ yo ____________.
   ________________ nosotros _______.
   ________________ tú ____________.
   ________________ Juan __________.

6. Catalina temía que tú no te divirtieras.
   ________________ yo ___________.
   ________________ Ud. __________.
   ________________ nosotros _______.
   ________________ los amigos ______.

Complete (Complete las frases según el modelo.)

Modelo: Tomás quería abrir las ventanas.
Tomás quería que tú abrieras las ventanas.

1. Tomás quería invitar a Elena.
_________ que Uds. ______________________.
2. Tomás quería aprender la canción.
_________ que yo ______________________.
3. Tomás quería vivir con ellos.
_________ que nosotros ______________________.
4. Tomás quería tener su foto.
_________ que tú ______________________.
5. Tomás quería servir los refrescos.
_________ que su hermana ______________________.
6. Tomás quería dormir en nuestra casa.
_________ que ellos ______________________.
7. Tomás quería estar contento.
_________ que el profesor ______________________.
8. Tomás quería venir a tiempo.
_________ que Ud. ______________________.
9. Tomás quería traer la guitarra.
_________ que yo ______________________.
10. Tomás quería hacer eso.
_________ que sus amigos ______________________.
11. Tomás quería saber la verdad.
_________ que nosotros ______________________.
12. Tomás quería oír las noticias.
_________ que Uds. ______________________.
13. Tomás quería cerrar la puerta.
_________ que yo ______________________.
14. Tomás no quería decir nada.
_________ que Ud. ______________________.
15. Tomás quería pedir dinero a su padre.
_________ que tú ______________________.

Lace Display—Madrid, Spain

Complete (Complete las siguientes frases según los modelos.)

Modelo: Espero que me llamen.
Esperaba que me llamaran.

1. El profesor desea que hablemos en español. El profesor deseaba que ____. 2. Esperan que yo los visite algún día. Esperaban que ____. 3. Duda que su padre le dé el dinero. Dudó que ____. 4. No creo que ellos puedan convencerle. No creía que ____. 5. Le diré que llegue a tiempo. Le diría que ____. 6. Temo que Juan esté enfermo. Temía que ____. 7. Siento que Uds. no vayan a la fiesta. Sentía que ____. 8. No permitirán que lo veamos. No permitirían que ____. 9. Es una lástima que los muchachos no aprendan más. Era una lástima que ____. 10. Pide al mozo que le traiga otra taza de café. Pidió al mozo que ____.

Modelo: Carlos no volvió a las tres.
Fue preciso que volviera a las tres.

1. Ud. no visitó el alcázar. Yo le dije que ____. 2. Nosotros no pudimos hacerlo. Ojalá que ____. 3. Uds. no vieron los azulejos. Quería que ____. 4. Yo no les escribí. No era posible que ____. 5. Tú no fuiste por avión. Temíamos que ____. 6. No te dimos la dirección. Dudaba que ____. 7. Ellos no tenían un mapa. Sentían mucho que ____. 8. Dolores no hizo el viaje. Fue una lástima que ____. 9. Yo no estaba preparada. Ojalá que ____. 10. Tú no me dijiste la hora. Te pedí que ____.

Transformación

(Cambie el infinitivo a la forma correcta del presente o imperfecto de subjuntivo. Use las dos terminaciones del imperfecto de subjuntivo.)

1. Prefiero que Ud. lo (hacer) ahora. 2. Exigieron que nosotros les (pagar) todo el dinero. 3. Tus padres no te permiten que (comer) dulces. 4. Negó que yo le (decir) eso. 5. Es preciso que los alumnos (salir) en seguida. 6. Sentía que yo no (leer) la carta. 7. Insistirá en que Uds. lo (traer). 8. Era posible que Alicia no (tener) tiempo. 9. El general mandó a los soldados que (atacar) la ciudad. 10. Le aconsejan que (vender) la casa en seguida.

Complete

(Complete con el imperfecto de subjuntivo del verbo subordinado.)

1. They asked us to enter. Nos pidieron que ____. 2. It was necessary that he rest (descansar) a little. Era necesario que ____ un poco. 3. He was sorry that we had to leave. Sentía que ____ que salir. 4. I doubted that he would attend school on the following day. Dudaba que ____ a la escuela al día siguiente. 5. It was a pity that he couldn't go to the dance. Era lástima que ____ ir al baile. 6. He insisted that they hear (listen to) his records. Insistió en que ____.

VARIEDADES

Preguntas personales

1. ¿Acude Ud. pronto cuando le llaman sus padres? 2. ¿Se marcha Ud. de la casa sin despedirse? 3. ¿Tienen Uds. relaciones amistosas con sus vecinos? 4. ¿Deben los profesores reprender a los alumnos cuando pierden el tiempo? 5. ¿Llora Ud. cuando ve una película triste? 6. ¿Ha visto Ud. alguna vez los naranjos en flor? 7. ¿En qué estación del año se necesita más el riego? 8. ¿Dónde se pueden ver terrenos cultivados de maíz? 9. En su opinión, ¿qué norteamericano ha alcanzado fama mundial? 10. ¿Debemos tomar en serio las lágrimas de los niños?

Estudio de palabras

España no es un país grande.
Spain is not a large country.
Paso mis vacaciones en el campo.
I spend my vacations in the country.
Luchan valientemente por su patria.
They struggle bravely for their country.

País, campo y **patria** mean *country.* **País** means nación, **campo** is used in contrast with ciudad y **patria** refers to mother country or fatherland.

Complete las frases con la palabra **país, campo** o **patria.**

1. ¿En qué ____ vive Ud.? 2. Dio la vida por su ____. 3. Vamos al ____ este verano. 4. México es un ____ interesante. 5. Amamos a nuestra ____.

El rey de Sevilla y su esposa Itimad

Paseábanse una tarde por la "Pradera de Plata°" el rey Motamid y su buen amigo, el poeta Ben-Amar. Los dos se entretenían, como era su costumbre en esos paseos, improvisando versos, cuando el príncipe notó que una muchacha del pueblo los escuchaba atentamente. Quedó impresionado de la belleza de la joven y, llamando a su criado que le seguía a distancia, le mandó que llevase a la muchacha al palacio, al cual se apresuró a° volver el príncipe.

pradera de plata *silver meadow*

se apresuró a *hastened*

Cuando se presentó la joven, el príncipe le preguntó quién era.

—Me llamo Itimad—respondió—y soy esclava de Romaic.

—Dime ¿estás casada?

—No, príncipe.

—Tanto mejor, porque voy a comprarte y a casarme contigo.

Un día del mes de febrero, la joven esposa de Motamid vio desde una

copos *flakes*
de pronto *suddenly*
ramas *branches*
proporcionarme *provide for me*
aquí mismo *right here*
almendros *almond trees*
a fin de que *so that*
milagro *miracle*

ventana de su palacio de Córdoba caer copos° de nieve, espectáculo muy raro en un país donde apenas se conoce el invierno. De pronto° empezó a llorar.

—¿Qué tienes, querida mía?—le preguntó su marido.

—Mira qué bonita es la nieve, qué hermosa; con qué gracia caen estos blancos copos sobre las ramas° de los árboles; y tú, ingrato, no te preocupas de proporcionarme° este magnífico espectáculo todos los inviernos; nunca se te ha ocurrido llevarme a un país donde nieva siempre.

—No te desesperes así, vida mía,—respondió el príncipe—tendrás nieve todos los inviernos, y aquí mismo°; te lo prometo.

Y el príncipe Motamid mandó plantar almendros° en toda la sierra de Córdoba, a fin de que° las blancas flores de estos hermosos árboles diesen a su querida Itimad la impresión de copos de nieve que tanto había admirado.

Hasta hoy día las flores de los almendros hacen el mismo milagro° cada primavera.

Comprensión (Complete las frases con las palabras adecuadas.)

1. Un día del mes de febrero, la esposa de Motamid ____.

   (a.) vio caer las blancas flores de los almendros
   (b.) estaba muy triste porque su esposo no le escribía versos
   (c.) vio desde una ventana de su palacio caer copos de nieve

2. El príncipe Motamid ____.

   (a.) quedó impresionado de la belleza de la joven
   (b.) plantó muchos almendros en Granada
   (c.) nunca había visto nevar

3. Hasta hoy día ____.

   (a.) no se sabe quien era la joven
   (b.) las flores de los almendros hacen el mismo milagro cada primavera
   (c.) no podría Itimad ver caer las flores

REFUERZO DEL VOCABULARIO

NOMBRES

el alcázar *fortress, castle*
la arquitectura *architecture*
el arroz *rice*
el arte *art*
la astronomía *astronomy*
el azulejo *glazed tile*
la batalla *battle*
la caña de azúcar *sugar cane*
el caudillo *leader*
el centro *center*
las ciencias naturales *natural sciences*
la columna *column*
la dominación *domination*
el estado *state*
la fama *fame*
la fuente *fountain*
la(s) fuerza(s) *force(s)*
la joya *jewel*
la lágrima *tear*
la maravilla *marvel*
el mármol *marble*
la medicina *medicine*
la mezquita *mosque*
el mirador *watchtower*
el naranjo *orange tree*
el olivo *olive tree*
la península *peninsula*
el poderío *power*
la poesía *poetry*
el reino *kingdom*
la relación *relation*
la religión *religion*
la resistencia *resistance*
el riego *irrigation*
el sistema *system*
el terreno *land*
la transformación *transformation*

VERBOS

acudir *to rush, hasten (to a place)*
contemplar *to contemplate*
cultivar *to cultivate*
defender (ie) *to defend*
derrotar *to defeat*
desarrollar *to develop*
llorar *to weep, cry*
marcharse *to withdraw, go away*
pagar *to pay (for)*
reprender *to chide, scold*
sufrir *to undergo, suffer*
suspirar *to sigh*

ADJETIVOS

adornado, -a *decorated*
amistoso, -a *friendly*
culto, -a *cultured*
elegante *elegant*
famoso, -a *famous*
mundial *world-wide*
vencido, -a *conquered*

OTRAS PALABRAS

a pesar de *in spite of*
ambos *both*
bajo *under*
durante *during*
llegar a ser *to become*
no sólo . . . sino *not only . . . but*
poco a poco *little by little*
también *also*
todavía *still*

Don Rodrigo de Viuar.

Cronica del famoso ⁊ inuencible ca-
uallero Cid Ruy Diaz campeador.
Agora nueuamente corre-
gida y emendada.

En Medina del Campo, por Juan Maria da
Terranoua, y Jacome de Liarcari.

M. D. LII.

LECCIÓN 

El Cid Campeador: héroe nacional

PRIMERA PARTE—The deeds of Spain's national hero during the wars of The Reconquest have inspired the themes of ballads, poems and the Spanish theatre. Rodrigo Díaz de Vivar, generally called el Cid Campeador, was born in Vivar, a village near Burgos in the year 1040. He served in the armies of Castile where he earned his reputation as a valiant warrior.*

Cuando el rey don Sancho de Castilla fue asesinado, su hermano Alfonso heredó° el reino. Varios nobles de la corte sospechaban° que don Alfonso había instigado el asesinato. No querían reconocerle como nuevo soberano° antes de que jurase° que no había tomado parte en la muerte de su hermano don Sancho. Fue el Cid quien se atrevió° a exigir al rey juramento° público de su inocencia. Por esto cayó el Cid en desgracia° ante el nuevo monarca y poco después fue desterrado° de Castilla.

Las aventuras del Cid en el destierro están relatadas en EL CANTAR DE MÍO CID, poema épico escrito en el siglo XII por autor desconocido°. Comienza el poema con la salida° del Cid de su aldea° de Vivar. Va acompañado de un pequeño grupo de fieles amigos. El rey había prohibido bajo pena de muerte°, que la gente le diera asilo°. Muchos lloraban al ver pasar al Cid, pero nadie se atrevió a ayudarle.

heredó *inherited*
sospechaban *suspected*
soberano *sovereign*
jurase *he swore an oath*
se atrevió *dared to*
juramento *oath*
desgracia *disfavor*
desterrado *exiled*
desconocido *unknown*
salida *departure, exit*
aldea *village*
pena de muerte *capital punishment*
asilo *asylum, refuge*

* **El Cid,** from the Arabic word *Seid,* meaning *lord* or *chief,* was the title given by the Moors to Rodrigo Díaz de Vivar, famous champion (**campeador**) of the Spaniards in their struggles against the Moors.

Manuscript page from El Cid

le faltaba *he needed*
prestamistas *moneylenders*
pesadas *heavy*
con tal que *provided that*
sin haber sabido *without having known*
sino *but (instead)*
arena *sand*

Al Cid le faltaba° dinero para comprar armas y el equipo necesario para sus hombres. Obtuvo dinero de unos prestamistas°, ofreciéndoles en garantía dos pesadas° arcas con tal que° no las abrieran hasta después de un año. Les dijo que las arcas contenían las joyas de su esposa. Meses más tarde el Cid devolvió el dinero y aun ofreció el doble de lo que había recibido. Los prestamistas le devolvieron las arcas sin haber sabido° que no contenían joyas sino° arena°.

Complete

(Complete las siguientes frases. Después, lea oralmente cada frase.)

1. Don Alfonso heredó el reino de Castilla cuando ____. 2. Los nobles de la corte no querían reconocerle como nuevo soberano porque ____. 3. El Cid fue desterrado de Castilla porque ____. 4. El Cantar de Mío Cid es un poema épico que trata de ____. 5. El poema fue escrito por ____. 6. Cuando el Cid salió de su aldea nadie se atrevió a ayudarle porque ____. 7. El Cid necesitaba dinero para ____. 8. Dejó dos pesadas arcas en garantía por ____.

SEGUNDA PARTE—The most celebrated victory of el Cid was the conquest of the beautiful and rich city of Valencia.

estaban refugiados *had taken refuge*
despedida *farewell*
no volverían a verse *would not see each other again*

Antes de salir de su tierra, el Cid fue a visitar a su esposa y a sus dos hijas, quienes estaban refugiadas° en el monasterio de Cardeña. La despedida° fue muy triste; creían que no volverían a verse°. En la marcha del Cid por Castilla iban uniéndose a su pequeña fuerza muchos aventureros que deseaban seguirle en sus campañas.

fiel *faithful*
muestras *proof*
infantes *princes*

El Cid combatió al servicio de los príncipes cristianos y a veces de reyes moros. Alcanzó fama por sus muchos triunfos. Su victoria más celebrada fue la conquista de la bella y rica ciudad de Valencia. El Cid gobernó como soberano en Valencia. Adquirió muchas riquezas y envió regalos al rey Alfonso. Nunca dejó de ser fiel° vasallo del rey de Castilla. Don Alfonso le perdonó y para darle muestras° de su favor, arregló el matrimonio de las dos hijas del Cid con los infantes° de Carrión. Las bodas se celebraron en Valencia con fiestas y gran alegría.

El Cid permaneció en Valencia hasta su muerte en 1099. Cuando los moros supieron que el Cid había muerto, atacaron la ciudad. La esposa del Cid, doña Jimena, pudo defender la ciudad durante dos años, pero al fin llegó el día en que el ejército castellano tuvo que abandonar a Valencia. Según la leyenda, doña Jimena hizo colocar° el cadáver° del Cid, equipado con sus armas de batalla, sobre su famoso caballo Babieca. Ante la presencia de la figura del Cid al frente de su ejército, huyeron los moros, dejando victoriosos a los cristianos. Se dice que el Cid es el único guerrero que ganó una batalla después de su muerte.

hizo colocar *had placed*
cadáver *corpse*

Para los españoles el Cid simboliza las virtudes del caballero castellano; fe religiosa, dignidad humana, amor a la familia, lealtad° al rey, valor, justicia, espíritu aventurero y sentido del honor.

lealtad *loyalty*

Complete

a. Complete las siguientes frases. Después, lea oralmente cada frase.

1. Antes de salir de su tierra, el Cid fue al monasterio de Cardeña para _____. 2. Alcanzó fama y _____. 3. Conquistó a Valencia y gobernó la ciudad hasta _____. 4. El rey don Alfonso arregló el matrimonio de las hijas del Cid con los infantes de Carrión porque _____. 5. Los moros volvieron a atacar a Valencia cuando _____. 6. Después de la muerte del Cid, la ciudad fue defendida por _____. 7. Se dice que el Cid ganó una batalla después de su muerte porque _____. 8. El Cid Campeador representa las virtudes del caballero castellano para _____.

b. Complete la traducción de las frases.

1. The boy inherited a fortune from his father. _____ una fortuna de su padre. 2. Some suspected that he was not telling the truth. _____ que no decía la verdad. 3. We scarcely recognized him when he entered the room. Apenas _____ cuando entró en el cuarto. 4. They have a loyal servant (vassal). Tienen _____. 5. No one dares to speak to her. _____ hablarle. 6. Do you swear that you will tell the truth? ¿_____ que dirá la verdad? 7. There is another exit to the right. _____ a la derecha. 8. They stayed in Spain until spring. _____ en España hasta la primavera.

Escriba (Escriba 5 frases usando cada una de las siguientes palabras.)

1. guerrero 2. prestamista 3. sospechar 4. destacarse 5. juramento

ASPECTOS GRAMATICALES

A. Uso del subjuntivo después de ciertas conjunciones (*Use of the subjunctive after certain conjunctions*)

No querían reconocerle **antes (de) que** jurase que era inocente.
They did not want to recognize him before he swore that he was innocent.

Les ofreció dos pesadas arcas **con tal (de) que** no las abrieran.
He offered them two heavy chests provided that they would not open them.

Pedro entró **sin que** nosotros lo supiéramos.
Peter entered without our knowing it (without that we knew it).

A menos que Ud. me acompañe no iré.
Unless you accompany me, I shall not go.

Traiga Ud. la carta **para que** yo la lea.
Bring the letter in order that (so that) I may read it.

The subjunctive is used in a dependent clause after the following conjunctions:

antes (de) que, *before*
con tal (de) que, *provided that*
a menos que, *unless*
para que, *in order that, so that*
sin que, *without*
en caso de que, *in case that*

Note that the tense of the verb in the main clause determines whether the present or imperfect subjunctive is used in the dependent clause.

Quiero comer antes de salir.
I want to eat before leaving.

Quiero comer **antes de que** salgamos.
I want to eat before we leave.

Necesito papel para escribir una carta.
I need paper in order to write a letter.

Necesito papel **para que** Ana escriba una carta.
I need paper in order that Ann may write a letter.

No compraré un coche sin verlo.
I won't buy a car without seeing it.
No compraré un coche **sin que** Ud. lo vea.
I won't buy a car without your seeing it.

When **antes de, sin,** and **para** are used as prepositions they are followed by the infinitive form of the verb. When they are used as conjunctions they require the subjunctive. (When the subject is the same, the infinitive is used; when the subject changes, the subjunctive is used.)

Royal Tapestry Factory—Madrid, Spain

B. Uso del subjuntivo en cláusulas adverbiales (*Use of the subjunctive in adverbial clauses*)

Cuando venga tendrán Uds. la oportunidad de hacerle preguntas.
When he comes you will have the opportunity to ask him questions.
Hasta que llegue este joven, podemos ver el mapa.
Until this young man arrives, we can look at the map.
En cuanto entre, quiero que Uds. vuelvan a sus asientos.
As soon as he enters, I want you to return to your seats.
Le llamaré **cuando** venga. but Le llamé cuando vino.
I'll call you when he comes. but *I called you when he came.*

The subjunctive is used in a dependent clause introduced by an adverb of time such as, **cuando, hasta que, en cuanto, después de que,** *etc.,* when indefinite future time is implied: **Le llamaré cuando venga.** *I shall call you when he comes.* When indefinite future time is not implied, the indicative is used: **Le llamé cuando vino.** *I called you when he came.*

Sustitución

1. Carlos se marchará antes de que yo llegue.
   ____________________ nosotros ________.
   ____________________ Ud. ________.
   ____________________ ellos ________.

2. Supo la verdad sin que yo se lo dijera.
   ________________ ellos ______.
   ________________ tú ______.
   ________________ nosotros ____.

3. Ellos no vendrán a menos que Ud. los invite.
   ____________________ yo ______.
   ____________________ nosotros ____.
   ____________________ tú ______.

4. Le dejaré la llave a Rosa en caso de que Ud. vuelva tarde.
   ________________________ nosotros ______.
   ________________________ los niños ______.

5. Trajo las fotos para que yo las viera.
   ________________ nosotros __.
   ________________ tú ______.
   ________________ ellos _____.

6. Voy a tocar la guitarra con tal de que Ud. cante.
   ________________________ las muchachas ________.
   ________________________ tú ______________.
   ________________________ nosotros ___________.

Conteste (Conteste las preguntas según los modelos.)

	¿Quiere Ud. entrar?	No entraré a menos que Ud. entre conmigo.
1.	¿________ estudiar?	________________________.
2.	¿________ volver?	________________________.
3.	¿________ comer?	________________________.
4.	¿________ subir?	________________________.
5.	¿________ viajar?	________________________.

	¿Me escribirá Ud. ?	Sí, con tal de que Ud. me escriba también.
1.	¿__ ayudará ____?	________________________.
2.	¿__ llamará _____?	________________________.
3.	¿__ creerá _____?	________________________.
4.	¿__ defenderá __?	________________________.

	¿Le habló Ud.?	No, salió sin que yo le hablara.
1.	¿__ vio _______?	____________________.
2.	¿__ invitó ______?	____________________.
3.	¿__ agradeció ___?	____________________.
4.	¿__ preguntó ___?	____________________.

Traduzca

Modelos: I shall do the work before leaving.
Haré el trabajo antes de salir.

I shall do the work before he leaves.
Haré el trabajo antes de que él salga.

1. I need the money in order to pay the bill. ______________.
2. I need the money in order that he may pay the bill. ______.
3. Do not send the letter without signing it. ______________.
4. Do not send the letter without his signing it. ___________.
5. Do it before entering. ______________________________.
6. Do it before he enters. ______________________________.
7. I can't go without talking to my father. _______________.
8. I can't go without his talking to my father. ____________.

Complete

1. Los alumnos pueden recibir buenas notas con tal que ____. 2. El profesor quiere hablar con Enrique antes de que ____. 3. Voy a verle para que ____. 4. No me esperes a menos que ____. 5. Quería preguntarte algo antes de ____. 6. Voy a tomar mis libros en caso de que ____. 7. Voy al centro para ____. 8. Prefiero comprar un regalo para mi hermana sin que ____. 9. Comprará unos billetes en caso de que ____. 10. María no puede venir a la tertulia a menos que ____.

Architectural Detail—Córdoba, Spain

Modelo: Me llamó cuando volvió.
Me llamará cuando vuelva.

1. Le vi cuando llegó. Le veré ____. 2. Me lo dijo cuando salió de la ciudad. Me lo dirá ____. 3. Nos escribieron cuando recibieron nuestra carta. Nos escribirán ____. 4. Preparé mis lecciones en cuanto tuve tiempo. Prepararé mis lecciones ____. 5. Devolví el dinero a Arturo en cuanto me lo pidió. Devolveré el dinero a Arturo ____. 6. Me llamó por teléfono en cuanto lo supo. Llámeme Ud. por teléfono ____. 7. Se quedaron en casa hasta que regresaron sus padres. Quédense Uds. en casa ____. 8. Roberto nos ayudó hasta que terminamos el trabajo. Roberto nos ayudará ____. 9. Los visité después de que se casaron. Los visitaré ____. 10. Todos estaban muy tristes después de que Juan se fue. Todos estarán muy tristes ____.

¿Cómo se dice en español?

1. Please give him this book when you see him. 2. Wait for me until I pay the bill. 3. He didn't believe it until he spoke to me. 4. We shall visit you as soon as we return. 5. They were eating when he entered. 6. Tell it to me when you arrive home. 7. We shall be able to buy the gift after they give us the money. 8. They went to see Paul as soon as they returned. 9. She will remain in the hospital until she feels better. 10. When I go to Spain I shall visit the Alhambra. 11. I will give you the book after I finish it. 12. As soon as he arrives, I'll call you and tell you what he says.

VARIEDADES

Estudio de palabras

Necesito un lápiz, **pero** no necesito una pluma.
No necesito un lápiz, **sino** una pluma.

Pero usually translates *but.* **Sino** is used to translate *but* after a negative statement when *but* is followed by a contradictory word or phrase.

Complete las frases con **pero** o **sino.**

1. No comienza a las ocho _____ a las nueve. 2. Yo quiero una taza de café _____ José quiere una taza de té. 3. No viven en California _____ en Colorado. 4. No sólo es un buen escritor _____ también un famoso abogado. 5. No es muy inteligente _____ recibe buenas notas.

Preguntas personales

1. ¿Preferiría Ud. heredar tierras o dinero? 2. ¿Se atrevería Ud. a ser un astronauta? 3. ¿Es difícil ser amigo leal a veces? 4. ¿Es preciso reconocer los derechos de cada país? 5. ¿Es posible adquirir conocimientos sin educación? ¿Cómo? 6. ¿Hay muchos estudiantes en su escuela que se conocen por su inteligencia? 7. ¿Qué virtudes admira Ud. más en una persona? 8. ¿Qué países tienen todavía soberano? 9. ¿Está prohibida la pena de muerte en su estado? 10. ¿Le gustaría visitar alguna aldea de España?

Pequeño repaso (Escriba en español)

You know our friends, the Garcías. Mr. García was born in a village in the north of Spain. His family was poor, and when he was only 14 years of age he decided to go to the United States. He did not dare to talk to his father about his plans; however, his mother suspected something.

One day he left the village without his family's knowing it. He swore that he would return some day.

One of his most intimate friends accompanied him to the port. He gave him the address of his uncle in New York, and told him that in case he needed money the uncle would help him.

Mr. García told me that on arriving in New York he found a job immediately; he was very successful in this country. Last year his father died and he inherited the land that belonged to the family. He returned to his village after thirty years; almost no one recognized him. His mother was now very old. She never stopped hoping that her son would return.

Destierro del Cid

Escribióle el Rey al Cid
Que salga de su reinado
Dentro de los nueve días,
Que más no le da de plazo.
El buen Cid a sus parientes
Las cartas les ha mostrado;
Todos se quejan del Rey
De haberlo tan mal mirado
Desterrando un caballero
Tan valiente y esforzado.
Que muy bien le había servido
Y a su padre y a su hermano.
Ofrécense de ir con él
A lo servir muy de grado,
Y que todos morirían
Con él juntos en el campo.
El Cid les agradecía
La palabra que le han dado,
Y otro día salió el Cid
de Vivar, que era su Estado,
Con toda su compañía
Con ánimos esforzados;
Volvióse a los caballeros
Y esto les está hablando:
—Amigos, si a Dios pluguiese
Que a Castilla nos volvamos,
Dígovos que tornaremos
Todos muy ricos y honrados.

ROMANCERO DEL CID
(adaptado)

Exile of the Cid

The king wrote to the Cid
ordering him to leave his kingdom
within nine days,
he gave him no more time.
The good Cid showed the letters
to his kinsmen;
all complained about the king
for looking with disfavor upon him,
exiling a knight
so valiant and courageous,
who had served him very well
and his father and his brother.
They offered to go with him
to serve him most willingly,
and they said that they would die
with him together in the field.
The Cid thanked them for
the words which they had spoken
and on the following day the Cid left
from Vivar, which was his State,
with all his company,
all in high spirits.
He then turned to his followers
and this he said to them.
—Friends, if it please God
that we return to Castile,
I tell you that we shall return
all very rich and honored.

BALLAD OF THE CID
(adapted)

REFUERZO DEL VOCABULARIO

NOMBRES

la alegría *happiness, merriment*
la arena *sand*
al autor *author*
la aventura *adventure*
la conquista *conquest*
la desgracia *misfortune*
la despedida *farewell, departure*
la dignidad *dignity*
el ejército *army*
el equipo *equipment*
la garantía *guarantee*
el infante *royal prince of Spain, except heir to the throne*
la inocencia *innocence*
el juramento *oath*
la lealtad *loyalty*
la muestra *sample*
el poema *poem*
el regalo *gift*
la riqueza *wealth*
la salida *exit*
el triunfo *triumph*
la virtud *virtue*

VERBOS

abandonar *to abandon*
abrir *to open*
adquirir (ie) *to acquire*
arreglar *to settle*
atreverse *to dare*
caer *to fall*
colocar *to place*
comenzar (ie) *to begin*
devolver (ue) *to return*
heredar *to inherit*
jurar *to swear*
obtener *to obtain*
ofrecer *to offer*
perdonar *to pardon*
prohibir *to prohibit*
recibir *to receive*
relatar *to relate*
simbolizar *to symbolize*
sospechar *to suspect*

ADJETIVOS

acompañado, -a de *accompanied by*
aventurero, -a *adventurous*
castellano, -a *Spanish*
desconocido, -a *unknown*
equipado, -a *equipped*
fiel *faithful*
humano, -a *human*
necesario, -a *necessary*
pesado, -a *heavy*
público, -a *public*
triste *sad*
victorioso, -a *victorious*

OTRAS PALABRAS

al fin *finally*
al frente de *in front of*
bajo *under*
con tal (de) que *provided that*
durante *during*
más tarde *later*
nadie *nobody*

LECCIÓN 

El gran imperio español

PRIMERA PARTE—The most glorious period in the history of Spain began during the reign of King Ferdinand and Queen Isabel and continued until the middle of the 17th century. During the reign of Ferdinand and Isabel's grandson, Charles I, Spain's powerful empire extended around the world.

Carlos I era el nieto° de Fernando e Isabel. Antes de cumplir los veinte años, heredó el trono de España y poco después fue nombrado emperador de Alemania con el nombre de Carlos Quinto (Carlos V). Así llegó a ser soberano de gran parte de Europa y de los vastos territorios conquistados por los españoles en el Nuevo Mundo. No hay ningún emperador en la historia que haya tenido imperio tan extenso. Se ha dicho que en los dominios del imperio español "nunca se ponía el sol°."

nieto *grandson*

nunca se ponía el sol *the sun never set*

Durante el reinado de Carlos V hubo continuas guerras en diferentes partes de Europa, unas por la supremacía política y otras por motivos religiosos. Eran los tiempos en que el protestantismo se extendía por Alemania, y Carlos V se vio obligado a emplear la fuerza de las armas en defensa de la iglesia católica.

Después de cuarenta años de guerras y conflictos el emperador, ya viejo, abdicó en favor de su hijo Felipe II y se retiró al monasterio de Yuste donde murió en el año 1558.

Al subir° al trono, Felipe II heredó un imperio que comprendía° España, Portugal, los Países Bajos,* posesiones en el norte de África,

al subir *on ascending*
comprendía *included*

* **Países Bajos** (*Low Countries*); the Netherlands, Belgium, and Luxembourg.

View of Ronda, Spain

sostener *to support*
peligro *danger, peril*
pueblos *people*
tuvo lugar *took place*
flota *fleet*

grandes territorios en América y algunas islas en el Pacífico. Felipe II, lo mismo que su padre, tuvo que sostener° numerosas guerras para proteger sus dominios y defender la iglesia católica. En su reinado los turcos fueron el mayor peligro° para los pueblos° cristianos. En 1571 tuvo lugar° la batalla de Lepanto donde la armada española derrotó a la flota° turca.

Preguntas

1. ¿Quién fue Carlos I? 2. ¿Cuándo recibió el nombre de Carlos V? 3. ¿Por qué se decía que el sol nunca se ponía en sus dominios? 4. ¿Quién heredó el trono de España al abdicar Carlos V? 5. ¿En qué batalla vencieron los españoles a los turcos?

SEGUNDA PARTE—The period that extended from the beginning of the 16th to the mid 17th century is known as the "Siglo de Oro" or "The Golden Age." The kingdoms of Carlos V and Felipe II enjoyed great prestige, and the literary and artistic achievements reached their greatest heights.

navíos *ships*
reina *queen*
tempestad *storm*
derrotada *destroyed*
veloces *swift*
señala *signals*
cumbre *height*
mitad *middle, half*

Inglaterra era la principal rival de España. Los barcos ingleses atacaban a los navíos° españoles y a los puertos de las colonias en América. También la reina° Isabel de Inglaterra ayudaba a los protestantes de los Países Bajos, quienes se rebelaron contra Felipe II. Para invadir a Inglaterra, el rey preparó una armada llamada "Invencible."

En 1588, al dirigirse hacia las costas inglesas, la flota española fue en gran parte destruida por una tempestad°, y cuando se acercó a Inglaterra fue derrotada° por los veloces° navíos ingleses. La derrota de la Armada Invencible señala° el principio de la decadencia del poderío español.

En los reinados de Carlos V y Felipe II España no sólo ocupó el lugar de gran potencia mundial sino que llegó a la cumbre° de su vida literaria y artística. Este período llamado el Siglo de Oro, se extendió desde el siglo XVI hasta la mitad° del siglo XVII.

En 1604 el ilustre autor Cervantes escribió su DON QUIJOTE DE LA MANCHA, obra° inmortal, traducida a casi° todos los idiomas. El genio° del teatro español, Lope de Vega, escribió más de mil quinientas obras dramáticas. Otros dramaturgos° famosos del Siglo de Oro fueron Tirso de Molina y Calderón de la Barca. Tirso llevó por primera vez el tipo legendario de don Juan a la literatura. El personaje° de don Juan ha servido de tema a los autores de otros países. Calderón escribió dramas basados en problemas religiosos y filosóficos, y también dramas que tratan del sentimiento del honor que tanto preocupa a los españoles de su tiempo.

obra *literary work*
casi *almost*
genio *genius*
dramaturgos *dramatists*
personaje *literary character*

Grandes pintores del Siglo de Oro fueron El Greco* y Diego Rodríguez de Silva y Velázquez. En los cuadros de El Greco hay temas religiosos, retratos de santos y retratos de personajes contemporáneos del autor. Es el Greco pintor de gran originalidad. Sus pinturas reflejan el alma**° espiritual de la España de su época. Velázquez, pintor de cámara° de Felipe IV, es famoso por su técnica y el extraordinario realismo de sus pinturas. Como retratista no hay nadie que sea superior a él. Sus cuadros más notables son LAS HILANDERAS, LAS MENINAS, LOS BORRACHOS Y LA RENDICIÓN DE BREDA.

alma *soul*
pintor de cámara *court painter*

Preguntas

1. ¿Por qué quería Felipe II invadir a Inglaterra? 2. ¿Qué pasó cuando la Armada Invencible se dirigía hacia Inglaterra? 3. ¿Cómo se llama la época de gran desarrollo cultural en España? 4. ¿Quiénes fueron Cervantes y Lope de Vega? 5. ¿Qué reflejan las pinturas de El Greco?

* **El Greco.** Doménico Theotocopoulos, called **El Greco** (*The Greek*) because he was born on the Greek island of Crete.

** Feminine singular nouns which begin with a stressed **a** take the article **el** instead of **la** when the article is used immediately before the noun; **el alma,** but **las almas.**

Escoja

Escoja de la lista dada las palabras necesarias para completar las frases. Después, escriba toda la frase.

(a.) lugar	(f.) reina	(k.) elegida
(b.) emplear	(g.) poderoso	(l.) motivo
(c.) peligro	(h.) tuvo lugar	(m.) tempestad
(d.) nietos	(i.) alma	(n.) genio
(e.) se ponía el sol	(j.) señala	(o.) idioma

1. Felipe II era un rey muy ____. 2. La batalla ____ el día 25 de agosto. 3. No había ____ para declarar una guerra tan feroz. 4. No se puede ____ la fuerza para convencer a otra persona. 5. La muchacha fue ____ reina de la escuela por su inteligencia y belleza. 6. El profesor ____ las faltas que hay en el ejercicio. 7. Cuando hay ____ se necesita tener cuidado. 8. Las buenas madres tienen ____ noble. 9. Una ____ arrojó los barcos a la playa. 10. Como el imperio de Carlos V era tan grande se decía que en él nunca ____.

Traduzca (Traduzca al español las palabras en inglés.)

1. Ayer *there was a storm* aquí. 2. *The sun sets* tarde en el verano. 3. El jefe *points out the danger* de la expedición. 4. *Half* de la población vive en el campo. 5. Se dice que *that boy is a genius.* 6. Es *the grandson of the queen.* 7. *He employs his money* para ayudar a los pobres. 8. ¿*What reasons* tiene Ud. para decir eso? 9. La boda *took place* en el palacio. 10. En su novela el autor representa *the soul of the nation.*

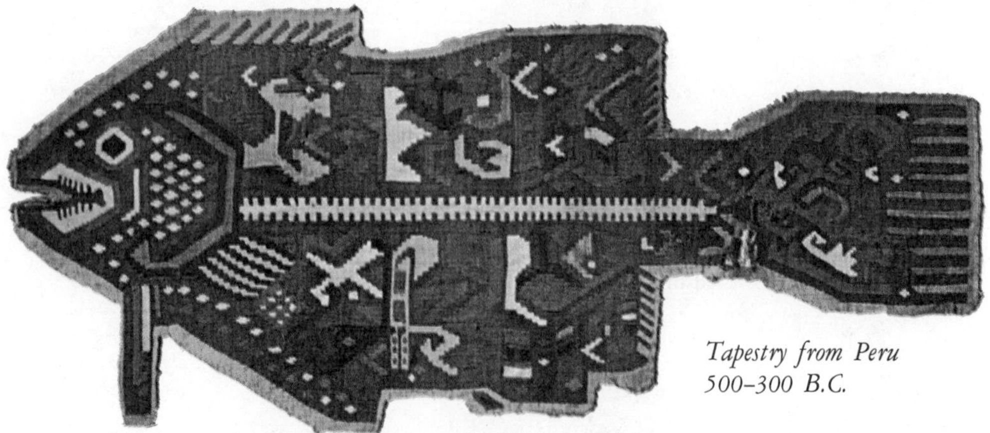

Tapestry from Peru
500–300 B.C.

ASPECTOS GRAMATICALES

A. Formas negativas

nadie *nobody, no one* **nada** *nothing,* (*not . . . anything*)
nunca *never,* (*not . . . ever*) **jamás** *never,* (*not ever*)
tampoco *neither* (*not either*) **ni . . . ni** *neither . . . nor*
ninguno (-a) ningún *no, none*

Nadie está en la sala. *Nobody* (*No one*) *is in the hall.*
No está nadie en la sala. *There isn't anybody* (*anyone*) *in the hall.*

Nunca estudia. *He never studies.*
No estudia nunca. *He doesn't ever study.*

Jamás fuma. *He never smokes.*
No fuma jamás. *He doesn't ever smoke.*

Nada dice. *He says nothing.*
No dice nada. *He doesn't say anything.*

Ninguna clase me gusta. *I like no class.*
No me gusta ninguna clase. *I don't like any class.*

Tampoco les gusta el clima. *Neither do they like the climate.*
No les gusta el clima tampoco. *They don't like the climate either.*

Ni pan ni leche compró. *He bought neither bread nor milk.*
No compró ni pan ni leche. *He didn't buy bread or milk.*

Negative words in Spanish may be used before or after the verb. If the negative word is used after the verb, **no** must precede the verb: **Nunca estudia** or **No estudia nunca.**

Negative words may be translated into English in two ways: **No dice nada.** *He says nothing* or *He doesn't say anything.*

Remember that **ninguno** drops its final **o** before a masculine singular noun. **No tengo ningún apetito,** but **No me gusta ninguna clase.**

Nadie is preceded by the personal **a** when it is the direct object of a verb: **No veo a nadie.** *I don't see anyone.*

Sustitución

1. Nadie entró. — No entró nadie.
   _____ vino. — ____________.
   _____ se fue. — ____________.

2. Nunca estudia. — No estudia nunca.
   _____ juega. — ____________.
   _____ gana. — ____________.

3. Nada sospecha. — No sospecha nada.
   _____ teme. — ____________.
   _____ desea. — ____________.

4. Jamás lo creería. — No lo creería jamás.
   _______ haría. — ____________.
   _______ diría. — ____________.

5. Tampoco manejan. — No manejan tampoco.
   _______ vienen. — ____________.
   _______ se quejan. — ____________.

6. Ninguno de ellos baila. — No baila ninguno de ellos.
   ______________ fuma. — ______________.
   ______________ trabaja. — ______________.

Complete (Complete la traducción de las frases.)

1. Nobody wants to help us. _____ ayudarnos. 2. There is no hotel on this street. _____ en esta calle. 3. If you do not stay, I shall not stay either. Si Ud. no se queda, _____. 4. Henry never works on Sundays. _____ los domingos. 5. They do not do anything in school. _____ en la escuela. 6. I found no job this summer. No hallé _____ este verano. 7. I did not call anyone. No llamé _____. 8. We have nothing to do. _____ que hacer. 9. He does not speak either Spanish or French. No habla _____. 10. Neither does he know how to read. _____ leer.

Conteste (Conteste las preguntas empleando la palabra negativa entre paréntesis.)

1. ¿Ve Ud. algo a lo lejos? (nada) 2. ¿Conoce Ud. a alguien en España? (nadie) 3. ¿Lleva Ud. siempre sombrero? (jamás) 4. ¿Invita Ud. a Carlos? (tampoco) 5. ¿Necesita Ud. papel o tinta? (ni...ni) 6. ¿Ha viajado Ud. por los Estados Unidos? (nunca) 7. ¿Tiene Ud. algún libro interesante? (ningún) 8. ¿A quién busca Ud.? (nadie) 9. ¿Ha leído Ud. algunos de sus artículos? (ninguno) 10. ¿Tiene Ud. algo que hacer? (nada)

Peñíscola, Spain

B. Uso del subjuntivo después de un antecedente negativo o indefinido

Antecedente negativo

No hay **ningún** emperador que haya tenido un imperio tan extenso.
There is no emperor who has had so extensive an empire.
No hay **nadie** que sea superior a él.
There is no one who is superior to him.
No encontró **nada** que quisiera* comprar.
He found nothing that he wanted to buy.

The subjunctive is used in a dependent clause when the relative pronoun **que** refers to a negative antecedent in the main clause.

Antecedente indefinido

Busca un hombre que sea muy inteligente.
He is looking for a man who is very intelligent.
Conoce a un hombre que es muy inteligente.
He knows a man who is very intelligent.

¿Conoce Ud. a alguien que hable español?
Do you know anyone who speaks Spanish?
Conozco a una muchacha que habla español.
I know a girl who speaks Spanish.

Deseo una revista que tenga artículos interesantes.
I want a magazine that has interesting articles.
He comprado una revista que tiene artículos interesantes.
I have bought a magazine that has interesting articles.

The subjunctive is used in a dependent clause when the relative pronoun **que** refers to an indefinite person or thing. If the relative pronoun refers to a definite person or thing, the indicative is used.

The personal **a** is omitted when the antecedent does not refer to a specific person. However, if the pronoun **alguien** is used as a direct object it requires the personal **a.**

* Note that the tense of the subjunctive verb depends on the tense of the main verb.

Conteste (Conteste las preguntas según el modelo.)

¿Quién vive en aquella calle?
No conozco a nadie que viva en aquella calle.

1. ¿Quién sabe hablar francés? ____________________.
2. ¿Quién puede resolver el problema? ____________________.
3. ¿Quién quiere comprarlo? ____________________.
4. ¿Quién trabaja en aquella fábrica? ____________________.

¿Está abierta la tienda?
No hay ninguna tienda que esté abierta.

1. ¿Le gusta a Rosa el apartamento? ____________________.
2. ¿Es cómodo el asiento? ____________________.
3. ¿Desea Ud. visitar la aldea? ____________________.
4. ¿Le interesa a Julio algún oficio? ____________________.

¿Puedo hacer algo?
No, no hay nada que Ud. pueda hacer.

1. ¿Necesito firmar algo? ____________________.
2. ¿Tengo que comprar algo? ____________________.
3. ¿Debo escribir algo? ____________________.
4. ¿Puedo traer algo? ____________________.

Complete

a. Complete la traducción de las frases.

1. We don't know anyone who can help you. No conocemos a nadie _____ ayudarle. 2. There is no student who studies as much as you. No hay ningún alumno _____ tanto como Ud. 3. He has nothing that interests us. No tiene nada _____. 4. He can't find anyone who will tell him the truth. No puede encontrar a nadie _____. 5. Thomas will not invite anyone who is younger than he. Tomás no invitará a nadie _____. 6. There is no country which has better roads. No hay ningún país _____. 7. Does she know anyone who speaks French? ¿Conoce a alguien

_____ francés? 8. They are looking for a teacher who knows two languages. Buscan un profesor _____ dos lenguas. 9. She bought a magazine that has interesting articles. Compró una revista _____ artículos interesantes. 10. Philip has a car that is new. Felipe tiene un coche _____ nuevo.

C. **Gustar** y **faltar**

Me gusta el libro.
I like the book. (*The book is pleasing to me.*)
Le gustan las flores.
He, she, or you like(s) flowers. (*The flowers are pleasing to him to her, or to you.*)
Nos falta dinero.
We need money. (*Money is lacking to us.*)
Les faltan zapatos.
They or you (pl.) need shoes. (*Shoes are lacking to them or to you.*)
A Jorge le gustó el reloj.
George liked the watch.
A la muchacha le gustaron las canciones.
The girl liked the songs.
A los niños les gustaría jugar a la pelota.
The children would like to play ball.
Al alumno le faltaba una pluma y un lápiz.
The pupil needed a pen and a pencil.

The verbs **gustar,** *to like,* and **faltar,** *to need* or *to lack,* are generally used in the third person singular and plural. The thing liked or needed becomes the subject and usually follows the verb; the person concerned becomes the indirect object and precedes the verb.

When the indirect object of **gustar** or **faltar** is a noun, the indirect object pronoun **le** or **les** must also be expressed.

Complete

a. Complete con el presente del verbo **gustar.**

Modelos: Vamos a la Florida porque **nos gusta** el clima.

1. Uds. van al cine porque _____ las películas. 2. Voy a la playa porque _____ nadar. 3. Tú quieres jugar a la pelota porque _____ los deportes. 4. Quiero ir al museo porque _____ las pinturas. 5. Elena estudia el español porque _____ esta clase.

b. Complete la traducción de las frases según los modelos.

Modelos:	Charlotte likes flowers.	A Carlota le gustan las flores.
	My parents like to travel.	A mis padres les gusta viajar.

1. Alfred likes movies. _____ las películas.
2. The students like this school. _____ esta escuela.
3. The child likes the toys. _____ los juguetes.
4. The girl likes the dress. _____ el vestido.
5. Your friends like to dance. _____ bailar.

c. Complete con el presente del verbo **faltar.**

Modelos: Mi madre va a la tienda cuando **le falta** algo.
No podemos estudiar porque **nos faltan** libros.

1. Sacan cien dólares del banco porque _____ dinero. 2. No escribe la carta porque _____ papel. 3. Pepe va al correo (*post office*) porque _____ sellos (*stamps*). 4. Jorge y Julia no saldrán bien en los exámenes porque _____ tiempo para estudiar. 5. Tomás no va a jugar al tenis porque _____ una raqueta.

d. Complete la traducción de las frases.

1. Do you like bullfights? ¿_____ las corridas? 2. They do not like the hotel. _____ el hotel. 3. George likes to sleep in the morning. _____ por la mañana. 4. My friends like Spanish food. _____ la comida española. 5. Henry lacks common sense. _____ sentido común.

VARIEDADES

Estudio de palabras

medio (-a) *half*
la mitad de la población *half of the population*

Medio, -a and **la mitad** both mean *half.* **Medio, -a,** *half* or *half a,* is used as an adjective and agrees with the noun which it modifies. **La mitad,** *half,* is used as a noun and is frequently followed by **de** plus a noun.

Complete las frases con **medio (-a)** o **la mitad.**

1. Gastó ____ de su fortuna. 2. Compré ____ docena de panecillos. 3. Esperamos ____ hora. 4. Recibimos ____ del dinero. 5. ____ de los habitantes son indios.

Preguntas personales

1. ¿En qué estación del año ocurren las tempestades? 2. ¿Se pone el sol más tarde en el verano o en el invierno? 3. ¿Con qué color se señala el peligro? 4. ¿Hay genios que han muerto sin ser reconocidos? 5. ¿Emplea Ud. bien su tiempo? 6. ¿Da Ud. motivo a sus padres para que se enojen? 7. ¿Tienen sus abuelos muchos nietos? 8. ¿Siempre cumple Ud. sus promesas?

Pequeño repaso (Escriba en español.)

There is one writer whose (cuyas) novels I like very much. Each year my aunt sends me one of his books. I do not know if his novels have great value. He has not written a masterpiece and perhaps will never win a prize, but I like his way of writing. His descriptions are faithful portraits of life in the city. He lived not only in the United States, but also in Europe. He says he learned what he knows from his father.

La aventura de los molinos de viento

Caminando por los campos de Montiel, Don Quijote y Sancho Panza descubrieron treinta o cuarenta molinos de viento que hay en aquel campo, y así como Don Quijote los vio, dijo a su escudero:—La ventura va guiando nuestras cosas mejor de lo que pudiéramos desear; porque ves allí, amigo Sancho, donde se encuentran treinta, o pocos más, grandes gigantes con quienes pienso hacer batalla, y quitarles a todos la vida, que ésta es buena guerra, y gran servicio de Dios, quitar tan mala simiente de sobre la faz de la tierra.

—¿Qué gigantes?—dijo Sancho Panza.

—Aquéllos que allí ves,—respondió su amo,—de los brazos largos.

—Mire, vuestra merced,—respondió Sancho,—que aquéllos que allí se parecen no son gigantes sino molinos de viento, y lo que en ellos parecen brazos, son las aspas que, volteadas del viento, hacen andar la piedra del molino.

—Bien parece—respondió Don Quijote,—que no estás cursado° en esto de las aventuras; ellos son gigantes, y si tienes miedo quítate de ahí, que yo voy a entrar con ellos en desigual batalla.

cursado *experienced*

Y diciendo esto, dio de espuelas a su caballo Rocinante, sin atender las voces que su escudero Sancho le daba, advirtiéndole que sin duda alguna eran molinos de viento y no gigantes aquéllos que iba a acometer. Pero él iba tan puesto en que eran gigantes que no oía las voces de su escudero Sancho, y dirigiéndose a los molinos de viento, gritó:

—No huyáis cobardes y viles criaturas, que un solo caballero es el que os acomete.

En esto se levantó un poco de viento y las grandes aspas comenzaron a moverse, lo cual visto por Don Quijote, dijo:—Pues aunque mováis más brazos que los del Gigante Briareo, me lo habéis de pagar.

Y diciendo esto, se lanzó a todo el galope de Rocinante y acometió con la lanza al primer molino que estaba delante. El viento volvió las aspas con tanta furia que hicieron la lanza pedazos, llevándose tras sí al caballo y al caballero quien fue rodando muy maltrecho por el campo.

Cervantes,
DON QUIJOTE DE LA MANCHA
(adaptado)

Comprensión (Complete las frases con las palabras adecuadas.)

1. Don Quijote y Sancho Panza descubrieron treinta o cuarenta ____.

   (a.) campos de Montiel
   (b.) molinos de viento
   (c.) enemigos

2. —Aquéllos que allí ves, —respondió su amo, de los brazos ____.

   (a.) largos
   (b.) cortos
   (c.) anchos

3. La Aventura de Los Molinos de Viento tiene lugar en ____.

   (a.) los campos de Madrid
   (b.) los campos de Montiel
   (c.) los campos de Barataria

Windmills of La Mancha, Spain

REFUERZO DEL VOCABULARIO

NOMBRES

el alma (f.) *soul*
el conflicto *conflict*
el cuadro *picture*
la cumbre *height*
la defensa *defense*
el drama *drama*
el dramaturgo *dramatist*
la flota *fleet*
el genio *genius*
la isla *island*
la mitad *middle*
el navío *ship*
el nieto *grandson*
el nombre *name*
el norte *north*
la originalidad *originality*
el peligro *danger*
el personaje *character*
el pintor *painter*
la pintura *painting*
el principio *beginning*
el pueblo *people*
el puerto *port*
la reina *queen*
el reinado *reign*
el retrato *portrait*
el sentimiento *feeling*
el teatro *theatre*
la tempestad *storm*
el territorio *territory*

VERBOS

comprender *to include*
derrotar *to defeat*
emplear *to use*
invadir *to invade*
reflejar *to reflect*
retirarse *to withdraw*
señalar *to signal*
sostener *to support*

ADJETIVOS

artístico, -a *artistic*
basado, -a *based*
conquistado, -a *conquered*
contemporáneo, -a *contemporary*
dramático, -a *dramatic*
extenso, -a *extensive*
extraordinario, -a *extraordinary*
filosófico, -a *philosophical*
ilustre *illustrious*
legendario, -a *legendary*
literario, -a *literary*
numeroso, -a *numerous*
político, -a *political*
veloz (-ces) *swift*
viejo, -a *old*

OTRAS PALABRAS

casi *almost*
lo mismo que *as well as*
ponerse el sol *sunset*
tener lugar *to take place*

LECCIÓN 

Los libertadores hispanoamericanos

PRIMERA PARTE—Spain's colonies extended from Mexico in the north to Chile and Argentina in the south. Her political and economic policies upset the Spanish Americans so much that they organized military units and made plans to do whatever was necessary to free themselves from Spanish rule.

La lucha por la independencia hispanoamericana fue larga y difícil. Los ejércitos de los patriotas tuvieron que atravesar° elevadas cordilleras°, grandes ríos e inmensas llanuras°. Los soldados iban mal equipados y sin las provisiones necesarias.

Muchos de los jefes de la revolución habían nacido° en las colonias y generalmente pertenecían, a distinguidas familias. Algunos fueron educados en España o en Francia. Los ideales de libertad que conocieron en Europa tuvieron sobretodo° gran influencia en ellos. También fueron inspirados por el éxito de la revolución norteamericana.

En 1808 España fue invadida por los ejércitos de Napoleón y las colonias aprovecharon° este momento para declarar su independencia. En varios lugares se organizaron rápidamente grupos al mando° de jefes militares. El principal caudillo° en la lucha por la independencia de América del Sur fue Simón Bolívar. Durante más de diez años Bolívar luchó valientemente contra las fuerzas españolas, ganando algunas batallas y también sufriendo derrotas°. El Libertador dedicó su vida al ideal de una América libre y unida. Bolívar, como Washington, está en el corazón° de los hombres libres de las Américas.

atravesar *to cross*
cordilleras *mountain ranges*
llanuras *plains*
habían nacido *had been born*
sobretodo *especially*
aprovecharon *took advantage of*
mando *command*
caudillo *leader*
derrotas *defeats*
corazón *heart*

Small street in Seville, Spain

Preguntas

1. ¿Por qué fue larga y difícil la lucha por la independencia hispanoamericana? 2. ¿Quiénes fueron los jefes de la revolución? 3. ¿Dónde aprendieron sus ideas de libertad? 4. ¿Qué influencia tuvo en ellos la revolución norteamericana? 5. ¿En qué año empezaron las luchas por la independencia? ¿Por qué?

SEGUNDA PARTE—In Mexico the war for independence was initiated by Miguel Hidalgo in 1810. He eventually was captured and killed by the Spaniards but his example encouraged other patriots and finally in 1821 Mexico won its independence. The Spanish colonies in the south also had fervent patriots who struggled fiercely for their independence and by 1824 Spain had lost all her colonies in the New World except the islands of Cuba and Puerto Rico.

Otro gran caudillo de la independencia sudamericana fue el general argentino José de San Martín. En 1816 se proclamó en Buenos Aires la independencia de la Argentina. San Martín sabía que para mantener la independencia de su patria era necesario vencer a las fuerzas españolas de Chile y Perú. En seguida San Martín organizó un ejército de argentinos y chilenos. Atravesó con sus tropas la cordillera de los Andes y, con la ayuda del general chileno Bernardo O'Higgins, derrotó° finalmente al ejército español en Chile. La marcha de San Martín a través de° los Andes es una de las expediciones militares más gloriosas en la historia de la independencia.

derrotó *defeated*
a través de *across*

Después de libertar a Chile, llegó San Martín con su ejército al Perú. Entretanto° las tropas de Bolívar, llamado "el libertador", avanzaban por el norte. Los dos caudillos se encontraron en Guayaquil, puerto del Ecuador, donde tuvieron una histórica entrevista. Poco se sabe de lo que° se habló allá; parece que Bolívar y San Martín no llegaron a un acuerdo° sobre la nueva organización de las colonias. Poco tiempo después, San Martín entregó° el mando de las tropas a Bolívar y se exiló voluntariamente en Francia donde murió pobre y casi ciego°. Su generosidad y patriotismo permitieron a Bolívar unificar sus tropas y ganar, con la ayuda de varios generales como Sucre, las famosas batallas de Junín y

entretanto *meanwhile*
lo que *what*
acuerdo *agreement*
entregó *handed over*
ciego *blind*

Ayacucho. Estas batallas pusieron fin a la dominación española en la América del Sur.

A fines del año 1824 España había perdido todas sus colonias en el Nuevo Mundo. Sólo las islas de Cuba y Puerto Rico quedaron bajo el dominio español hasta la guerra de España con los Estados Unidos en 1898. A consecuencia de esta guerra Cuba consiguió su independencia y Puerto Rico fue cedido a los Estados Unidos.

Preguntas

1. ¿Quiénes fueron los dos libertadores más importantes de América del Sur? 2. ¿A qué ideal dedicó su vida el Libertador? 3. ¿Por qué atravesó San Martín los Andes? 4. ¿Cuál fue el acto de generosidad de San Martín? 5. ¿Con qué batalla se terminó la dominación española en América del Sur?

Escriba

Estamos a fines del año 1824. Haga una lista de las colonias que España ha perdido desde el año 1808 y de los jefes revolucionarios que consiguieron la independencia.

Traduzca

a. Traduzca las expresiones al inglés.

1. tuvieron que atravesar 2. habían nacido en las colonias 3. el éxito de la revolución 4. aprovecharon este momento 5. luchó contra las fuerzas españolas 6. el corazón de hombres libres 7. después de libertar 8. poco se sabe 9. quedaron bajo el dominio español 10. Cuba consiguió su independencia

Los Países Latinoamericanos
GOLFO
DE MÉXICO
MÉXICO
México
Veracruz
La Habana
CUBA
OCÉANO ATLÁNTICO
HONDURAS BRITÁNICA
Belize
HONDURAS
Tegucigalpa
GUATEMALA
Guatemala
San Salvador
EL SALVADOR
Managua
NICARAGUA
COSTA RICA
San José
PANAMÁ
Panamá
JAMAICA
HAITÍ
Puerto Príncipe
REPÚBLICA DOMINICA
Santo Domingo
San Juan
PUERTO RICO
MAR CARIBE
Canal de Panamá
Barranquilla
Antillas Menores
Caracas
VENEZUELA
R. Orinoco
R. Magdalena
Bogotá
COLOMBIA
Georgetown
Paramaribo
LAS GUAYANAS
Cayena
Ecuador
Islas Galápagos
ECUADOR
Quito
Guayaquil
Manaos
R. Amazonas
Belém
PERU
Lima
BRASIL
Recife
Arequipa
La Paz
BOLIVIA
Sucre
Brasília
OCÉANO PACÍFICO
PARAGUAY
Asunción
São Paulo
Rio de Janeiro
Islas Juan Fernández
Valparaíso
Santiago
Concepción
CHILE
ARGENTINA
R. Paraná
URUGUAY
Buenos Aires
Montevideo
R. de la Plata
Escala de Millas
0 400 800 1200
Islas Malvinas
Estrecho de Magallanes
Cabo de Hornos

b. Traduzca al español las palabras en inglés.

1. Aquel país tiene *a large army.* 2. El general O'Higgins fue *a great patriot.* 3. El actor tuvo *great success.* 4. Todos *withdrew* de la ciudad. 5. Marcharon *across* las montañas. 6. *Meanwhile,* el general llegó del norte. 7. La capital es *the heart* del país. 8. Los habitantes querían ser *free* e independientes. 9. El pueblo *handed over* el gobierno al nuevo presidente. 10. *They took advantage of* la ocasión para declarar su independencia.

ASPECTOS GRAMATICALES

A. Comparación de adjetivos

CUADRO GRAMATICAL				
POSITIVO	**COMPARATIVO**		**SUPERLATIVO**	
bonita *pretty*	**más bonita** *prettier than* **menos bonita** *less pretty than*	QUE	**la más bonita** *the prettiest in* **la menos bonita** *the least pretty in*	DE

Alicia es más bonita que Ana.
Alice is prettier than Ann.
Alicia es la más bonita de toda la familia.
Alice is the prettiest in the whole family.
Carmen es menos inteligente que Dolores.
Carmen is less intelligent than Dolores.
Rosa es la menos inteligente de la clase.
Rosa is the least intelligent in the class.

Note that in Spanish the comparative and superlative forms of adjectives are formed by placing **más** or **menos** before the adjectives. *Than* is expressed by **que.**

After the superlative form of the adjective, *in* is expressed by **de.**

Pagó más de trescientos dólares.
He paid more than three hundred dollars.
Había menos de veinte personas.
There were less than twenty persons.

Before a number, *than* is expressed by **de.** When the sentence is negative, however, *than* before a number is usually expressed by **que; No pagó más que tres dólares.** *He didn't pay more than three dollars.* (*He paid only three dollars.*)

B. Adjetivos comparativos—formas irregulares

CUADRO GRAMATICAL		
POSITIVO	**COMPARATIVO**	**SUPERLATIVO**
bueno *good*	**mejor** *better*	**el mejor** *the best*
malo *bad*	**peor** *worse*	**el peor** *the worst*
grande (viejo) *big* (*old*)	**mayor** *older*	**el mayor** *the oldest*
pequeño (joven) *small* (*young*)	**menor** *younger*	**el menor** *the youngest*

Grande and **pequeño** have regular comparative forms when they refer to size: **Este cuarto es más grande (pequeño) que ése.** *This room is larger* (*smaller*) *than that one.*

When **mayor** and **menor** refer to age, they usually follow the noun they describe: **el hermano mayor,** *the older* (*oldest*) *brother.* The definite article is omitted when a possessive adjective is used: **mi hermano mayor,** *my older* (*oldest*) *brother.* When **mayor** and **menor** do not refer to age they precede the noun: **la mayor parte,** *the greatest part;* **la menor importancia,** *the least importance.*

Courtyard interior in Jaén, Spain

Transformación (Cambie las frases según los modelos.)

Modelos:

El señor Ortega es rico.	Las muchachas son altas.
Es más rico que su hermano.	Son más altas que su hermano.
Es el más rico de la familia.	Son las más altas de la familia.

1. Pedro es fuerte. 2. Las hermanas son serias. 3. La joven es buena. 4. Ud. es atrevido. 5. Tomás y Eduardo son aplicados. 6. Jorge es malo. 7. Carolina es la hermana menor. 8. Las dos hijas son simpáticas. 9. Carmen es muy amable. 10. Enrique es alegre.

Preguntas personales

1. ¿Es su escuela la más grande de la ciudad? 2. ¿Cuál es su clase más interesante? 3. ¿Qué asignatura es la más fácil? 4. ¿En qué clase recibe Ud. sus peores notas? 5. ¿Hay más de veinticinco alumnos en su clase de español? 6. ¿Quiénes son sus mejores amigos? 7. ¿Es Ud. mayor o menor que su amigo (-a)? 8. ¿Estudia Ud. menos de tres horas al día? 9. ¿Es Ud. más aplicado (-a) que los demás alumnos de la clase? 10. ¿Qué escuela tiene el mejor equipo de fútbol?

¿Cómo se dice en español?

1. I think that Alice is prettier than Helen. 2. She is also the most intelligent girl in the class. 3. She is my best friend. 4. She has an older brother. 5. He is the most popular boy in school. 6. He spends more than two hours every day studying in the library. 7. His younger sister never studies. 8. But she receives better grades. 9. Look, the bell is going to ring in less than ten minutes. 10. Can you lend me your pen? Mine is worse than yours.

C. Pronombres relativos—**que, quien, cuyo, lo que**

CUADRO GRAMATICAL
que *who, whom, what, which, that* **quien** *whom* **cuyo, -a, -os, -as** *whose* **lo que** *what*

la carta que recibí *the letter which (that) I received*
el muchacho que entró *the boy who entered*
la señorita que (a quien) visitamos *the young lady whom we visited*
el hombre de quien hablamos *the man of whom we speak*
el muchacho a quien (que) visité *the boy whom I visited*
el alumno cuya madre cantó *the pupil whose mother sang*
Compro lo que necesito. *I buy what I need.*
la casa que compramos *the house we bought*

The relative pronouns *that, which, what, who,* and *whom* are translated by **que.** When *whom* is the direct object of a verb, **a quien** is sometimes used instead of **que: el muchacho a quien (que) visité,** *the boy whom I visited.* When *whom* follows a preposition (*with whom, to whom,* etc.), **quien (quienes)** is used instead of **que: el muchacho con quien estudio,** *the boy with whom I study;* **los autores de quienes habló,** *the authors of whom he spoke.*

The relative pronoun *whose* is translated by **cuyo, -a,** which must agree in gender and number with the noun that follows: **el escritor cuyas novelas leí,** *the writer whose novels I read.*

What used as a relative pronoun meaning *that which* is translated by **lo que: Haga Ud. lo que le dice.** *Do what (that which) he tells you.*

The relative pronoun is sometimes omitted in English but must always be expressed in Spanish: *the house we bought,* **la casa que compramos.**

Sustitución

1. El señor que entró es nuestro vecino.
   Las muchachas que entraron son nuestras vecinas.
   El joven ____________________.
   Los hombres ____________________.
   La señorita ____________________.

2. El monumento que vimos es muy famoso.
   Los retratos que vimos son muy famosos.
   El edificio ____________________.
   Los palacios ____________________.
   Las pirámides ____________________.

3. El médico que (a quien) visité es amigo mío.
   Los jóvenes que (a quienes) visité son amigos míos.
   El abogado ____________________.
   Los soldados ____________________.
   Los campesinos ____________________.
   El profesor ____________________.

4. ¿Conoce Ud. al muchacho cuyo tío vive en México?
   ¿Conoce Ud. al muchacho cuyos amigos viven en México?
   ¿____________________ madre ____________________?
   ¿____________________ abuelos ____________________?
   ¿____________________ hermanas ____________________?
   ¿____________________ familia ____________________?
   ¿____________________ compañero ____________________?

Transformación (Cambie las frases según los modelos.)

Modelo: El señor salió. Es el padre de Juan.
El señor que salió es el padre de Juan.

1. El joven está aquí. Es el hermano de Carmen. 2. La muchacha está cantando. Es la prima de Catalina. 3. El paquete llegó. Está en la mesa. 4. La caja está en el estante. Es mía. 5. El gato está en la silla. Es de Ana.

Modelo: Trabajo con un amigo. Se llama Tomás.
El amigo con quien trabajo se llama Tomás.

1. Vivo con un amigo. Estudia para médico. 2. Escribo a un amigo. Está en México. 3. Invitó a la profesora. Es la señora Torres. 4. Hablaba de una muchacha. Está en mi clase. 5. Me despedí de mi amigo. Vive en Nueva York.

Modelo: Allí está el joven. Su padre acaba de llegar.
Allí está el joven cuyo padre acaba de llegar.

1. Es un gran escritor. Sus obras ganaron un premio. 2. Visitamos al pintor. Sus cuadros son famosos. 3. ¿Conoce Ud. al señor? Su hijo es médico. 4. Allí está el chico. Sus padres están en la oficina. 5. Quiero presentarle al señor. Su hija acaba de casarse.

Modelo: ¿Qué envió? No me lo dijo.
No me dijo lo que envió.

1. ¿Qué compró? No me lo dijo. 2. ¿Qué va a hacer? No me lo comunicó. 3. ¿Qué tomó? No me lo enseñó. 4. ¿Qué quiere? No me lo dice. 5. ¿Qué recibió? No lo sé.

Street in Córdoba, Spain

Complete

a. Complete con el pronombre apropiado.

1. El muchacho con (que, quien) hablaba es el hermano de Tomás. 2. ¿Conoce Ud. a aquellos jóvenes (que, quien) acaban de entrar? 3. No sé (que, lo que) voy a hacer. 4. El alumno a (que, quien) me refiero es muy perezoso. 5. La tía (que, quien) visitamos vive en México. 6. Los jóvenes de (que, quienes) estoy hablando son simpáticos. 7. El señor Pardo es un hombre a (que, quien) admiramos mucho. 8. ¿Comprendió Ud. (que, lo que) dijo el señor a los muchachos?

b. Complete la traducción de las frases.

1. This is the city in which the artist was born. Ésta es la ciudad ____ nació el artista. 2. He is a person whom we admire. Es una persona ____. 3. These are the writers from whom he received his inspiration. Éstos son los escritores ____ su inspiración. 4. The book I am reading deals with the gauchos. El libro ____ trata de los gauchos. 5. He always says what he thinks. Siempre dice ____. 6. Alice, whose parents are teachers, doesn't study much. Alicia, ____, no estudia mucho. 7. The friend with whom we are going to spend our vacation has a large ranch. El amigo ____ tiene un rancho grande. 8. They said that it was very difficult. Dijeron ____.

Conteste

¿Con quién habla Ud.? El joven con quien hablo es mi primo.
1. ¿Con quién vive Ud.? ________________.
2. ¿A quién escribe Ud.? ________________.
3. ¿Para quién trabaja Ud.? ________________.
4. ¿De quién habla Ud.? ________________.
5. ¿A quién llama Ud.? ________________.

¿Qué compró la señora? No sé lo que compró.

1. ¿___ hizo ________? ________________.
2. ¿___ dijo ________? ________________.
3. ¿___ preguntó ______? ________________.
4. ¿___ contestó ______? ________________.
5. ¿___ olvidó ________? ________________.

VARIEDADES

Pensamientos de Bolívar

Yo deseo más que ningún otro ver formar en América la más grande nación del mundo, menos por su extensión y riquezas que por su libertad y gloria.

Divididos, seremos más débiles, menos respetados de los enemigos y neutrales. La unión bajo un solo gobierno supremo hará nuestra fuerza y nos hará respetar por todos.

El sistema de gobierno más perfecto es aquel que produce mayor suma de felicidad posible, mayor suma de seguridad social y mayor suma de estabilidad política.

Preguntas personales

1. ¿Dedicaría Ud. su vida al ideal de una América libre? 2. ¿Quién fue un verdadero patriota americano? 3. ¿Preferiría Ud. servir en el ejército o en las Fuerzas Aéreas? 4. ¿Es fácil conseguir un buen empleo después de las clases? 5. ¿Aprovecha Ud. cada ocasión para estudiar? 6. Cuando sus padres tienen visita en casa, ¿se retira Ud. a su cuarto? 7. ¿A quién se entregan las cosas perdidas en su escuela? 8. ¿Le gustaría viajar a través del país en automóvil? 9. ¿Cuál es el órgano principal del cuerpo humano? 10. ¿Es fácil tener éxito sin trabajar?

Pequeño repaso (Escriba en español.)

MISS JONES: Charles, read your composition to the class, please.

CHARLES: I'm sorry, Miss Jones; I haven't written it. I went to the library last night and took out a book on Bolívar. On arriving home, I began to read it; it was a very difficult book, and besides, very boring.

LOUIS: I, too, had bad luck in the library. I found a good book on Bernardo O'Higgins, the Chilean general. When I handed my card to the librarian she said that I could not take the book out of the library because I did not pay the fine. Unfortunately I did not have (any) money.

MISS JONES: Boys, here on the shelf there are several good books on Latin America. Take them home and hand in your compositions tomorrow. Dorothy, do you have your composition with you today?

DOROTHY: Yes, Miss Jones; here it is. I spent two hours reading about the march of San Martín and his army across the Andes. It was very interesting. Miss Jones, why did San Martín withdraw to Buenos Aires after the great success of his forces in Chile and Peru?

MISS JONES: San Martín was a great man. He wanted to see a free America. He was not seeking personal glory.

Madrid, Spain

REFUERZO DEL VOCABULARIO

NOMBRES

el acuerdo *agreement*
la ayuda *help, aid*
el corazón *heart*
la cordillera *mountain range*
la derrota *defeat*
la entrevista *interview*
el éxito *success*
la expedición *expedition*
la generosidad *generosity*
el ideal *ideal*
la independencia *independence*
la influencia *influence*
la llanura *plain*
la provisión *provision*

VERBOS

avanzar *to advance*
conseguir (i) *to get, obtain*
declarar *to declare*
dedicar *to dedicate*
entregar *to hand over*
libertar *to free*

ADJETIVOS

ciego, -a *blind*
distinguido, -a *distinguished*
educado, -a *educated*
glorioso, -a *glorious*
histórico, -a *historical*
inspirado, -a *inspired*
largo, -a *long*
libre *free*
militar *military*
unido, -a *united*

OTRAS PALABRAS

a consecuencia *consequently*
a través de *across*
al mando de *under the command of*
bajo *under*
casi *almost*
contra *against*
entretanto *meanwhile*
finalmente *finally*
sobretodo *especially*
valientemente *bravely*
voluntariamente *voluntarily*

VOCABULARIO ADICIONAL

el caudillo *leader*
ceder *to cede*
la colonia *colony*
invadir *to invade*
el (la) patriota *patriot*
el patriotismo *patriotism*
poner fin a *to put an end to*
proclamar *to proclaim*
la revolución *revolution*
las tropas *troops*
unificar *to unify*

LECCIÓN 

Los países hispanoamericanos en la actualidad

PRIMERA PARTE—The countries of Spanish America share many common interests, especially the language and traditions of the mother country. However, in spite of the ties that bind them together, there do exist some very definite individual differences.

Algunas naciones hispanoamericanas son muy modernas y progresivas. El Uruguay, por ejemplo, es un país muy avanzado en cuanto a su gobierno democrático y a sus reformas sociales. La Argentina es cosmopolita; su capital, Buenos Aires, es un centro cultural e industrial muy importante en la América hispana. Chile es también un país progresivo; los chilenos se distinguen por su carácter industrioso e independiente. Costa Rica, pequeño país en Centroamérica, es muy democrático. Tiene fama por su excelente sistema de educación. En Costa Rica hay más maestros de escuela que soldados. Junto a° naciones progresivas se encuentran países poco desarrollados° donde gran parte de la población es pobre y analfabeta°.

junto a *next to*
desarrollados *developed*
analfabeta *illiterate*

La mayoría de los habitantes de los países hispanoamericanos viven en las ciudades grandes. Los contrastes entre la vida de la ciudad y la de los pueblos son muy marcados.

View from the Giralda Tower in Seville, Spain

comodidades *conveniences*

almacenes *department stores*

a la última moda *in the latest styles*

chozas *huts*
arado *plow*
bestia de carga *beast of burden*
semejantes *similar*

En las ciudades la gente goza de las comodidades° modernas, mientras que en los pueblos la vida es todavía primitiva. Para citar un ejemplo, en Lima, capital del Perú, hay plazas públicas, parques bonitos, grandes hoteles, almacenes° elegantes, restaurantes y clubes sociales. En sus anchas avenidas se pueden ver coches de los últimos modelos y gente vestida a la última moda°.

A poca distancia de Lima se encuentran varios pueblos pequeños donde los indios viven en chozas° primitivas; todavía usan el arado° de madera para cultivar la tierra, y se sirven de la llama como bestia de carga°. Semejantes° contrastes entre la vida de la ciudad y la de los pueblos existen en casi todos los países hispanoamericanos.

Preguntas

1. ¿Cuáles son los países más modernos y progresivos de Hispanoamérica? 2. ¿Dónde vive la mayor parte de los habitantes de cada país hispanoamericano? 3. ¿Qué contrastes se encuentran entre la vida de la ciudad y la de los pueblos?

SEGUNDA PARTE—The greatest part of Spanish America's economy comes from its agricultural products. Industrial development has been slower because of the necessity of importing a variety of machinery, automobiles and chemical products from the United States and Europe. However, progress is being made and the standard of living of the people is steadily improving.

ganadería *cattle raising*

estaño *tin*
trigo *wheat*

Hispanoamérica es esencialmente agrícola, aunque la ganadería° y la minería son también importantes. La economía de muchas naciones está basada en uno o dos productos; por ejemplo, el petróleo constituye la riqueza de Venezuela; Honduras exporta bananas; Bolivia depende del estaño°. El café es el principal producto de Colombia, Guatemala y El Salvador. La carne, el trigo° y otros granos contribuyen en gran parte a la riqueza de la Argentina.

Esta dependencia de uno o dos productos causa muchas veces graves problemas económicos. Cuando el precio del producto baja, el país sufre una crisis económica y no puede importar las cosas que necesita. Hoy día muchos países tratan de cultivar nuevos productos agrícolas para la exportación.

En los últimos años México y la Argentina han llegado a ser naciones industriales. Otros países van estableciendo industrias textiles y fábricas de muebles y de otros artículos necesarios en la vida moderna.

Uno de los grandes problemas de Hispanoamérica es la falta° de buenos medios de transporte. La construcción de caminos y ferrocarriles° es muy costosa debido a° las grandes distancias entre los centros de población y a las condiciones del terreno. Por esto el avión es el principal medio de transporte en Hispanoamérica.

falta *lack*
ferrocarriles *railroads*
debido a *due to*

Se transportan en avión automóviles, maquinaria pesada y ganado°. Hay excelentes aeropuertos en las ciudades grandes, y muchos pueblos, antes aislados°, tienen ahora fáciles comunicaciones.

ganado *cattle*
aislados *isolated*

Hoy día los países hispanoamericanos tratan de desarrollar los recursos naturales y modernizar la agricultura. En algunos países las reformas económicas y sociales han elevado el nivel de vida° de campesinos° y obreros°.

El cine, la radio y otros medios de comunicación han influido mucho en la vida y en las costumbres tradicionales de los pueblos.

nivel de vida *standard of living*
campesinos *farmers*
obreros *workers, laborers*

Preguntas

1. ¿De qué depende la economía de casi todos los países hispanoamericanos? 2. ¿Por qué hay crisis económicas en Hispanoamérica? 3. ¿Cuál es el principal medio de transporte de Hispanoamérica? ¿Por qué? 4. ¿Qué están haciendo los países hispanoamericanos para mejorar las condiciones de vida de sus habitantes? 5. ¿Qué influencia han tenido el cine y la radio?

Copper Display—Madrid, Spain

Escoja

Escoja el país o la ciudad en **Y** que corresponde a la frase de **X.**

	X		Y
1.	Es el país que exporta bananas.	(a.)	Costa Rica
2.	Es la capital del Perú.	(b.)	Venezuela
3.	Han llegado a ser naciones industriales.	(c.)	Nicaragua
4.	Tiene reformas sociales muy avanzadas.	(d.)	Bolivia
5.	El café es el principal producto de exportación.	(e.)	Honduras
6.	La carne y el trigo contribuyen a la riqueza del país.	(f.)	La Argentina
7.	Tiene más maestros que soldados.	(g.)	Buenos Aires
8.	Produce mucho petróleo.	(h.)	Colombia
9.	Depende del estaño.	(i.)	México y la Argentina
10.	Es el centro cultural e industrial de la Argentina.	(j.)	Chile
		(k.)	el Uruguay
		(l.)	Lima

Bullfight posters in Seville, Spain

Escriba

Consulte la lectura y cite referencias sobre las siguientes declaraciones.

1. Algunas naciones hispanoamericanas son muy modernas y progresivas.
2. Los contrastes entre la vida de la ciudad y la de los pueblos son muy marcados.
3. La economía de muchas naciones está basada en uno o dos productos.
4. Uno de los grandes problemas de Hispanoamérica es la falta de buenos medios de transporte.
5. Hoy día los países hispanoamericanos tratan de desarrollar los recursos naturales y modernizar la agricultura.

ASPECTOS GRAMATICALES

A. Usos de **para** y **por**

<table>
<tr><th colspan="4">CUADRO GRAMATICAL</th></tr>
<tr><th colspan="2">PARA</th><th colspan="2">POR</th></tr>
<tr><td>Meaning</td><td>Use</td><td>Meaning</td><td>Use</td></tr>
<tr><td rowspan="2">For</td><td rowspan="2">destination
intended for
for the purpose of
in the employ of
specified future time</td><td rowspan="2">For</td><td>in exchange for
for the sake of
for a period of time</td></tr>
<tr><td>to go for, to come for,
to send someone for . . .</td></tr>
<tr><td rowspan="3">To
In order to</td><td rowspan="3">with an infinitive</td><td colspan="2">By</td></tr>
<tr><td colspan="2">Through</td></tr>
<tr><td colspan="2">Per</td></tr>
</table>

PARA

Salgo para Nueva York.
I am leaving for New York. (destination)
Este regalo es para su madre.
This gift is for your mother. (intended for)
Estudian para un examen.
They are studying for an examination. (for the purpose of)
Mi hermano trabaja para el gobierno.
My brother works for the government. (in the employ of)
Necesito el vestido para el lunes.
I need the dress for Monday. (for a specified future time)
Quiero el dinero para comprar un coche.
I want the money to buy a car. (in order to)

Para is used to translate *for* when it implies destination, intended for, for the purpose of, in the employ of, or a specified future time.

Para followed by an infinitive is used to translate *to* and *in order to.*

POR

Compré las manzanas por veinte centavos.
I bought the apples for twenty cents. (in exchange for)
Murieron por su patria.
They died for their country. (for the sake of)
Fue a Madrid por dos años.
He went to Madrid for two years. (for a period of time)
Mandaron por el médico.
They sent for the doctor. (send for someone or something)
Llegaron por avión.
They arrived by plane.
América fue descubierta por Colón.
America was discovered by Columbus.
Ha viajado por muchos países.
He has traveled through many countries.
¿Cuánto gana Ud. por hora?
How much do you earn per (an) hour?

Por is used to translate *for* when it implies in exchange for, for the sake of, or for a period of time.

Por is also used to translate *for* when it means to go for, to come for, or to send for someone or something.

Por is used to translate *by, through, per.*

Traduzca (Traduzca las frases al español según el modelo.)

Modelo: They left for Mexico.
Salieron para México.

1. They left for the city. ______________________.
   They left for the beach. ______________________.

Modelo: This gift is for you.
Este regalo es para Ud.

2. This gift is for her birthday. ______________________.
   This gift is for your friend. ______________________.

Modelo: I need it for tomorrow.
Lo necesito para mañana.

3. I need it for Monday. ______________________.
   I need it for next week. ______________________.

Modelo: Are you studying to be a doctor?
¿Estudia Ud. para médico?

4. Are you studying to be a lawyer? ¿______________________?
   Are you studying to be an engineer? ¿______________________?

Modelo: They are preparing for the examination.
Están preparándose para el examen.

5. They are preparing for the concert. ______________________.
   They are preparing for the trip. ______________________.

Modelo: He works for the government.
Trabaja para el gobierno.

6. He works for the owner. ______________________.
He works for the architect. ______________________.

Modelo: We got together to (in order to) select a candidate.
Nos reunimos para elegir un candidato.

7. We got together to form a club. ______________________.
We got together to discuss the matter. ______________________.

Modelo: I paid five dollars for my pen.
Pagué cinco dólares por mi pluma.

8. I paid five dollars for my shirt. ______________________.
I paid five dollars for my tie. ______________________.

Modelo: I shall do it for you.
Lo haré por Ud.

9. I shall do it for my school. ______________________.
I shall do it for my friends. ______________________.

Modelo: They went to Europe for a long time.
Se fueron a Europa por mucho tiempo.

10. They went to Europe for a year. ______________________.
They went to Europe for two months. ______________________.

Modelo: The country was governed by a president.
El país fue gobernado por un presidente.

11. The country was governed by a dictator. ______________________.
The country was governed by a king. ______________________.

Modelo: He sent for a policeman.
Mandó por un policía.

12. He sent for a doctor. ______________________.
He sent for a taxi. ______________________.

Modelo: They walked through the woods.
Anduvieron por el bosque.

13. They walked through the streets. ______________________.
They walked through the park. ______________________.

Modelo: He goes to the store for bread. .
Va a la tienda por pan.

14. He goes to the store for milk. ______________________.
He goes to the store for eggs. ______________________.

View of Toledo, Spain

The Picasso Museum in Barcelona, Spain

Complete

a. Complete cada frase con **por** o **para.**

1. Esta carta es ____ Dolores. 2. ¿Cuál es la lección ____ mañana? 3. Vendió su casa ____ setenta mil dólares. 4. Lucharon ____ la independencia del país. 5. ¿Compró Ud. un traje nuevo ____ la fiesta? 6. Estuvo enfermo ____ una semana. 7. Fue ____ el libro. 8. ¿Puede Ud. entrar ____ aquella puerta? 9. ¿Cuándo salen Uds. ____ México? 10. Trabajamos ____ ganar dinero. 11. Va a la tienda ____ una botella de leche. 12. Me pagan quince dólares ____ semana. 13. Fueron invitados ____ sus amigos. 14. Trabaja ____ un abogado famoso. 15. Viajan ____ avión.

b. Complete la traducción de las frases.

1. How much did you pay for your notebook? ¿Cuánto pagó Ud. ____? 2. They sent for a taxi. ____ un taxi. 3. This story was written by a Spanish author. Este cuento ____ un autor español. 4. He went to the library in order to return his books. Fue a la biblioteca ____. 5. These flowers are for my mother. Estas flores son ____. 6. The man came for his salary. El hombre vino ____. 7. I need a pair of new shoes for the dance. Necesito un par de zapatos nuevos ____. 8. Peter remained in Mexico for two months. Pedro se quedó en México ____. 9. When are you leaving for Europe? ¿Cuándo ____ Europa? 10. They want to take a walk through the park. Quieren dar un paseo ____.

VARIEDADES

Estudio de palabras

Llegó a ser presidente. *He became president.*
Se hizo dictador. *He became dictator.*
Se puso pálido (triste, enfermo). *He became pale (sad, ill).*
Se volvió loco (orgulloso). *He became mad, crazy (proud).*

The verb *to become* may be translated by **llegar a ser, hacerse, volverse,** and **ponerse. Llegar a ser** means *to become, to get to be eventually.* **Hacerse** means *to become, to make oneself* or *to become someone or something through one's own effort.* **Hacerse** and **llegar a ser** may be used interchangeably, depending on which idea is being emphasized. **Llegó a ser presidente.** *He became (got to be eventually) president.* **Se hizo presidente.** *He became (made himself through his own effort) president.* **Volverse,** *to become,* indicates an emotional change and **ponerse,** is used to indicate a physical change.

¿Cómo se dice en español?

1. He became a lawyer after many years of study. 2. They told me that John became ill last night. 3. My uncle became the owner of the factory. 4. Finally they became rich. 5. I always become nervous when we have exams. 6. This city became an important port. 7. The man becomes furious. 8. Dolores decided to become an actress. 9. On hearing this, the child became sad. 10. You will become famous some day. 11. On hearing the news, he became angry. 12. He became very proud when he learned that his daughter worked at the American Embassy.

Preguntas personales

1. ¿Se interesa Ud. mucho en asuntos políticos? 2. ¿Es Ud. capaz de participar en la vida pública? 3. ¿Hay muchos analfabetos en los Estados Unidos? 4. ¿Conoce Ud. al dueño de alguna hacienda? 5. ¿Desarrolla Ud. bien sus planes?

Pequeño repaso (Escriba en español.)

RAYMOND: Did you know that Michael and his parents left for Europe for two months?

ARTHUR: Yes, the owner of their house told me that they left by plane.

RAYMOND: Mike wrote me that his mother was ill; they had to send for the doctor. In spite of that, they are enjoying the trip.

ARTHUR: Have you received many letters from Mike?

RAYMOND: No, but I write to him.

ARTHUR: You are a real friend of his.

RAYMOND: Mike is capable of being a good friend, too.

ARTHUR: Where do you send your letters?

RAYMOND: Generally I send them to the American Embassy in each country. Mike's father works for the government.

ARTHUR: Yes, I know it. I receive many foreign stamps from his father.

La conspiración

A hora muy avanzada de la noche llegó al palacio presidencial de una república de Centroamérica un individuo que deseaba hablar con el presidente. El jefe de la guardia le dijo que a tal hora el presidente no recibía a nadie.

El hombre insistió:

—Yo soy un amigo íntimo del presidente. Vengo a salvarle la vida. A los pocos minutos estaba hablando con el presidente.

—He venido a salvarte la vida, le dijo. Ya sabes que siempre hemos sido como hermanos. Estoy comprometido en una conspiración para asesinarte mañana, pero me he arrepentido. Me acuerdo de lo mucho que te debo y no quiero que mueras a manos de tus enemigos.

El presidente llamó a un guardia y le dijo:

—¡Detenga a este hombre!°

Luego, dirigiéndose a su amigo, le dijo:

—Vas a recibir el castigo que mereces.

—¿Yo? ¿Y por qué?

—Porque de los diez conspiradores, tú eres el último que ha venido a hablarme de la conspiración. Tus otros compañeros, sin ser amigos míos, han venido antes.

¡Detenga a este hombre! *Arrest this man!*

Timbre de salida

Después de varios ejercicios de simulacro de incendio°, el director de una casa comercial invitó al jefe de bomberos a que presenciara° uno de ellos. Al sonar la campana de alarma, los seiscientos empleados desocuparon totalmente los cuatro pisos del edificio en tres minutos y diez segundos. Todo el mundo se sentía orgulloso y satisfecho.

Aquel mismo día cuando sonó el timbre que anunciaba la hora de salida, alguien, reloj en mano, contó el tiempo que tardaban los empleados para dejar el trabajo. ¡El edificio quedó vacío exactamente en dos minutos!

ejercicios de simulacro de incendio *fire drills*
presenciara *to witness*

Comprensión

Complete las frases con las palabras adecuadas para expresar lo que se dice en la lectura **La conspiración.**

1. Estoy ____ en una conspiración.
2. Tú eres el ____ que ha venido a hablarme.
3. No quiero que ____ a manos de tus enemigos.
4. Soy un amigo ____ del presidente.
5. A hora muy ____ de la noche llegó al palacio.
6. El jefe de la guardia le dijo que a ____ hora el presidente no recibía a ____.
7. Siempre hemos ____ como hermanos.
8. Vengo a ____ la vida.

Ordene las siguientes palabras para expresar lo que se dice en la lectura **Timbre de salida.** Luego tradúzcalas al inglés.

1. día, aquel, sonó, cuando, el, mismo, timbre
2. quedó, en, minutos, vacío, dos, el, exactamente, edificio
3. alarma, al, campana, de, sonar, la
4. satisfecho, se, todo, sentía, el, orgulloso, mundo, y
5. al, invitó, a, presenciara, que, bomberos, jefe, uno, de, de, ellos

Seville, Spain

REFUERZO DEL VOCABULARIO

NOMBRES

el almacén *department store*
el arado *plow*
la avenida *avenue*
el campesino *farmer*
la capital *capital (city)*
el carácter *character*
la carne *meat*
la comunicación *communication*
la construcción *construction*
el contraste *contrast*
la choza *hut*
la dependencia *dependence*
la distancia *distance*
el ejemplo *example*
el estaño *tin*
la fábrica *factory*
el ferrocarril *railroad*
la ganadería *cattle raising*
el ganado *cattle*
los medios *means*
los muebles *furniture*
el obrero *worker, laborer*
el precio *price*
el problema *problem*
el producto *product*
la vida *life*

VERBOS

bajar *to go down*
citar *to cite*
contribuir *to contribute*
distinguir *to distinguish*
exportar *to export*
influir *to influence*
modernizar *to modernize*
tratar de *to deal with*

ADJETIVOS

analfabeta *illiterate*
ancho, -a *wide*
cosmopolita *cosmopolitan*
costoso, -a *costly*
desarrollado, -a *developed*
económico, -a *economical*
industrioso, -a *industrious*
marcado, -a *marked*
moderno, -a *modern*
primitivo, -a *primitive*
progresivo, -a *progressive*
semejante *similar*

VOCABULARIO ADICIONAL

a la última moda *in the latest style*
la bestia de carga *beast of burden*
debido a *due to*
democrático, -a *democratic*
desarrollar *to develop*
la exportación *export*
el grano *grain*
llegar a ser *to become*
la maquinaria *machinery*
la mayoría de *the majority of*
mientras que *while*
la minería *mining*
muchas veces *often*
el nivel de vida *standard of living*
el petróleo *petroleum*
por ejemplo *for example*
los recursos naturales *natural resources*
la reforma *reform*
el terreno *land*
el transporte *transportation*

PERSPECTIVAS CULTURALES

El arte de pintar

El Greco, San Juan Evangelista, 1600, Museo del Prado, Madrid

Creating and enjoying art is a pastime enjoyed by thousands of men and women the world over. Works of art open our eyes to new experiences, stir our imagination and can provide us with hours of appreciation and recreation. Spending a day in an art museum studying the paintings of a particular era can help us understand what the artists of the period felt about such topics as life, love, religion, nature, war or social justice.

Spain's artistic height was reached during the 16th and first half of the 17th centuries,—the period known as "The Golden Age." The leading painters during that time were El Greco, Murillo, Velázquez and Goya.

El Greco was the greatest artist of the late Renaissance. His works show great spiritual intensity and he introduced the form of art known as "baroque."

Velázquez' mature style is shown in the painting "Las Meninas," which is both a group portrait and a genre scene. It has been suggested that an alternate title for this painting could be "The Artist in His Studio" for Velázquez shows himself at work on the painting. Velázquez was fascinated with light, both direct and reflected light, and its effects on form and color. He was certainly a forerunner in the use of this technique because it wasn't until two centuries later that painters realized the full impact of this discovery.

One of the great modern artists of Spain is Pablo Picasso. In addition to his painting, he is also well known for his work in sculpture, drawing, graphics and ceramics. There is an excellent museum in Barcelona, Spain dedicated to his works. Other modern painters from Spain are Salvador Dalí and Juan Gris.

Diego Velázquez, Las Meninas, 1656, Museo del Prado, Madrid

Diego Velázquez, Las Hilanderas (Detail), 1657, Museo del Prado, Madrid

Diego Velázquez, La Rendición de Breda, 1635, Museo del Prado, Madrid

REPASO

REFUERZO DEL VOCABULARIO

NOMBRES

el acuerdo *agreement*
la alegría *happiness, merriment*
el alma (f.) *soul*
el almacén *department store*
el arado *plow*
la arena *sand*
la arquitectura *architecture*
el arroz *rice*
el arte *art*
el autor *author*
la avenida *avenue*
la aventura *adventure*
la ayuda *help*
el azulejo *glazed tile*
la batalla *battle*
el campesino *farmer*
la capital *capital (city)*
el carácter *character*
la carne *meat*
el centro *center*
la columna *column*
la comunicación *communication*
el conflicto *conflict*
la conquista *conquest*
la construcción *construction*
el contraste *contrast*
el corazón *heart*
la cordillera *mountain range*
el cuadro *picture*
la cumbre *height*
la choza *hut*
la defensa *defense*
la derrota *defeat*
la dependencia *dependence*
la desgracia *misfortune*
la despedida *farewell, departure*
la dignidad *dignity*
la distancia *distance*
el drama *drama*
el dramaturgo *dramatist*
el ejemplo *example*
el ejército *army*
la entrevista *interview*
el equipo *equipment*
el estado *state*
el estaño *tin*
el éxito *success*
la expedición *expedition*
la fábrica *factory*
la fama *fame*
el ferrocarril *railroad*
la flota *fleet*
la fuente *fountain*
la(s) fuerza(s) *force(s)*
la ganadería *cattle raising*
el ganado *cattle*
la garantía *guarantee*
la generosidad *generosity*
el genio *genius*
el ideal *ideal*
la independencia *independence*
el infante *royal prince of Spain except heir to the throne*
la influencia *influence*
la inocencia *innocence*
la isla *island*

la joya *jewel*
el juramento *oath*
la lágrima *tear*
la lealtad *loyalty*
la llanura *plain*
la maravilla *marvel*
el mármol *marble*
los medios *means*
la mitad *middle*
el motivo *motive*
los muebles *furniture*
la muestra *sample*
el navío *ship*
el nieto *grandson*
el nombre *name*
el norte *north*
el obrero *worker, laborer*
la originalidad *originality*
el peligro *danger*
el personaje *character*
el pintor *painter*
la pintura *painting*
el poema *poem*
el precio *price*
el principio *beginning*
el problema *problem*
el producto *product*
la provisión *provision*
el pueblo *people; town*
el puerto *port*
el regalo *gift*
la reina *queen*
el reinado *reign*
el reino *kingdom, reign*
la relación *relation*
el retrato *portrait*
el riego *irrigation*
la riqueza *wealth*
la salida *exit*
el sentimiento *feeling*
el sistema *system*
el teatro *theatre*
la tempestad *storm*
el territorio *territory*
la transformación *transformation*
el triunfo *triumph*
la virtud *virtue*

VERBOS

abandonar *to abandon*
abrir *to open*
acudir *to rush, hasten*
adquirir (ie) *to acquire*
arreglar *to settle*
atreverse *to dare*
avanzar *to advance*
bajar *to go down*
caer *to fall*
citar *to cite*
colocar *to place*
comenzar (ie) *to begin*
comprender *to include*
conseguir (i) *to get, obtain*
contribuir *to contribute*
cultivar *to cultivate*
declarar *to declare*
dedicar *to dedicate*
defender (ie) *to defend*
derrotar *to defeat*
desarrollar *to develop*
devolver (ue) *to return*
distinguir *to distinguish*
emplear *to use*
entregar *to hand over*
exportar *to export*
heredar *to inherit*
influir *to influence*
invadir *to invade*
jurar *to swear*

libertar *to free*
modernizar *to modernize*
obtener *to obtain*
ofrecer *to offer*
pagar *to pay*
perdonar *to pardon*
prohibir *to prohibit*
quedar *to stay, remain*
recibir *to receive*
reflejar *to reflect*
relatar *to relate*
retirarse *to withdraw*
señalar *to signal*
simbolizar *to symbolize*
sospechar *to suspect*
sostener *to support*
sufrir *to suffer, undergo*
suspirar *to sigh*

ADJETIVOS

acompañado, -a (de) *accompanied (by)*
adornado, -a *decorated*
amistoso, -a *friendly*
analfabeta *illiterate*
ancho, -a *wide*
artístico, -a *artistic*
aventurero, -a *adventurous*
basado, -a *based*
castellano, -a *Spanish*
ciego, -a *blind*
conquistado, -a *conquered*
contemporáneo, -a *contemporary*
cosmopolita *cosmopolitan*
costoso, -a *costly*
culto, -a *cultured*
desarrollado, -a *developed*
desconocido, -a *unknown*
distinguido, -a *distinguished*
dramático, -a *dramatic*
económico, -a *economical*
educado, -a *educated*
elegante *elegant*
equipado, -a *equipped*
extenso, -a *extensive*
extraordinario, -a *extraordinary*
famoso, -a *famous*
fiel *faithful*
filosófico, -a *philosophical*
glorioso, -a *glorious*
histórico, -a *historical*
humano, -a *human*
ilustre *illustrious*
industrioso, -a *industrious*
inspirado, -a *inspired*
largo, -a *long*
legendario, -a *legendary*
libre *free*
literario, -a *literary*
marcado, -a *marked*
militar *military*
moderno, -a *modern*
mundial *world-wide*
necesario, -a *necessary*
numeroso, -a *numerous*
político, -a *political*
primitivo, -a *primitive*
progresivo, -a *progressive*
público, -a *public*
semejante *similar*
triste *sad*
unido, -a *united*
veloz (-ces) *swift*
vencido, -a *conquered*
victorioso, -a *victorious*
viejo, -a *old*

EJERCICIOS

I. Dé la forma correcta del imperfecto de subjuntivo.

1. ¿Quería Ud. que yo (ir) con ellos? 2. Fue preciso que ellos (decir) lo que pasó. 3. Insistieron en que nosotros (traer) los documentos. 4. Yo sentí mucho que Uds. no (estar) allí. 5. Dudaban que yo (poder) terminar el trabajo. 6. Les pedí que (leer) las últimas noticias. 7. Era imposible que él (volver) el domingo. 8. No esperaban que Uds. (divertirse). 9. Yo prefería que tú (venir) por la tarde. 10. Exigió que nosotros le (dar) la carta.

II. Escoja la forma correcta entre paréntesis.

1. Negaron que su hijo lo (haga, hiciera). 2. Queríamos que Ud. (venga, viniera) temprano. 3. Dudo que ellos lo (sepan, supieran). 4. Hágalo Ud. antes de que ellos (vuelvan, volvieran). 5. Yo le aconsejaría a Ud. que (compre, comprara) aquella casa. 6. Era probable que Carlos lo (tome, tomara). 7. Le prestaré el dinero con tal que Ud. (prometa, prometiera) devolvérmelo. 8. Esperaban que nosotros los (invitemos, invitáramos). 9. María deseaba que yo la (visitara, visite). 10. No es posible que ellos (lleguen, llegaran) a tiempo.

III. Escoja la forma correcta entre paréntesis.

1. No hay nada que le (gusta, guste). 2. Buscan un hombre que (sabe, sepa) hacerlo. 3. No había nadie que le (reconocía, reconociera). 4. ¿Conoce Ud. a alguien que (puede, pueda) ayudarme? 5. Desean un apartamento que (está, esté) cerca de la escuela. 6. Encontraron una casa que (tenía, tuviera) dos dormitorios grandes. 7. Conocemos a una criada que (es, sea) muy trabajadora. 8. No hay ninguna carrera que (ofrece, ofrezca) más oportunidades.

IV. ¿Cómo se dice en español?

1. Do not do it unless you have the time. 2. They took the children to the beach so they might play in the sand. 3. There is no one who believes me. 4. We are looking for a house that is near a park. 5. Do you know anyone who wants to buy a dictionary? 6. There was nothing he would not do for me. 7. I shall do it provided that you help me. 8. He left before they came.

V. Complete las frases con **por** o **para.**

1. Vendí mi coche _____ mil dólares. 2. Hemos vivido aquí _____ un mes. 3. ¿Ha estudiado Ud. la lección _____ mañana? 4. Salen _____ el campo. 5. Voy a comprar un estante _____ mis libros. 6. Se necesita dinero _____ viajar. 7. El traje estará listo _____ la semana próxima. 8. Andaban _____ las calles.

VI. ¿Cómo se dice en español?

1. I lack the words to express my ideas. 2. My friends like to play tennis. 3. You need confidence in yourself. 4. She who studies learns. 5. I admire those who tell the truth.

VII. Conteste en forma negativa.

Modelo: ¿Conoce Ud. a alguien?
No conozco a nadie.

1. ¿Quiere Ud. algo? 2. ¿A quién ve Ud.? 3. ¿Tiene Ud. algún motivo para hacer eso? 4. ¿Sabe Ud. el francés o el alemán? 5. ¿No ha estado Ud. jamás en la Casa Blanca? 6. ¿Hay alguien en casa? 7. ¿Han leído Uds. algunas novelas modernas? 8. ¿Se levanta Ud. siempre temprano?

VIII. Complete cada frase con la expresión apropiada.

1. Carolina no dijo la verdad a su amiga Carlota. Carolina (engañó, reprendió, desarrolló, mezcló) a su amiga. 2. El señor Cano siempre lleva a sus hijos a la playa porque les gusta jugar en (el suelo, el terreno, la arena, la aldea). 3. Los abuelos visitan a su hijo con frecuencia porque desean ver a sus (primos, nietos, padres, sobrinos). 4. Hacía mucho viento y después vino (una tempestad, una muestra, una virtud, un motivo). 5. En el invierno el sol se pone (a las once de la mañana, a mediodía, a las cinco de la tarde, a medianoche). 6. Al ver las lágrimas del niño, la señora le preguntó por qué (llovía, lloraba, reñía, llevaba). 7. El hombre (recorrió, aprovechó, acudió, juró) que era inocente. 8. El caudillo señaló el (peligro, genio, deber, alma) de una expedición a través de las montañas.

IX. Por cada una de las siguientes palabras dé otra de la misma derivación.

Modelo: poderoso—poder; la falta—faltar

1. atrevido 2. el sentido 3. la lealtad 4. el pensamiento 5. la juventud 6. la felicidad 7. el empleado 8. la salida

X. Dé la forma correcta del verbo entre paréntesis.

1. Espere Ud. hasta que ellos (volver). 2. Venga Ud. cuando (tener) más tiempo. 3. Saldremos después de que yo le (hablar). 4. ¿Qué dijo Rosa cuando Ud. la (llamar)? 5. Quiero vivir aquí hasta que (morir). 6. Lo haré cuando (ser) más conveniente. 7. Reconocí a Alfredo en cuanto le (ver). 8. Mi tío vendrá a vernos cuando (poder).

XI. Escriba una composición sobre uno de los dos siguientes temas.

1. **Un libro interesante.** (Give the title and the name of the author of an interesting book you have recently read. What was it about? What did you like best about the book?) 2. **Una persona famosa.** (Tell about a famous person. What is his nationality? Where did he live? What was his background? What did he do to achieve fame?)

Park in Madrid, Spain

SUPLEMENTO

Escritores y poetas hispanoamericanos

PRIMERA PARTE—Spanish America has produced many writers of international fame whose works have been translated into several languages. Important works reflecting the life and critical issues of the day have appeared in every era of Spanish-American history.

En los primeros tiempos del período colonial algunos españoles escribieron crónicas de los sucesos de la conquista en que habían tomado parte. Relatan sus experiencias con gran realismo y describen la vida y costumbres de las civilizaciones indias que encontraron en el Nuevo Mundo.

Durante las luchas por la independencia se escribieron muchas obras inspiradas en temas patrióticos. Simón Bolívar, el Libertador, no sólo fue un gran general sino también un buen escritor. Sus discursos y cartas son documentos históricos de gran valor.

Después de la independencia, siguió la época de los dictadores. Varios autores dan un fiel retrato° de aquellos tiempos. El argentino Domingo Faustino Sarmiento escribió la novela FACUNDO, en la que describe las condiciones sociales y políticas que existían en la Argentina durante la dictadura de Rosas. En su novela, Sarmiento da magníficas descripciones de la vida de los gauchos argentinos.

fiel retrato *faithful portrait*

El autor de la novela tomó parte activa en la lucha contra la tiranía de Rosas y fue desterrado° por varios años. A la caída° del gobierno de Rosas, Sarmiento regresó a la Argentina y fue elegido presidente de la República. Sarmiento fue un gran educador; admiraba a los Estados Unidos como modelo de país democrático.

desterrado *exiled*
caída *downfall*

El gaucho ha sido un tema muy popular en la literatura de la Argentina. MARTÍN FIERRO, poema narrativo de José Hernández, es una obra maestra de la literatura gauchesca°. El autor pasó muchos años entre los gauchos; conoció su modo de vivir y su pasión por la independencia.

gauchesca *relating to gauchos*

Photographs: (counterclockwise) Domingo Faustino Sarmiento, Gabriela Mistral, José Hernández, José Eustaquio Rivera.

¿Sí o No?

1. Algunos escritores hispanoamericanos tienen fama internacional. 2. Muchas obras importantes de cada época tratan de la vida de aquel tiempo. 3. Las cartas y discursos de Bolívar tienen poco valor. 4. *Facundo* es una novela de la época del dictador Rosas. 5. Sarmiento admiraba a los Estados Unidos.

SEGUNDA PARTE—In addition to the authors who portrayed the social and political issues of the day, the nations of Spanish America also produced many notable poets and novelists.

En aquellos tiempos había en la pampa argentina indios que atacaban a los pequeños pueblos de la frontera. El gobierno enviaba soldados para proteger a los pueblos, y obligaba a los gauchos a servir en las tropas que luchaban contra los indios. En el poema de Hernández, Martín Fierro es uno de estos infelices gauchos que fueron forzados a servir en el ejército de la frontera. Un día logra escaparse y regresa al lugar donde había vivido con su familia. Encuentra su rancho en ruinas y ni rastro de su esposa ni de sus hijos. Lleno de dolor e indignación, se va a vivir entre los indios. Este libro es una protesta social contra las injusticias que sufrían los gauchos por parte de las autoridades y de la sociedad.

Tal vez la figura principal de la literatura hispanoamericana es Rubén Darío (1867–1916), famoso poeta de Nicaragua. A los trece años fue llamado el "niño poeta". Rubén Darío es uno de los pocos escritores hispanoamericanos que han alcanzado fama mundial°. Tuvo gran influencia en la poesía moderna.

mundial *world*

Gabriela Mistral, la gran poetisa chilena, bien conocida en los Estados Unidos, fue la primera escritora hispanoamericana que ganó el Premio Nobel. En sus versos expresa profunda ternura por la infancia y gran tristeza por el dolor humano. Gabriela Mistral estuvo en varios países como representante diplomática de Chile. Pasó sus últimos años en los Estados Unidos, donde murió en 1957.

En la literatura contemporánea de todos los países hispanoamericanos, hay novelistas de gran mérito. En sus novelas se han tratado problemas sociales y económicos como la explotación de los indios, las condiciones primitivas de la vida en la selva° y en los llanos y la opresión que sufren las clases trabajadoras. Entre las mejores novelas contemporáneas se pueden mencionar EL INDIO, por Gregorio López y Fuentes, de México, y LA VORÁGINE (*The Vortex*), por José Eustaquio Rivera, de Colombia.

selva *jungle*

¿Sí o No?

1. MARTÍN FIERRO es un poema que describe las crueldades que cometían los gauchos. 2. El gobierno argentino obligaba a los gauchos a servir en el ejército. 3. Rubén Darío fue un gran poeta mexicano que influyó mucho en la poesía de Hispanoamérica y Europa. 4. Gabriela Mistral fue una poetisa chilena que ganó el Premio Nobel. 5. Muchas novelas contemporáneas de Hispanoamérica tratan de las condiciones sociales.

Valor universal del Quijote

Se dice que un día el rey Felipe III contemplaba desde el balcón de su palacio de Madrid a un hombre que, con un libro en las manos, reía a carcajadas°. "Aquel hombre o está leyendo DON QUIJOTE o está loco", comentó el monarca.

reía a carcajadas *was laughing out loud*

¿Qué clase de novela es ésta que durante tres siglos y medio ha sido leída por millones de lectores° de todas las razas y edades? Es la historia de un pobre hidalgo° alto y flaco°, de unos cincuenta años de edad, que se dedica a leer libros de caballerías° con tal pasión que llega a perder el juicio°. Se imagina ser un caballero andante° como los de las fantásticas narraciones y como ellos desea hacer el bien en la tierra protegiendo a los oprimidos° y defendiendo a los débiles°, o a cualquier° persona que necesite ayuda.

lectores *readers*
hidalgo *nobleman*
flaco *thin*
caballerías *chivalry*
juicio *mind*
caballero andante *knight errant*
oprimidos *oppressed*
débiles *weak*
cualquier *any*

se dispone a *he gets ready to*
armas *armor*
antepasados *ancestors*
pensamientos *thoughts*
moza labradora *peasant girl*
escudero *squire*
asno *donkey*

Se dispone a° salir en busca de aventuras para ganarse eterna fama y gloria. Se viste con unas armas° viejas que pertenecían a sus antepasados°. Cambia su nombre, Alonso Quijano, por el de Don Quijote. A falta de una dama noble a quien dedicar sus victorias, dirige sus pensamientos° a una moza labradora° de quien estuvo enamorado en su juventud, y a quien le da el nombre de Dulcinea del Toboso. Luego busca un hombre que le sirva de escudero°, y toma a su servicio a un simple campesino, bajo y gordo, llamado Sancho Panza. Y así, Don Quijote, montado en su viejo caballo Rocinante, y su escudero Sancho, montado en un asno°, recorren los campos de la Mancha.*

ventas *inns*
molinos de viento *windmills*
rebaño de carneros *flock of sheep*

Muchas son las aventuras que tienen los dos compañeros. En la fantasía de Don Quijote las pobres ventas° en donde pasan las noches se transforman en castillos encantados. Los molinos de viento° los ve como gigantes a los que ataca con su lanza; y un rebaño de carneros° se convierte por su imaginación en un gran ejército.

aldeanas *peasant*
se burlan de *make fun of*
engañan *deceive*
maltratan *mistreat*
se niega a ver maldad ninguna *he refuses to see any evil*

Don Quijote idealiza a quienes encuentra en el camino. Al ventero lo hace caballero castellano; las miserables y feas aldeanas° son para él, princesas y hermosas damas. En vano Sancho trata de volverle a la realidad. Todos se burlan del° pobre hidalgo, le engañan° y hasta le maltratan°. Don Quijote lleva con resignación todos sus sufrimientos. Se niega a ver maldad ninguna° en los seres humanos. Nunca pierde su visión de lo ideal. Es un personaje más trágico que cómico. Por el contrario, Sancho es el hombre de sentido práctico. A él le preocupan las necesidades materiales de la vida. Así, los dos personajes principales representan dos tipos opuestos: el hombre de ilusiones e ideales y el hombre práctico y realista.

desfilan *parade*

En las aventuras de Don Quijote y Sancho Panza intervienen gentes de todas clases y condiciones. Los numerosos personajes que desfilan° en la novela representan el carácter de la sociedad española de aquel tiempo. En las conversaciones entre Don Quijote y Sancho Panza aparecen refranes y frases proverbiales que son un tesoro lingüístico del idioma español. En su deseo de ver triunfar la justicia y la felicidad en la tierra, Don Quijote simboliza los sueños y las aspiraciones de la humanidad. Don Quijote es una gran obra literaria y de valor universal.

* a region in central Spain

Don Quijote's image of himself as a knight-in-armor

Preguntas

1. ¿Qué dijo el rey Felipe del hombre que reía a carcajadas? 2. ¿Quién era Don Quijote? 3. ¿Cómo llegó a perder el juicio? 4. ¿Cómo piensa hacer el bien en la tierra? 5. ¿Por qué quiere salir en busca de aventuras? 6. ¿Quién era Dulcinea del Toboso? 7. ¿Cómo era Sancho Panza? 8. ¿En qué van montados los dos compañeros? 9. ¿Por qué ataca Don Quijote a los molinos de viento? 10. ¿Cómo le trata la gente que encuentra en el camino? 11. ¿Qué tipos opuestos representan Don Quijote y Sancho Panza? 12. ¿Por qué se considera DON QUIJOTE una gran obra literaria?

Acknowledgments

Illustrations by Kitty Diamantis.

PHOTOGRAPHS: *Cover:* Ira Kirschenbaum/Stock, Boston *Title page:* Charles Leavitt.

Lesson P: *page xvii,* Bill Staley/The Photo Circle; *page 5* Terry McCoy; *page 7,* Stephen Kelley; *page 15,* John Dovydenas.

Lesson 1: *page 16,* Walter Clark; *page 19,* Suzanne Murphy; *page 23,* Kurt Scholz/Shostal Assoc.; *page 26,* Charles Leavitt.

Lesson 2: *page 32* Ray Manley; *page 34,* G. DeSteinheil/Shostal Assoc.; *page 39,* Eric Carle/Shostal Assoc.; *page 41,* Charles Leavitt.

Lesson 3: *page 46,* Charles Leavitt; *page 58,* Grant Kalivoda/Tom Stack.

Lesson 4: *page 62,* Charles Leavitt; *page 65,* FDM/The Picture Cube; *page 73,* Eric Carle/Shostal Assoc.

Lesson 5: *page 78,* K. Scholz/Shostal Assoc; *page 88,* Talbot Lovering; *page 98-99,* Photographs by Talbot Lovering except, pg 98 top left by Suzanne Murphy and, Inca Festival by Walter Clark.

Lesson 6: *page 105,* Terry McCoy: *page 106,* Steve Dunwell; *page 113,* Walter Clark.

Lesson 7: *page 122,* Charles Leavitt; *page 129,* Lee Boltin.

Lesson 8: *page 134,* Charles Leavitt; *page 137,* Walter Clark; *page 144,* Peter Menzel.

Lesson 9: *page 148,* Lee Boltin; *page 154,* Charles Leavitt; *page 156,* Charles Leavitt.

Lesson 10: *page 160,* Larry Reynolds; *page 166,* Suzanne Murphy; *pages 174–175,* Construction worker by Talbot Lovering, Librarian by Fajardo, Vetrenarian by Reynolds, Printing Press operator by Bohdan Hyrnewych, Lawyer by B. Cole/The Picture Cube, Doctors by Barbara Kirk, Factory workers by J. Pennington/The Picture Cube.

Lesson 11: *page 182,* Peter Menzel; *page 198,* Victoria Arlak.

Lesson 12: *page 200,* Peter Menzel; *page 207,* Charles Leavitt.

Lesson 13: *page 214,* Walter Clark; *pages 220, 223,* Victoria Arlak; *page 226,* Lee Boltin.

Lesson 14: *page 228,* Robert Lee II; *page 239,* Victoria Arlak.

Lesson 15: *page 242,* Embassy of Spain; *page 247,* Charles Leavitt; *page 254,* Victoria Arlak; *pages 256-257,* Mirian Colon and Joseph Montoya by UPI, Rosemary Casals by David Kelly, Roberto Clemente by Fajardo Studio, H. Bandillo by Richard Stack/Liaison, Vicki Carr by Cardona Enterprises, Inc.

Lesson 16: *page 264,* Peter Menzel; *page 269,* Victoria Arlak; *pages 270, 273,* Lee Boltin.

Lesson 17: *page 278,* Historical Picture Archives, Chicago; *page 284,* Peter Menzel; *page 287,* Victoria Arlak.

Lesson 18: *page 292,* Victoria Arlak; *page 299,* Peter Menzel/Stock, Boston; *page 306,* Peter Menzel/Stock, Boston.

Lesson 19: *pages 308, 315, 319,* Victoria Arlak; *page 322,* Lee Boltin.

Lesson 20: *page 324,* Walter Clark; *page 328,* Victoria Arlak, *page 333,* Lee Boltin; *page 334,* Peter Menzel/Stock, Boston; *page 337,* Lee Boltin; *page 340–341,* Museo de Prado; *page 348,* Faustino Sarmíento courtesy of Brown Brothers; José Hernandez courtesy of Embassy of the Argentine Republic; Gabriela Mistral courtesy of Historical Picture Service, Chicago, José Eustaquis Riviera courtesy of the Riviera Family; *page 353,* Lee Boltin.

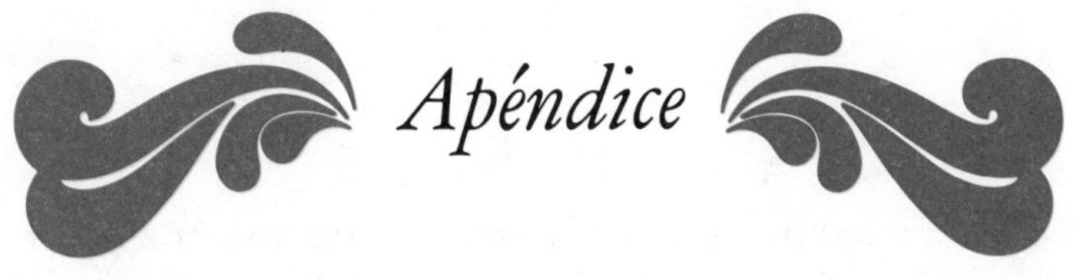

Apéndice

PANORAMA GRAMATICAL

English Grammar as an Aid for Studying Spanish

A. Adverbs

An adverb is a word that describes a verb, an adjective or another adverb and answers the questions *how, how much, when* and *where.*

María sings well. (describes verb) **María canta bien.**
The house is very pretty. (describes adjective) **La casa es muy bonita.**
The girl spoke too quickly. (describes adverb) **La niña habló demasiado rápidamente.**

B. Demonstrative pronouns

Demonstrative pronouns are words which point out nouns that have been mentioned before.

this one	*that one*	*these*	*those*
éste	**ése, aquél**	**éstos**	**ésos, aquéllos**

In Spanish the demonstrative pronouns are the same words as the demonstrative adjectives. The only difference is that they are accented. The accent mark is equivalent to the word *one.*
Pronouns that refer to statements or ideas are neuter and are invariable (unchangeable).

Dice que estaba allí. **Eso** no es verdad.

The other neuter pronouns are **esto** and **aquello.**

C. Possessive pronouns

Possessive pronouns are words that replace a noun while showing who possesses that noun.

Is that your book?	*Yes, it is mine.*
¿Es su libro?	**Sí, es mío.**

Spanish possessive pronouns are slightly more complicated than English possessives because they not only show who possesses the noun but must agree with the noun in number and gender.

Is it his house?	*Yes, it is his.*
¿Es su casa?	**Sí, es suya.**
It is her book.	*It is hers.*
Es su libro.	**Es suyo.**

Are they your friends.	*Yes, they are mine.*
¿Son sus amigas?	**Sí, son mías.**
¿Son sus amigos?	**Sí, son míos.**

D. The active voice and the passive voice

Verbs have two voices, active and passive. In the active voice the subject of the sentence performs the action.

The boy closes the door. **El muchacho cierra la puerta.**

In the passive voice the subject is acted upon by an agent.

The door is closed by the boy. **La puerta es cerrada por el muchacho.**

The verb **ser** and the past participle are used in the passive voice. The past participle agrees with the subject in number and gender.

E. Mood

Verbs have three moods—the indicative, the imperative and the subjunctive. English uses the subjunctive mood very rarely and its use is quite different in Spanish.

F. Uses of the subjunctive—summary

1. After verbs expressing desire

Quiero que Uds. hablen español.	*I want you to speak Spanish. (I want that you speak Spanish.)*
Mi madre desea que yo escriba la carta.	*My mother wishes me to write the letter. (My mother wishes that I write the letter.)*
Prefieren que nosotros hagamos el trabajo.	*They prefer that we do the work.*
Espero que me inviten a la fiesta.	*I hope (that) they invite me to the party.*
¡Ojalá (que) vengan!	*I hope (that) they will come!*

a. A verb in the main clause expressing a wish, hope, or desire (i.e. **querer, desear, preferir, esperar**) is followed by the subjunctive in the dependent clause when there is a change in the subject: **Mi madre desea que yo escriba la carta.** If the subject of the two clauses is the same, the infinitive is used just as in English: **Mi madre desea escribir la carta.**

b. The subjunctive is used in a dependent clause following **ojalá** since the meaning of **ojalá** implies a wish or hope.

2. To express commands

Estudie Ud. la lección.	*Study the lesson.*
Lean Uds. el ejercicio.	*Read the exercise.*
Ponga Ud. el libro en la mesa.	*Put the book on the table.*

The present subjunctive form of the verb is used to express commands with **Ud.** and **Uds.**

Invitemos a Juan.	*Let's invite John.*
Comamos temprano.	*Let us eat early.*
Que hablen ellos.	*Let them speak.*
Que traiga el dinero.	*Have him (her) bring the money.*

a. The present subjunctive is used in indirect commands expressed in English by *let* or *have.* **Que** is used to introduce the command with the third person singular and plural: **Que venga Juan.** *Let John come.* **Que vengan ellos.** *Let them come.*

b. *Let us* may also be expressed by **vamos a** + infinitive: **Leamos** or **Vamos a leer.** *Let's read.*

3. **After verbs expressing request, command, or permission**

Piden que yo lo haga.	*They ask me to do it.*
Manda a Pedro que salga en seguida.	*He orders Peter to leave immediately.*
Dígale Ud. al muchacho que vaya a la oficina.	*Tell the boy to go to the office.*
El profesor exige que los alumnos hablen español.	*The teacher requires the pupils to speak Spanish.*
El consejero no permite que el muchacho cambie su programa.	*The counselor does not permit the boy to change his program.*

The subjunctive is used in a dependent clause when the verb in the main clause implies a request, a command, or permission.

4. **After verbs expressing doubt or denial**

Duda que Ana esté en casa.	*He doubts that Ann is at home.*
Niega que sean ricos.	*He denies that they are rich.*
No creo que él vuelva.	*I do not think he will return.*

but

Creo que Juan tiene razón.	*I believe that John is right.*

The subjunctive is used after **dudar,** *to doubt;* **negar(ie),** *to deny;* and after **creer,** *to believe, to think,* when **creer** is in the negative.

5. After verbs which express emotion

Siento que sus padres estén enfermos.	*I am sorry that your parents are ill.*
Se alegran de que vayamos a la fiesta.	*They are glad that we are going to the party.*
Tememos que Pedro no venga a tiempo.	*We fear that Peter will not come on time.*

The subjunctive is used after verbs which express emotion (i.e., **sentir,** *to regret, to feel sorry;* **alegrarse de,** *to be glad;* **temer, tener miedo,** *to fear, to be afraid*) when the subject of the main clause and the subject of the dependent clause are different; **Yo siento que Ud. diga eso.** *I am sorry that you say that.* If the subjects are the same, the infinitive is used as in English: **Siento decir eso.** *I am sorry to say that.*

6. After certain impersonal expressions

Es una lástima que ellos no puedan acompañarnos.	*It is a pity that they cannot accompany us.*
Es preciso que Ud. venga en seguida.	*It is necessary for you to come at once (that you come at once).*
Es imposible que lleguemos a tiempo.	*It is impossible for us to arrive on time.*
but	
Es imposible llegar a tiempo.	*It is impossible to arrive on time.*

The subjunctive is used after impersonal expressions implying necessity, doubt, and emotion if the verb following the impersonal expression has a specific subject: **Es importante que Uds. estudien.** *It is important for you to study.* If no subject is stated, the infinitive form of the verb is used as in English: **Es importante estudiar.** *It is important to study.*

7. After certain conjunctions

No querían reconocerle antes de que jurase que era inocente.	*They did not want to recognize him before he swore that he was innocent.*
Les ofreció dos pesadas arcas con tal de que no las abrieran.	*He offered them two heavy chests provided that they would not open them.*
Pedro entró sin que nosotros lo supiéramos.	*Peter entered without our knowing it (without that we knew it).*
A menos que Ud. me acompañe, no iré.	*Unless you accompany me, I shall not go.*
Traiga Ud. la carta para que yo la lea.	*Bring the letter in order that (so that) I may read it.*

The subjunctive is used in a dependent clause after certain conjunctions. Note that the tense of the verb in the main clause determines whether the present subjunctive or the imperfect subjunctive is used in the dependent clause.

Quiero comer antes de salir.	*I want to eat before leaving.*
Quiero comer antes de que salgamos.	*I want to eat before we leave.*
Necesito papel para escribir una carta.	*I need paper in order to write a letter.*
Necesito papel para que Ana escriba una carta.	*I need paper in order that Ann may write a letter.*
No compraré un coche sin verlo.	*I won't buy a car without seeing it.*
No compraré un coche sin que Ud. lo vea.	*I won't buy a car without your seeing it.*

Remember that when **antes de, sin,** and **para** are used as prepositions they are followed by the infinitive form of the verb.
Note that in the preceding sentences, when the subject is the same, the infinitive is used; when the subject changes, the subjunctive is used.

8. In adverbial clauses

Cuando venga, tendran Uds. la oportunidad de hacerle preguntas.	*When he comes you will have the opportunity to ask him questions.*
Hasta que llegue este joven, podemos ver el mapa.	*Until this young man arrives, we can look at the map.*
En cuanto entre, quiero que Uds. vuelvan a sus asientos.	*As soon as he enters, I want you to return to your seats.*

The subjunctive is used in a dependent clause introduced by an adverb of time such as, **cuando, hasta que, en cuanto, después de que,** *etc.,* when indefinite future time is implied: **Le llamaré cuando venga.** *I shall call you when he comes.* When indefinite future time is not implied, the indicative is used: **Le llamé cuando vino.** *I called you when he came.*

9. After a negative antecedent

No hay ningún emperador que haya tenido un imperio tan extenso.	*There is no emperor who has had so extensive an empire.*
No hay nadie que sea superior a él.	*There is no one who is superior to him.*
No encontró nada que quisiera.	*He found nothing that he wanted.*

Note that the subjunctive mood must always be used in a dependent clause when the relative pronoun **que** refers to a negative antecedent in the main clause.

10. After an indefinite antecedent

Busca un hombre que le sirva de escudero.	*He is looking for a man who will serve him as a squire.*

but

Conoce a un hombre que le servirá de escudero.	*He knows a man who will serve him as a squire.*
¿Conoce Ud. a alguien que hable español?	*Do you know anyone who speaks Spanish?*

but

Tengo un amigo que habla español.	*I have a friend who speaks Spanish.*
Deseo una revista que tenga artículos interesantes.	*I want a magazine that has interesting articles.*

but

He comprado una revista que tiene artículos interesantes.	*I have bought a magazine that has interesting articles.*

The subjunctive is used in the dependent clause when the relative pronoun **que** refers to an indefinite person or thing.

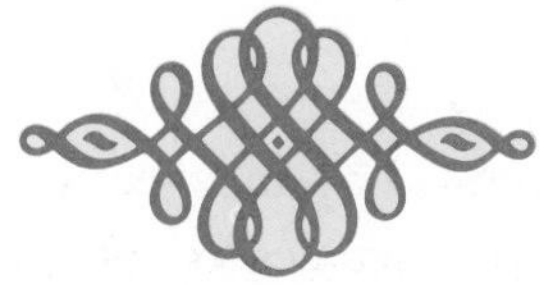

G. Antecedent

An antecedent is the word a pronoun replaces.

John is a good student. *He* studies every day.

John is the antecedent to which the pronoun *he* refers.

The *houses* are very pretty. However, *they* are very expensive.

Houses is the antecedent to which the pronoun *they* refers.

H. Relative pronouns

The relative pronouns *who, which, what* and *that* refer back to their antecedents and introduce the relative clause.

The man *who* came to dinner is my uncle.

The problem *that* you have solved was very difficult.

In Spanish there are four groups of relative pronouns:

1. **que**—*who, whom, which* and *that*
2. **quien, quienes** *whom* (as the object of a preposition)
3. **el cual, la cual, los cuales, las cuales** *who, whom, which, that*
4. **cuyo, cuya, cuyos, cuyas** *whose*

Lo que, lo cual, etc. are neuter relatives and refer back to thoughts or ideas.

I. Comparison of adjectives

The degree of quality expressed by an adjective is known as the comparison of adjectives. There are three degrees of comparison—positive, comparative and superlative

1. The positive form is the adjective itself: *beautiful* **bello**
2. The comparative form denotes the quality in a greater or lesser degree:

more beautiful	**más bello**
less beautiful	**menos bello**

3. The superlative form denotes the quality in the greatest or least degree:

the most beautiful	**el más bello**
the least beautiful	**el menos bello**

In Spanish the adjective agrees with the noun in all three forms.

La muchacha es bonita.
Es más bonita que su amiga.
Es la más bonita de la clase.

DICCIONARIO GRAMATICAL

el acento accent
el adjetivo adjective
el adverbio adverb
afirmativo, -a affirmative
el antecedente antecedent
el antónimo antonym
el (la) apóstrofe apostrophe
el artículo definido definite article
el artículo indefinido indefinite article
el artículo neutro neuter article
auxiliar auxiliary
bastardilla:
  letra bastardilla italics
cardinal cardinal, principal
la cláusula clause
la comparación comparison
comparativo, -a comparative
complemento object (of verb)
concordar (ue) to agree
conjugar to conjugate
la conjunción conjunction
el conjunto whole, set, ensemble
la consonante consonant
la contestación answer
la contracción contraction
correcto, -a correct
corregir (i) to correct
correspondiente corresponding
la cuestión question
decir:
  querer decir to mean
la definición definition
definido, -a definite, defined
demostrativo, -a demonstrative
dependiente subordinate
la derivación derivation
descriptivo, -a descriptive
el diptongo diphthong
emparejar to match
el (la) énfasis emphasis
la estructura structure
la exclamación exclamation
femenino, -a feminine gender

fonético, -a phonetic
el futuro future
el género gender
el gerundio gerund
la gramática grammar
idiomático, -a idiomatic
el imperativo imperative, command
el imperfecto imperfect
el imperfecto de subjuntivo past (imperfect) subjunctive
el indicativo indicative
el interrogativo interrogative
la letra letter (of alphabet)
  letra bastardilla italics
la negación negation
el negativo negative
el nombre noun
la norma guide, model
ortográfico, -a orthographic
el paréntesis parenthesis
el parrafito short paragraph
el párrafo paragraph
el participio participle
el plural plural
el pluscuamperfecto plu-perfect tense
posesivo, -a possessive
positivo, -a positive
la preposición preposition
el presente present tense
el pretérito preterite (past) tense
el pretérito perfecto present perfect tense (past indefinite)
el pronombre pronoun
el radical stem
reflexivo, -a reflexive
relativo, a relative
el resumen résumé, summary
la sílaba syllable
el singular singular
el sinónimo synonym
el sonido sound
el subjuntivo subjunctive
subordinado, -a subordinate
superlativo, -a superlative
el sustantivo substantive, a noun equivalent
la terminación ending
el verbo verb
el vocabulario vocabulary
la vocal vowel
la voz pasiva passive voice

VERBOS

A. Verbos regulares*

	INFINITIVO	
Tomar, *to take*	**Comer,** *to eat*	**Vivir,** *to live*
	GERUNDIO	
tomando, *taking*	comiendo, *eating*	viviendo, *living*
	PARTICIPIO PASIVO	
tomado, *taken*	comido, *eaten*	vivido, *lived*

* The following regular verbs have irregular past participles: **abrir, abierto; cubrir, cubierto; descubrir, descubierto; escribir, escrito; romper, roto.**

Modo indicativo

PRESENTE

tomo	*I take, do take,*	como	*I eat, do eat,*	vivo	*I live, do live,*
-as	*am taking, etc.*	-es	*am eating, etc.*	-es	*am living, etc.*
-a		-e		-e	
-amos		-emos		-imos	
-áis		-éis		-ís	
-an		-en		-en	

IMPERFECTO

tomaba	*I was taking,*	comía	*I was eating,*	vivía	*I was living,*
-abas	*used to take,*	-ías	*used to eat,*	-ías	*used to live,*
-aba	*took, etc.*	-ía	*ate, etc.*	-ía	*lived, etc.*
-ábamos		-íamos		-íamos	
-abais		-íais		-íais	
-aban		-ían		-ían	

PRETÉRITO

tomé	*I took, did*	comí	*I ate, did*	viví	*I lived,*
-aste	*take, etc.*	-iste	*eat, etc.*	-iste	*did live, etc.*
-ó		-ió		-ió	
-amos		-imos		-imos	
-asteis		-isteis		-isteis	
-aron		-ieron		-ieron	

FUTURO

tomaré	*I shall (will)*	comeré	*I shall (will)*	viviré	*I shall (will)*
-ás	*take, etc.*	-ás	*eat, etc.*	-ás	*live, etc.*
-á		-á		-á	
-emos		-emos		-emos	
-éis		-éis		-éis	
-án		-án		-án	

CONDICIONAL

tomaría	*I should*	comería	*I should*	viviría	*I should*
-ías	*(would) take,*	-ías	*(would) eat,*	-ías	*(would) live,*
-ía	*etc.*	-ía	*etc.*	-ía	*etc.*
-íamos		-íamos		-íamos	
-íais		-íais		-íais	
-ían		-ían		-ían	

PRESENTE PERFECTO

he	*I have taken, eaten lived, etc.*	hemos	
has	tomado, comido, vivido	habéis	tomado, comido, vivido
ha		han	

PLUSCUAMPERFECTO

había	*I had taken, eaten, lived, etc.*	habíamos	
habías	tomado, comido, vivido	habíais	tomado, comido, vivido
había		habían	

PRETÉRITO ANTERIOR

hube	*I had taken, eaten, lived, etc.*	hubimos	tomado, comido, vivido
hubiste	tomado, comido, vivido	hubisteis	
hubo		hubieron	

FUTURO PERFECTO

habré	*I shall (will) have taken, eaten, lived, etc.*	habremos	tomado, comido, vivido
habrás	tomado, comido, vivido	habréis	
habrá		habrán	

CONDICIONAL PERFECTO

habría	*I should (would) have taken, eaten, lived, etc.*	habríamos	tomado, comido, vivido
habrías	tomado, comido, vivido	habríais	
habría		habrían	

Modo imperativo

toma (tú) *take*	come (tú) *eat*	vive (tú) *live*
tomad (vosotros)	comed (vosotros)	vivid (vosotros)

Modo subjuntivo

PRESENTE

tome	*(that) I*	coma	*(that) I*	viva	*(that) I (may,*
-es	*(may, will)*	-as	*(may, will)*	-as	*will) live*
-e	*take, etc.*	-a	*eat, etc.*	-a	*etc.*
-emos		-amos		-amos	
-éis		-áis		-áis	
-en		-an		-an	

IMPERFECTO (-RA)

tomara	(*that*) *I*	comiera	(*that*) *I*	viviera	(*that*) *I*
-aras	(*might,*	-ieras	(*might,*	-ieras	(*might,*
-ara	*would*)	-iera	*would*)	-iera	*would*)
-áramos	*take, etc.*	-iéramos	*eat, etc.*	-iéramos	*live, etc.*
-arais		-ierais		-ierais	
-aran		-ieran		-ieran	

IMPERFECTO (-SE)

tomase	(*that*) *I*	comiese	(*that*) *I*	viviese	(*that*) *I*
-ases	(*might,*	-ieses	(*might,*	-ieses	(*might,*
-ase	*would*)	-iese	*would*)	-iese	*would*)
-ásemos	*take, etc.*	-iésemos	*eat, etc.*	-iésemos	*live, etc.*
-aseis		-ieseis		-ieseis	
-asen		-iesen		-iesen	

PRESENTE PERFECTO

haya	(*that*) *I* (*may*) *have taken, eaten, lived,*	hayamos	tomado, comido, vivido
hayas	tomado, comido, vivido	hayáis	
haya		hayan	

PLUSCUAMPERFECTO (-RA)

hubiera	(*take*) *I* (*might*) *have taken, eaten, lived, etc.*	hubiéramos	tomado, comido, vivido
hubieras	tomado, comido, vivido	hubierais	
hubiera		hubieran	

PLUSCUAMPERFECTO (-SE)

hubiese	(*that*) *I* (*might*) *have taken, eaten, lived, etc.*	hubiésemos	tomado, comido, vivido
hubieses	tomado, comido, vivido	hubieseis	
hubiese		hubiesen	

B. Verbos con cambio de radical

Pensar (ie) *to think*

PRESENTE DE INDICATIVO: **pienso, piensas, piensa,** pensamos, pensáis, **piensan**

PRESENTE DE SUBJUNTIVO: **piense, pienses, piense,** pensemos, penséis, **piensen**

IMPERATIVO: **piensa** (tú)

Like **pensar: atravesar** *to cross;* **cerrar** *to close;* **comenzar** *to begin;* **despertarse** *to wake up;* **empezar** *to begin;* **nevar** *to snow;* **sentarse** *to sit down*

Perder (ie) *to lose*

PRESENTE DE INDICATIVO: **pierdo, pierdes, pierde,** perdemos, perdéis, **pierden**

PRESENTE DE SUBJUNTIVO: **pierda, pierdas, pierda,** perdamos, perdáis, **pierdan**

IMPERATIVO: **pierde** (tú)

Like **perder: defender** *to defend;* **encender** *to light;* **entender** *to understand*

Contar (ue) *to count*

PRESENTE DE INDICATIVO: **cuento, cuentas, cuenta,** contamos, contáis, **cuentan**

PRESENTE DE SUBJUNTIVO: **cuente, cuentes, cuente,** contemos, contéis, **cuenten**

IMPERATIVO: **cuenta** (tú)

Like **contar: acordarse** *to remember;* **acostarse** *to go to bed;* **almorzar** *to eat lunch;* **costar** *to cost;* **encontrar** *to meet, to find;* **jugar** (u to ue) *to play;* **mostrar** *to show;* **recordar** *to remember;* **sonar** *to ring;* **soñar** *to dream;* **volar** *to fly*

Volver (ue) *to return*

PRESENTE DE INDICATIVO: **vuelvo, vuelves, vuelve,** volvemos, volvéis, **vuelven**

PRESENTE DE SUBJUNTIVO: **vuelva, vuelvas, vuelva,** volvamos, volváis, **vuelvan**

IMPERATIVO: **vuelve** (tú)

Like **volver: devolver** *to return;* **llover** *to rain;* **mover** *to move;* **resolver** *to resolve, to solve*

The verbs **volver, devolver,** and **resolver** have irregular past participles: **volver, vuelto; resolver, resuelto; devolver, devuelto.**

Sentir (ie, i) *to regret, to be sorry, to feel*

GERUNDIO: **sintiendo**

PRESENTE DE INDICATIVO: **siento, sientes, siente,** sentimos, sentís, **sienten**

PRETÉRITO: sentí, sentiste, **sintió,** sentimos, sentisteis, **sintieron**

PRESENTE DE SUBJUNTIVO: **sienta, sientas, sienta, sintamos, sintáis, sientan**

IMPERFECTO DE SUBJUNTIVO: **sintiera, sintieras,** *etc.,* or **sintiese, sintieses,** *etc.*

IMPERATIVO: **siente** (tú)

Like **sentir: consentir** *to consent;* **divertirse** *to enjoy oneself;* **preferir** *to prefer;* **sentirse** *to feel*

Dormir (ue, u) *to sleep*

GERUNDIO: **durmiendo**

PRESENTE DE INDICATIVO: **duermo, duermes, duerme,** dormimos, dormís, **duermen**

PRETÉRITO: dormí, dormiste, **durmió,** dormimos, dormisteis, **durmieron**

PRESENTE DE SUBJUNTIVO: **duerma, duermas, duerma, durmamos, durmáis, duerman**

IMPERFECTO DE SUBJUNTIVO: **durmiera, durmieras,** *etc.,* or **durmiese, durmieses,** *etc.*

IMPERATIVO: **duerme** (tú)
Like **dormir: dormirse** *to fall asleep;* **morir** *to die*
The verb **morir** has an irregular past participle: **morir, muerto.**

Pedir (i) *to ask for, to order (something)*

GERUNDIO: **pidiendo**
PRESENTE DE INDICATIVO: **pido, pides, pide,** pedimos, pedís, **piden**
PRETÉRITO: pedí, pediste, **pidió,** pedimos, pedisteis, **pidieron**
PRESENTE DE SUBJUNTIVO: **pida, pidas, pida, pidamos, pidáis, pidan**
IMPERFECTO DE SUBJUNTIVO: **pidiera, pidieras,** *etc.,* or **pidiese, pidieses,** *etc.*
IMPERATIVO: **pide** (tú)
Like **pedir: servir** *to serve*

C. Verbos con cambios ortográficos

Buscar *to look for*

PRETÉRITO: **busqué,** buscaste, buscó, *etc.*
PRESENTE DE SUBJUNTIVO: **busque, busques, busque, busquemos, busquéis, busquen**
Like **buscar; acercarse** *to approach;* **atacar** *to attack;* **colocar** *to place;* **dedicar** *to devote;* **equivocarse** *to be mistaken;* **explicar** *to explain;* **sacar** *to take out;* **tocar** *to play, to touch*

Pagar *to pay*

PRETÉRITO: **pagué,** pagaste, pagó, *etc.*
PRESENTE DE SUBJUNTIVO: **pague, pagues, pague, paguemos, paguéis, paguen**
Like **pagar: apagar** *to put out;* **castigar** *to punish;* **colgar** *to hang;* **entregar** *to hand (over)*; **jugar** (u to ue) *to play;* **juzgar** *to judge;* **llegar** *to arrive;* ***negar*** (ie) *to deny;* **rogar** (ue) *to request, to beg*

Avanzar *to advance*

PRETÉRITO: **avancé,** avanzaste, avanzó, *etc.*
PRESENTE DE SUBJUNTIVO: **avance, avances, avance, avancemos, avancéis, avancen**
Like **avanzar: alcanzar** *to attain, to reach;* **almorzar** (ue) *to eat lunch;* **comenzar** (ie) *to begin;* **cruzar** *to cross;* **empezar** (ie) *to begin;* **gozar** *to enjoy;* **lanzar** *to throw;* **organizar** *to organize*

Coger *to seize, to catch*

PRESENTE DE INDICATIVO: **cojo, coges, coge,** *etc.*
PRESENTE DE SUBJUNTIVO: **coja, cojas, coja, cojamos, cojáis, cojan**
Like **coger: escoger** *to choose;* **proteger** *to protect;* **recoger** *to pick up, to gather*

Dirigir *to direct, to conduct*

PRESENTE DE INDICATIVO: **dirijo,** diriges, dirige, *etc.*
PRESENTE DE SUBJUNTIVO: **dirija, dirijas, dirija, dirijamos, dirijáis, dirijan**
Like **dirigir: corregir** (i) *to correct;* **dirigirse** *to go toward;* **elegir** (i) *to elect;* **exigir** *to require*

Distinguir *to distinguish*

PRESENTE DE INDICATIVO: **distingo,** distingues, distingue, *etc.*
PRESENTE DE SUBJUNTIVO: **distinga, distingas, distinga, distingamos, distingáis, distingan**
Like **distinguir: conseguir** (i) *to obtain;* **perseguir** (i) *to pursue;* **seguir** (i) *to continue, to follow*

Conocer *to know*

PRESENTE DE INDICATIVO: **conozco,** conoces, conoce, *etc.*
PRESENTE DE SUBJUNTIVO: **conozca, conozcas, conozca, conozcamos, conozcáis, conozcan**

Like **conocer**: **agradecer** *to thank (for)*; **aparecer** *to appear;* **crecer** *to grow;* **desaparecer** *to disappear;* **establecer** *to establish;* **merecer** *to deserve;* **nacer** *to be born;* **obedecer** *to obey;* **ofrecer** *to offer;* **parecer** *to seem, to appear;* **permanecer** *to remain;* **pertenecer** *to belong;* **reconocer** *to recognize*

Traducir *to translate*

PRESENTE DE INDICATIVO: **traduzco**, traduces, traduce, *etc.*

PRESENTE DE SUBJUNTIVO: **traduzca, traduzcas, traduzca, traduzcamos, traduzcáis, traduzcan**

PRETÉRITO: **traduje, tradujiste, tradujo, tradujimos, tradujisteis, tradujeron**

IMPERFECTO DE SUBJUNTIVO: **tradujera, tradujeras,** *etc.,* or **tradujese, tradujeses,** *etc.*

Like **traducir**: **conducir** *to lead, to drive;* **producir** *to produce;* **reducir** *to reduce*

Vencer *to conquer*

PRESENTE DE INDICATIVO: **venzo**, vences, vence, *etc.*

PRESENTE DE SUBJUNTIVO: **venza, venzas, venza, venzamos, venzáis, venzan**

Like **vencer**: **convencer** *to convince*

Leer *to read*

GERUNDIO: **leyendo**

PARTICIPIO PASIVO: **leído**

PRETÉRITO: leí, leíste, **leyó**, leímos, leísteis, **leyeron**

IMPERFECTO DE SUBJUNTIVO: **leyera, leyeras,** *etc.,* or **leyese, leyeses,** *etc.*

Like **leer**: **creer** *to believe;* **poseer** *to possess*

Huir *to flee*

GERUNDIO: **huyendo**

PRESENTE DE INDICATIVO: **huyo, huyes, huye,** huimos, huís, **huyen**

PRETÉRITO: huí, huiste, **huyó,** huimos, huisteis, **huyeron**

PRESENTE DE SUBJUNTIVO: **huya, huyas, huya, huyamos, huyáis, huyan**

IMPERFECTO DE SUBJUNTIVO: **huyera, huyeras,** *etc.,* or **huyese, huyeses,** *etc.*

IMPERATIVO: **huye** (tú)

Like **huir: concluir** *to conclude;* **constituir** *to constitute;* **construir** *to build;* **contribuir** *to contribute;* **destruir** *to destroy;* **distribuir** *to distribute;* **incluir** *to include;* **influir** *to influence;* **sustituir** *to substitute*

D. Verbos irregulares

Andar, *to go, to walk*

PRETÉRITO: **anduve, anduviste, anduvo, anduvimos, anduvisteis, anduvieron**

IMPERFECTO DE SUBJUNTIVO: **anduviera, anduvieras,** or **anduviese, anduvieses,** *etc.*

Caer, *to fall*

GERUNDIO: **cayendo**

PARTICIPIO PASIVO: **caído**

PRESENTE DE INDICATIVO: **caigo,** caes, cae, caemos, caéis, caen
PRETÉRITO: caí, caíste, **cayó,** caímos, caísteis, **cayeron**
PRESENTE DE SUBJUNTIVO: **caiga, caigas, caiga, caigamos, caigáis, caigan**
IMPERFECTO DE SUBJUNTIVO: **cayera, cayeras,** *etc.,* or **cayese, cayeses,** *etc.*

Dar *to give*

PRESENTE DE INDICATIVO: **doy,** das, da, damos, dais, dan
PRETÉRITO: **di, diste, dio, dimos, disteis, dieron**
PRESENTE DE SUBJUNTIVO: **dé,** des, **dé,** demos, deis, den
IMPERFECTO DE SUBJUNTIVO: **diera, dieras,** *etc.,* or **diese, dieses,** *etc.*

Decir *to say, to tell*

GERUNDIO: **diciendo**
PARTICIPIO PASIVO: **dicho**
PRESENTE DE INDICATIVO: **digo, dices, dice,** decimos, decís, **dicen**
PRETÉRITO: **dije, dijiste, dijo, dijimos, dijisteis, dijeron**
FUTURO: **diré, dirás, dirá, diremos, diréis, dirán**
CONDICIONAL: **diría, dirías, diría, diríamos, diríais, dirían**
PRESENTE DE SUBJUNTIVO: **diga, digas, diga, digamos, digáis, digan**
IMPERFECTO DE SUBJUNTIVO: **dijera, dijeras,** *etc.,* or **dijese, dijeses,** *etc.*
IMPERATIVO: **di** (tú)

Estar *to be*

PRESENTE DE INDICATIVO: **estoy, estás, está,** estamos, estáis, **están**
PRETÉRITO: **estuve, estuviste, estuvo, estuvimos, estuvisteis, estuvieron**
PRESENTE DE SUBJUNTIVO: **esté, estés, esté,** estemos, estéis, **estén**
IMPERFECTO DE SUBJUNTIVO: **estuviera, estuvieras,** *etc.,* or **estuviese, estuvieses,** *etc.*
IMPERATIVO: **está** (tú)

Haber *to have*

PRESENTE DE INDICATIVO: **he, has, ha, hemos,** habéis, **han**
PRETÉRITO: **hube, hubiste, hubo, hubimos, hubisteis, hubieron**
FUTURO: **habré, habrás, habrá, habremos, habréis, habrán**
CONDICIONAL: **habría, habrías, habría, habríamos, habríais, habrían**
PRESENTE DE SUBJUNTIVO: **haya, hayas, haya, hayamos, hayáis, hayan**
IMPERFECTO DE SUBJUNTIVO: **hubiera, hubieras,** *etc.,* or **hubiese, hubieses,** *etc.*
IMPERATIVO: **he** (tú)

Hacer, *to do, to make*

PARTICIPIO PASIVO: **hecho**
PRESENTE DE INDICATIVO: **hago,** haces, hace, hacemos, hacéis, hacen
PRETÉRITO: **hice, hiciste, hizo, hicimos, hicisteis, hicieron**
FUTURO: **haré, harás, hará, haremos, haréis, harán**
CONDICIONAL: **haría, harías, haría, haríamos, haríais, harían**
PRESENTE DE SUBJUNTIVO: **haga, hagas, haga, hagamos, hagáis, hagan**
IMPERFECTO DE SUBJUNTIVO: **hiciera, hicieras,** *etc.,* or **hiciese, hicieses,** *etc.*
IMPERATIVO: **haz** (tú)

Ir *to go*

GERUNDIO: **yendo**
PRESENTE DE INDICATIVO: **voy, vas, va, vamos, vais, van**
IMPERFECTO: **iba, ibas, iba, íbamos, ibais, iban**
PRETÉRITO: **fui, fuiste, fue, fuimos, fuisteis, fueron**
PRESENTE DE SUBJUNTIVO: **vaya, vayas, vaya, vayamos, vayáis, vayan**
IMPERFECTO DE SUBJUNTIVO: **fuera, fueras,** *etc.,* or **fuese, fueses,** *etc.*
IMPERATIVO: **ve** (tú)

Oír *to hear*

GERUNDIO: **oyendo**
PARTICIPIO PASIVO: **oído**
PRESENTE DE INDICATIVO: **oigo, oyes, oye,** oímos, oís, **oyen**
PRETÉRITO: oí, oíste, **oyó,** oímos, oísteis, **oyeron**
PRESENTE DE SUBJUNTIVO: **oiga, oigas, oiga, oigamos, oigáis, oigan**
IMPERFECTO DE SUBJUNTIVO: **oyera, oyeras,** *etc.,* or **oyese, oyeses,** *etc.*
IMPERATIVO: **oye** (tú)

Poder, *to be able, can*

GERUNDIO: **pudiendo**
PRESENTE DE INDICATIVO: **puedo, puedes, puede,** podemos, podéis, **pueden**
PRETÉRITO: **pude, pudiste, pudo, pudimos, pudisteis, pudieron**
FUTURO: **podré, podrás, podrá, podremos, podréis, podrán**
CONDICIONAL: **podría, podrías, podría, podríamos, podríais, podrían**
PRESENTE DE SUBJUNTIVO: **pueda, puedas, pueda,** podamos, podáis, **puedan**
IMPERFECTO DE SUBJUNTIVO: **pudiera, pudieras,** *etc.,* or **pudiese, pudieses,** *etc.*
IMPERATIVO: **puede** (tú)

Poner *to put, place*

PARTICIPIO PASIVO: **puesto**
PRESENTE DE INDICATIVO: **pongo,** pones, pone, ponemos, ponéis, ponen
PRETÉRITO: **puse, pusiste, puso, pusimos, pusisteis, pusieron**
FUTURO: **pondré, pondrás, pondrá, pondremos, pondréis, pondrán**
CONDICIONAL: **pondría, pondrías, pondría, pondríamos, pondríais, pondrían**

PRESENTE DE SUBJUNTIVO: **ponga, pongas, ponga, pongamos, pongáis, pongan**

IMPERFECTO DE SUBJUNTIVO: **pusiera, pusieras,** *etc.,* or **pusiese, pusieses,** *etc.*

IMPERATIVO: **pon** (tú)

Querer *to want*

PRESENTE DE INDICATIVO: **quiero, quieres, quiere,** queremos, queréis, **quieren**

PRETÉRITO: **quise, quisiste, quiso, quisimos, quisisteis, quisieron**

FUTURO: **querré, querrás, querrá, querremos, querréis, querrán**

CONDICIONAL: **querría, querrías, querría, querríamos, querríais, querrían**

PRESENTE DE SUBJUNTIVO: **quiera, quieras, quiera,** queramos, queráis, **quieran**

IMPERFECTO DE SUBJUNTIVO: **quisiera, quisieras,** *etc.,* or **quisiese, quisieses,** *etc.*

IMPERATIVO: **quiere** (tú)

Saber *to know*

PRESENTE DE INDICATIVO: **sé,** sabes, sabe, sabemos, sabéis, saben

PRETÉRITO: **supe, supiste, supo, supimos, supisteis, supieron**

FUTURO: **sabré, sabrás, sabrá, sabremos, sabréis, sabrán**

CONDICIONAL: **sabría, sabrías, sabría, sabríamos, sabríais, sabrían**

PRESENTE DE SUBJUNTIVO: **sepa, sepas, sepa, sepamos, sepáis, sepan**

IMPERFECTO DE SUBJUNTIVO: **supiera, supieras,** *etc.,* or **supiese, supieses,** *etc.*

Salir *to leave, to go out*

PRESENTE DE INDICATIVO: **salgo,** sales, sale, salimos, salís, salen

FUTURO: **saldré, saldrás, saldrá, saldremos, saldréis, saldrán**

CONDICIONAL: **saldría, saldrías, saldría, saldríamos, saldríais, saldrían**

PRESENTE DE SUBJUNTIVO: **salga, salgas, salga, salgamos, salgáis, salgan**

IMPERATIVO: **sal** (tú)

Ser *to be*

PRESENTE DE INDICATIVO: **soy, eres, es, somos, sois, son**

IMPERFECTO: **era, eras, era, éramos, erais, eran**

PRETÉRITO: **fui, fuiste, fue, fuimos, fuisteis, fueron**

PRESENTE DE SUBJUNTIVO: **sea, seas, sea, seamos, seáis, sean**

IMPERFECTO DE SUBJUNTIVO: **fuera, fueras,** *etc.,* or **fuese, fueses,** *etc.*

IMPERATIVO: **sé** (tú)

Tener *to have*

PRESENTE DE INDICATIVO: **tengo, tienes, tiene,** tenemos, tenéis, **tienen**

PRETÉRITO: **tuve, tuviste, tuvo, tuvimos, tuvisteis, tuvieron**

FUTURO: **tendré, tendrás, tendrá, tendremos, tendréis, tendrán**

CONDICIONAL: **tendría, tendrías, tendría, tendríamos, tendríais, tendrían**

PRESENTE DE SUBJUNTIVO: **tenga, tengas, tenga, tengamos, tengáis, tengan**

IMPERFECTO DE SUBJUNTIVO: **tuviera, tuvieras,** *etc.,* or **tuviese, tuvieses,** *etc.*

IMPERATIVO: **ten** (tú)

Traer *to bring*

GERUNDIO: **trayendo**

PARTICIPIO PASIVO: **traído**

PRESENTE DE INDICATIVO: **traigo,** traes, trae, traemos, traéis, traen

PRETÉRITO: **traje, trajiste, trajo, trajimos, trajisteis, trajeron**

PRESENTE DE SUBJUNTIVO: **traiga, traigas, traiga, traigamos, traigáis, traigan**

IMPERFECTO DE SUBJUNTIVO: **trajera, trajeras,** *etc.,* or **trajese, trajeses,** *etc.*

Valer, *to be worth*

PRESENTE DE INDICATIVO: **valgo,** vales, vale, valemos, valéis, valen

FUTURO: **valdré, valdrás, valdrá, valdremos, valdréis, valdrán**

CONDICIONAL: **valdría, valdrías, valdría, valdríamos, valdríais, valdrían**

PRESENTE DE SUBJUNTIVO: **valga, valgas, valga, valgamos, valgáis, valgan**

IMPERATIVO: **val** (or **vale**) (tú)

Venir *to come*

GERUNDIO: **viniendo**

PRESENTE DE INDICATIVO: **vengo, vienes, viene,** venimos, venís, **vienen**

PRETÉRITO: **vine, viniste, vino, vinimos, vinisteis, vinieron**

FUTURO: **vendré, vendrás, vendrá, vendremos, vendréis, vendrán**

CONDICIONAL: **vendría, vendrías, vendría, vendríamos, vendríais, vendrían**

PRESENTE DE SUBJUNTIVO: **venga, vengas, venga, vengamos, vengáis, vengan**

IMPERFECTO DE SUBJUNTIVO: **viniera, vinieras,** *etc.,* or **viniese, vinieses,** *etc.*

IMPERATIVO: **ven** (tú)

Ver *to see*

PARTICIPIO PASIVO: **visto**

PRESENTE DE INDICATIVO: **veo,** ves, ve, vemos, veis, ven

IMPERFECTO: **veía, veías, veía, veíamos, veíais, veían**

PRESENTE DE SUBJUNTIVO: **vea, veas, vea, veamos, veáis, vean**

IMPERFECTO DE SUBJUNTIVO: **viera, vieras,** *etc.,* or **viese, vieses**

POESÍA

The following are free translations of the poetry selections contained in the text.

VERSES (page 15)

For a glance, the world;
for a smile, the heavens;
for a kiss... I don't know
what I'd give you for a kiss!

ROMANCILLO (page 60)

The loveliest girl
Of our village
Today a lonely widow
Yesterday a bride to be,
Seeing her love
Go off to war
To her mother says
Who listens to her breaking heart:
Oh let me cry
by the seashore!

MADRIGAL (page 76)

Clear and serene eyes
If you be praised because of your sweet glance,
Why if you look at me, you look annoyed?
If when you look with compassion,
You appear more beautiful to him who gazes upon you.
Don't look at me in anger,
So that you may not seem less beautiful.
    Oh, maddening anguish!
Even though you look at me thus, look at me at least.

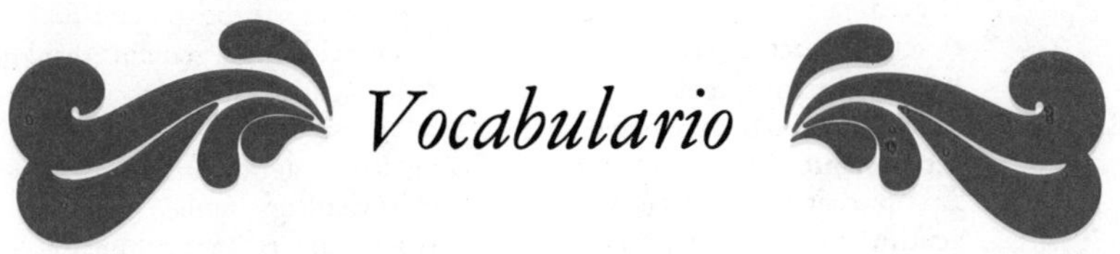

Vocabulario

ESPAÑOL—INGLÉS

A

a to, at, in, on, by
el **abacá** abaca, Manila hemp
abajo below; downstairs
abandonado, -a abandoned
abandonar to abandon
abdicar to abdicate
abierto, -a open, opened
el **abogado** lawyer
abolir to abolish
abreviado, -a shortened
el **abrigo** coat, overcoat
abril April
abrir to open
el **abuelo** grandfather
la **abuela** grandmother
los **abuelos** grandparents
la **abundancia** abundance
abundante abundant
aburrido, -a boring, bored
aburrirse to become bored, grow tired
abusar to abuse
acá here
acabar to end, finish, complete
acabar de to have just
el **accidente** accident
el **aceite** oil
aceptar to accept
acerca de about, concerning
acercarse (a) to approach
acertar (ie) to guess right, hit (the mark)
aclamar to acclaim
aclarar to clarify
acoger to welcome, receive
acometer to attack
acompañar to accompany, go with
aconsejar to advise
acordarse (ue) (de) to remember
acostarse (ue) to go to bed, lie down
acostumbrarse to get accustomed, get used to, be in the habit of
la **actividad** activity
activo, -a active
el **acto** act
el **actor,** la **actriz** actor
actual present, present-day
la **actualidad** the present time
actualmente at present, at the present time, nowadays
acudir to hasten or rush (to a place); to go or come (in response to a call)
el **acueducto** aqueduct
el **acuerdo** agreement
de acuerdo con in accord with
estar de acuerdo to agree
acusar to accuse
adaptado, -a adapted
adecuado, -a adequate, suitable
adelantado, -a advanced
en adelante ahead, onward
además besides, moreover
admirar to admire
admitir to accept, permit, admit
¿adónde? where?
adoptar to adopt
adornar to adorn
el **adorno** ornament, adornment, decoration
adquirir (ie) to acquire
advertir (ie) to warn, advise
aéreo, -a aerial
correo aéreo air mail
el **aeropuerto** airport
la **afectación** affectation, artificial appearance
el **afecto** affection, love
afectuoso, -a affectionate, kind
aficionado:
ser aficionado (-a) a to be fond of, be a fan of
afortunado, -a fortunate, lucky
afuera out, outside
las **afueras** outskirts
agosto August
agotar to exhaust, use up
agradable pleasant, agreeable
agradar to please
agradecer to be grateful for
agradecido, -a grateful, thankful
el **agregado** attaché
la **agresión** agression
agrícola agricultural
el **agricultor** farmer
la **agricultura** agriculture
el **agua** (*f.*) water
el **agua corriente** running water
¡ah! ah!
ahí there
ahora now
ahora mismo right now
ahorrar to save
el **aire** air
aislado, -a isolated
al (a + el) to the, at the
al (llegar) on, upon (arriving)
alabar to praise
el **alambre** wire
alarmarse to become alarmed
el **Albaicín** gypsy quarters in Granada
alcanzar to attain, reach
el **alcázar** fortress, castle
la **alcoba** bedroom
la **aldea** village
el **aldeano** villager
la **aldeana** peasant girl or woman
alegrarse (de) to be glad
alegre joyful, gay, cheerful, happy
la **alegría** joy, gaiety, merriment
alemán, -ana German
Alemania Germany
algo something, somewhat
el **algodón** cotton
alguien someone, somebody, anyone
alguno (algún), -a some
la **Alhambra** Alhambra (Moorish palace in Granada)

el **alimento** food
el **alma** (*f.*) soul
el **almacén** department store
el **almendro** almond tree
el **almirez** metal mortar
la **almohada** pillow, cushion
almorzar (ue) to eat lunch
el **almuerzo** lunch
alrededor de around
alternar to alternate
altivo, -a haughty, proud, arrogant
alto, -a high, tall; loud
la **altura** height
el **alumno,** la **alumna** pupil, student
allá there, over there
allí there
la **amabilidad** kindness
amable kind
amante lover, sweetheart
  ser amante de to be fond of
amar to love
la **ambición** ambition
ambicioso, -a ambitious
ambos, -as both
americano, -a American
el **amigo,** la **amiga** friend
la **amistad** friendship
amistoso, -a friendly
el **amo** master, owner
el **amor** love
analfabeto, -a illiterate
anciano, -a old; el **anciano** old man
anclar to anchor
ancho, -a wide
andaluz, -uza Andalusian
andante:
  caballero andante knight errant
andar to walk, go
los **Andes** Andes Mountains
la **anécdota** anecdote
anecdótico, -a anecdotal
la **animación** animation
animado, -a animated, lively
el **animal** animal
animar to encourage
  animarse to cheer up, feel encouraged
el **ánimo** spirit
el **aniversario** anniversary
anoche last night
ante before, in the presence of
la **antena** antenna
el **antepasado** ancestor
anterior previous
antes (de) before
antiguo, -a old, ancient, former
anunciar to announce
el **anuncio** announcement
añadir to add
el **año** year
el **aparato** appliance
  aparato de televisión television set
aparecer to appear
el **apartamento** apartment
el **apellido** surname
apenas scarcely, hardly
aplicado, -a industrious, applied
apoderarse de to take possession of, seize
el **apóstol** apostle
el **apoyo** aid, support
aprender to learn
apresurarse to hasten, hurry
aprisa quickly, fast
la **aprobación** approval
aprobado, -a passing (grade), average (grade)
apropiado, -a appropriate
aprovechar to take advantage of, profit by
apurado:
  estar apurado to be in a hurry
aquel, aquella that;
  aquellos, -as those
aquél, aquélla that (one);
  aquéllos, -as those (ones)
aquello that
aquí here
  por aquí around here, this way
árabe Arab, Arabic
  el **árabe** Arab
  arabesco, -a Arabian, arabesque
el **arado** plow
arar to plow
araucano, -a Araucanian
el **árbol** tree
el **arca** (*f.*) chest, coffer
el **arco** bow, arch
  arco iris rainbow
la **arena** sand
argentino, -a Argentine
el **arma** (*f.*) arm, weapon
  las **armas** armor, arms
  armas de fuego firearms
la **armada** fleet
armonioso, -a harmonious
el **arqueólogo** archeologist
el **arquitecto** architect
la **arquitectura** architecture
arreglado, -a neat, orderly
el **arrepentimiento** repentance
arrepentirse (ie) to repent
arrojar to throw, hurl
el **arroz** rice
el **arte** art
el (la) **artista** artist
artístico, -a artistic
asado, -a roasted
asesinar to assassinate
el **asesinato** assassination
así thus, so
  así como just as, as well as
el **asiento** seat
la **asignatura** subject (school)
el **asilo** asylum, shelter, refuge
la **asistencia** attendance, assistance, help
asistir (a) to attend
el **asno** donkey
el **aspa** (*f.*) wing of a windmill
el **aspecto** aspect, appearance
la **aspiración** aspiration
la **aspiradora de polvo** vacuum cleaner
aspirar to aspire
la **aspirina** aspirin
la **astilla** chip of wood, splinter
el **astro** heavenly body, star
la **astronomía** astronomy
el **asunto** affair, matter, topic
atacar to attack
el **ataque** attack
la **atención** attention
  con atención attentively
atender (ie) to attend; pay attention to
atentamente attentively

atento, -a attentive, polite
aterrorizar to terrify
la **atmósfera** atmosphere, air
la **atracción** attraction
atractivo, -a attractive
el **atractivo** attractiveness, charm
atraer to attract
atraído, -a attracted
atravesar (ie) to cross
atreverse (a) to dare (to)
atrevido, -a bold, daring
atribuir to attribute, assume
audaz bold, daring
el **aula** (*f.*) classroom
aumentar to increase
aún (aun) still, yet, even
aunque although
austero, -a austere, stern
la **autenticidad** authenticity
el **autobús** bus
automático, -a automatic
el **automóvil** automobile
la **autopista** autobahn, turnpike
el **autor** author
la **autoridad** authority
avanzado, -a advanced
avanzar to advance
la **avaricia** avarice
avaro, -a miserly, stingy
el **avaro** miser
la **avenida** avenue
la **aventura** adventure
el **aventurero** adventurer
el **avión** airplane
avisar to inform, notify, let someone know
¡ay! alas! oh!
ayer yesterday
la **ayuda** help, aid
el **ayudante** assistant
ayudar to help, aid
azteca Aztec
el **azúcar** sugar
azul blue
el **azulejo** glazed tile

B

bailar to dance
el **bailarín**, la **bailarina** dancer
el **baile** dance
la **bajada** descent
bajar to come or go down, descend
bajo under
bajo, -a low, short
el **balcón** balcony
la **banana** banana
el **banano** banana tree
la **banda** band
la **bandera** flag, banner
bañar to bathe
bañarse to take a bath
el **baño** bath
la **barbacoa** barbecue
bárbaro, -a barbarous, savage
el **barco** boat, ship
la **barra** bar (of metal)
la **barrera** barrier
el **barro** clay
basado, -a based
la **base** base
bastante enough, quite
bastante bien quite well
bastar to be enough, suffice
la **batalla** battle
el **bebé** baby
beber to drink
la **bebida** drink, beverage
el **béisbol** baseball
Bélgica Belgium
la **belleza** beauty
bello, -a beautiful
el **beneficio** benefit, kindness
el **beso** kiss
la **bestia** beast
bestia de carga beast of burden
la **Biblia** Bible
la **biblioteca** library
el **bibliotecario**, la **bibliotecaria** librarian
la **bicicleta** bicycle
bien well
el **bien** welfare, benefit
los **bienes** property, possessions
está bien all right
bienvenido, -a welcome
bilingüe bilingual
el **billete** ticket
el **bizcocho** biscuit, cake
blanco, -a white
la **blusa** blouse
la **boda** wedding
el **boleto** ticket
la **bolsa** purse, bag, pocketbook
el **bolsillo** pocket
el **bombero** fireman
la **bondad** kindness, goodness
tenga Ud. la bondad de please
bondadoso, -a kind, good
bonito, -a pretty
el **borracho** drunkard
Los Borrachos *The Drunkards,* painting by Velázquez
botánico:
Jardín Botánico Botanical Garden
la **botella** bottle
brasileño, -a Brazilian
el **brazo** arm
Briareo mythological giant who had 50 heads and 100 arms
brillante brilliant
la **brújula** compass, magnetic needle
bueno (buen), -a good
¡qué bueno! how nice!
burlarse de to make fun of
busca search
en busca de in search of
buscar to look for, seek
el **buzón** mailbox

C

la **caballería** chivalry
el **caballero** gentleman, knight
el **caballo** horse
montar a caballo to ride horseback
la **cabeza** head
el **cacao** cacao (bean from which chocolate is made)
cada each, every
el **cadáver** corpse
la **cadena** chain

caer to fall
caerse to fall down
el **café** coffee
la **cafetería** cafeteria
la **caída** fall
la **caja** box
Cajamarca city in Peru
calcular to calculate
el **calendario** calendar
la **calidad** quality
caliente hot, warm
la **calificación** qualification, grade
el **calor** heat
hacer calor to be warm (weather)
tener calor to be warm (person)
callar (se) to be quiet, keep silent
callado, -a quiet
la **calle** street
la **cama** bed
la **cámara** camera
pintor de cámara court painter
el **camarero** waiter
cambiar to change
cambiar de opinión to change one's mind
el **cambio** change
caminar to walk
el **camino** road
la **camioneta** small truck
la **camisa** shirt
el **campamento** camp, encampment
la **campana** bell
la **campaña** campaign
el **campeador** champion in battle
el **campeonato** championship
el **campesino** farmer, peasant
el **campo** field, country
la **canción** song
el **candidato** candidate
cansado, -a tired
cantar to sing
la **cantidad** quantity
el **canto** song, singing
la **caña** cane, reed
caña de azúcar sugar cane
el **cañón** cannon, canyon
la **capacidad** capacity, extent
capaz capable
la **capital** capital (city)
el **capital** capital (money)
el **capitalista** capitalist
el **capitán** captain
el capítulo chapter
la **cara** face
Caracas capital of Venezuela
el **carácter** character
característico, -a characteristic
caracterizar to characterize
el **caramelo** caramel, candy
el **carbón** coal, charcoal
la **carbonerita** young charcoal vender
la **carcajada** outburst of laughter
reír (i) a carcajadas to laugh out loud
la **carga** load
cargado, -a de loaded with
el **cariño** affection, love
cariñoso, -a affectionate
caritativo, -a charitable
la **carne** meat
el **carnero** sheep
el **carnet** memorandum book; season ticket
el **carnet de conducir** driver's license
caro, -a expensive, dear
el **carpintero** carpenter, joiner
la **carrera** career, profession, race
la **carretera** highway
la **carta** letter; playing card
el **cartaginés** Carthaginian
el **cartero** mailman
la **casa** house, home
a casa home
en casa at home
casado, -a married
el **casamiento** marriage, wedding
casarse (con) to marry, get married
casi almost
el **caso** case
en caso (de que) in case, in case (that)
no hacer caso not to mind, not to pay attention
la **castañuela** castanet
castellano, -a Castilian
el **castellano** Castilian (inhabitant of Castile; Spanish (language)
el **castillo** castle
el **catador de café** coffee sampler
catalán, -ana Catalan, Catalonian
el **catalán** Catalonian (inhabitant of Cataluña); Catalonian (language)
el **catálogo** catalogue
catar to taste, sample
la **catarata** waterfall
la **catedral** cathedral
el **catolicismo** Catholicism
católico, -a Catholic
catorce fourteen
el **caudillo** leader, chief
la **causa** cause
a causa de because of, on account of
causar to cause
cautivar to capture, take prisoner
ceder to cede
celebrar to celebrate
celebrarse to take place
célebre famous
celoso, -a jealous
el **celta** Celt
celtíbero, -a Celtiberian
la **cena** supper
cenar to eat supper
el **centavo** cent
el **centro** center
en el centro in town
ir al centro to go downtown
Centroamérica Central America
cerca (de) near
cercado, -a enclosed
cercano, -a near, nearby
el **cereal** cereal
la **ceremonia** ceremony
la **cereza** cherry
el **cerezo** cherry tree
cerrar (ie) to close
la **certeza** certainty, certitude
el **cerro** hill
cesar to cease, stop

ciego, -a blind
el **cielo** sky, heaven
la **ciencia** science
científico, -a scientific
ciento (cien) one hundred
cierto, -a (a) certain, sure
es cierto it's true
por cierto certainly
cinco five
cincuenta fifty
el **cine** movies
el **cinema** cinema, movie theater
el **circo** circus
el **círculo** circle
en círculo around, in a circle
la **ciruela** plum
el **ciruelo** plum tree
citar to quote, cite
la **ciudad** city
el (la) **ciudadano (-a)** citizen
civil civil
la **civilización** civilization
civilizado, -a civilized
claro, -a clear
¡claro! certainly! sure!
¡claro que sí! of course!
¡claro que no! certainly not! of course not!
la **clase** class, kind
clavar to nail
clavar los ojos to stare, fix one's gaze
el **clima** climate
el **club** club
el **cobarde** coward
cobrar to charge, collect
el **cobre** copper
la **cocina** kitchen
cocinar to cook
el **cocinero,** la **cocinera** cook
el **coche** car, coach, taxi
codicioso, -a greedy, covetous
la **coeducación** coeducation
coger to catch, seize; pick up, gather, take
cojo, -a lame
la **cola** tail
la **colección** collection
colectivo, -a collective, gathered together
el **colegio** school, academy, college
colgar (ue) to hang, hang up
colocar to place
colombiano, -a Colombian
Colón Columbus
la **colonia** colony
colonial colonial
el **colono** settler
colorá *see* **colorado**
colorado, -a red
ponerse colorado to blush
el **colorido** color, coloring
la **columna** column
el **collar** necklace
combatir to fight
la **comedia** comedy, play
el **comedor** dining room
comentar to comment
comenzar (ie) to begin, commence
comer to eat, dine
comercial commercial
el **comerciante** merchant
el **comercio** commerce, trade
cometer to commit
cómico, -a comical, funny
la **comida** meal, dinner, food
el **comienzo** beginning
como as, like, how
¿cómo? how?
la **comodidad** comfort, convenience
cómodo, -a comfortable
el **compañero,** la **compañera** companion
la **compañía** company
comparable comparable
comparar to compare
el **compatriota** fellow countryman
completamente completely
completar to complete
completo, -a complete
complicado, -a complicated
componer to compose; to fix, repair
la **composición** composition
el **compositor** composer
la **compra** purchase
ir de compras to go shopping
el **comprador** buyer, purchaser, shopper
comprar to buy
comprender to understand
comprometerse to become involved
común common
comunal communal, common
comunicarse con to be in touch with, communicate with
la **comunidad** community
con with
conceder to grant
concentrado, -a concentrated
el **concepto** concept
concertar (ie) to arrange
el **concierto** concert
concluir to conclude, finish
la **conclusión** conclusion
concordar (ue) to agree
concurrido, -a crowded, well-attended
el **concurso** contest, competition
el **conde** count
condenar to condemn
la **condesa** countess
la **condición** condition
conducir to lead, conduct, drive
confesar (ie) to confess
la **confianza** confidence
confiscar to confiscate
el **conflicto** conflict
conformarse to conform, adjust
la **conformidad** agreement, conformity
confundir to confuse, jumble
confundirse to be bewildered, mixed up
la **confusión** confusion
confuso, -a confused
congelado, -a frozen
el **conjunto** whole, ensemble, set, entirety
conjunto, -a contiguous, connected
conmemorar to commemorate

conmigo with me
conmover (ue) to move, be moved
conocer to know, be acquainted with
conocido, -a known
el **conocimiento** knowledge
la **conquista** conquest
el **conquistador** conqueror
conquistar to conquer
la **consecuencia** consequence
por consecuencia de as a consequence of
conseguir (i) to get, obtain, attain
el **consejero** counselor
el **consejo** advice
consentir (ie) en to consent to
conservar to keep, preserve
considerar to consider
la **consigna** checkroom
consigo with oneself, himself (herself, yourself, themselves)
consiguiente:
por consiguiente consequently
consistir en to consist of
consolar (ue) to console
la **conspiración** conspiracy, plot
el **conspirador** conspirator, plotter
conspirar to conspire, plot
constante constant
la **constitución** constitution
constituir to constitute
la **construcción** building, construction
construir to construct, build
el **consuelo** consolation
el **cónsul** consul
el **consulado** consulate
la **consulta** consultation
consultar to consult
la **contaminación** contamination, pollution
contar (ue) to count, relate, tell,
contar con count on, depend on
contemplar to view, look upon, contemplate
contemporáneo, -a contemporary
contener to contain
contentar to satisfy, please
contentarse to be contented, satisfied
contento, -a happy, glad
la **contestación** answer
contestar to answer, reply
contigo with you
el **continente** continent
continuar to continue
contra against
contradecir to contradict
contrario, -a contrary, opposite
ser contrario a to be opposed to
el **contraste** contrast
contribuir to contribute
convencer to convince
convenir en to agree to
el **convento** convent
la **conversación** conversation
conversar to converse, talk together
convertir (ie) to convert, change
la **copla** couplet, song
el **copo** flake
copo de nieve snowflake
el **corazón** heart
la **corbata** necktie
cordial cordial
la **cordillera** mountain range
coronar to crown
correcto, -a correct
el **corredor** corridor, hall
corregir (i) to correct
el **correo** mail, post office
correr to run
correr el camino to go over the road
la **correspondencia** correspondence
correspondiente corresponding
la **corrida (de toros)** bullfight
corriente current, ordinary
cortar to cut
la **corte** court
cortés courteous
el **cortesano** courtier
la **cortesía** courtesy
corto, -a short
la **cosa** thing
la **cosecha** harvest, crop
coser to sew
cosmopolita cosmopolitan
la **costa** coast
costar (ue) to cost
costoso, -a costly, expensive
la **costumbre** custom
de costumbre usual, usually
el **cotón** cotton
crecer to grow, increase
el **crecimiento** growth, increase
el **crédito** credit
a crédito on credit
creer to believe, think
¡ya lo creo! yes, indeed! yes, of course! I should say so!
Creta Crete
la **criada** maid, servant
la **criatura** creature
el **criollo** Spaniard born in Latin America; Creole
la **crisis** crisis
el **cristal** glass
cristiano, -a Christian
Cristo Christ
antes de Cristo B.C.
la **crítica** criticism
criticar to criticize
la **crónica** chronicle
el **crucero** transept
el **crucigrama** crossword
cruel cruel
la **crueldad** cruelty
la **cruz** cross
cruzar to cross
el **cuaderno** notebook
el **cuadro** picture, scene, square
el **cuadro de honor** honor roll
cual which
el cual which, who, whom
¿cuál? which? which one? what?
¿cuáles? which? which ones?
la **cualidad** quality
cualquier (-a) any
cuando when
¿cuándo? when?
cuanto:
en cuanto as soon as
en cuanto a as for, as regards
¿cuánto, -a? how much?
¿cuántos, -as? how many?

cuarenta forty
cuarto, -a fourth
el **cuarto** room
cuarto de estar living room
cuatro four
cubano, -a Cuban
cubierto, -a (de) covered, covered (with)
cubrir to cover
la **cuenta** bill, check, account
el **cuento** story
el **cuero** leather
el **cuerpo** body
la **cuestión** question
la **cueva** cave
el **cuidado** care
con cuidado carefully
tener cuidado to be careful
cuidadosamente carefully
cuidar (a) to take care (of)
la **culpa** fault, blame
culpar to blame, accuse
cultivar to cultivate, grow
el **cultivo** cultivation
culto, -a cultured
la **cultura** culture
cultural cultural
la **cumbre** summit, top
el **cumpleaños** birthday
el **cumplimiento** fulfillment
cumplir to fulfill, keep (a promise)
cumplir...años to reach the age of, to be...years old
el **cuplé** ballad, cabaret song
el cura priest
la **curación** cure
curar to cure
curioso, -a curious
la **curiosidad** curiosity
cursado, -a experienced, versed
el **curso** course
cuyo, -a whose
el **Cuzco** city in Peru; former capital of the Inca empire

CH

la **chaqueta** jacket
charlar to chat
el **chasqui** Indian courier or messenger
el **cheque** check
chico, -a small, little
el **chico**, la **chica** youngster
chileno, -a Chilean
la **chimenea** chimney, fireplace
chino, -a Chinese
el **chiste** joke
el **chocolate** chocolate
la **choza** hut
los **churros** fritters shaped like cucumbers

D

la **dama** lady, bridesmaid
el **daño** damage, hurt, harm
dar to give (p.p **dado**)
dar la hora to strike the hour
dar un paseo to take a walk, ride, or drive
dar voces to shout
el **dátil** date (fruit)
de of, from; about, concerning
de que of which
debajo de under
deber to owe; to have to, must, or ought to
débil weak
la **decadencia** decadence, decline
decaer to decline, decay
decidir to decide
décimo, -a tenth
decir to say, tell
es decir that is to say
querer decir to mean
¡no me diga! you don't say!
la **decisión** decision
decisivo, -a decisive
la **declaración** declaration, interpretation
declarar to declare
declinar to decline, decay
la **decoración** decoration, ornamentation
dedicar to dedicate, devote
el **defecto** defect, fault
defender (ie) to defend
la **defensa** defense
dejar to leave, let
dejar de to cease, stop; to fail to
dejar caer to drop
del (de + el) of the, from the
delante de in front of, before
deleitar to please, delight
deleitarse de to delight in
delgado, -a thin, delicate, light
deliberar to deliberate
delicioso, -a delicious, delightful
demandar to demand, ask, request
los **demás** the others, the rest
demasiado too, too much
demostrar (ue) to demonstrate, show
el **dentista** dentist
dentro de within, inside of
dentro de poco in a little while, shortly
el **departamento** department
depender to depend
depender de to depend on
la **dependienta** clerk
el **dependiente** clerk
el **deporte** sport
deportivo, -a sport, sportive
derecho, -a straight, right
a la derecha to the right
el derecho law, right
derivar to derive
derramar to spill, shed, pour
la **derrota** defeat, rout
derrotar to defeat, rout
desagradable disagreeable
desanimado, -a discouraged
desaparecer to disappear
desarrollar to develop
el **desarrollo** development
desayunar(se) to eat breakfast
descansar to rest
el **descendiente** descendant
descolgar (ue) to take down
la **desconfianza** suspicious fear; distrust
desconocer to be unacquainted with, not to know
desconocido, -a unknown

describir to describe
descubierto, -a discovered
el **descubrimiento** discovery
descubrir to discover
desde from, since
desde . . . hasta from . . . to
desde que since, ever since
desear to desire, wish
el **deseo** desire, wish
desesperarse to despair
desfilar to parade, march
el **desfile** parade
la **desgracia** misfortune, disfavor
desgraciadamente unfortunately
desierto, -a deserted
desigual unequal; arduous
la **desilusión** disillusion
desocupar to vacate, empty
el **desorden** disorder, confusion
despacio slowly
el **despacho** office
la **despedida** farewell, leave-taking, departure
despedir (i) to dismiss
despedirse (i) de to take leave of, say goodby to
el **despertador** alarm clock
despertar (ie) to awaken
despertarse (ie) to wake up
el **desprecio** scorn
con desprecio scornfully
después (de) after
destacarse to stand out
el **destello** sparkle, flash
desterrar (ie) to exile
el **destierro** exile
el **destino** destiny, luck, fate
destruir to destroy
el **detalle** detail
el **detective** detective
detener to detain, stop
determinado, -a determinate, bold, firm, daring
determinar to determine
detrás (de) behind, in back (of)
la **devoción** devotion, strong affection
devolver (ue) to return, give back something
devoto, -a devout
el **día** day
todos los días every day
el **dialecto** dialect
el **diálogo** dialogue
el **diamante** diamond
diariamente daily
diario, -a daily
el **diario** (daily) newspaper
el **dibujo** drawing, picture
el **diccionario** dictionary
diciembre December
el **dictador** dictator
la **dictadura** dictatorship
diecinueve nineteen
dieciocho eighteen
dieciséis sixteen
diecisiete seventeen
el **diente** tooth
la **dieta** diet
estar a dieta to be on a diet
diez ten
la **diferencia** difference
diferente different
diferir (ie) to differ, delay, postpone
difícil difficult
la **dificultad** difficulty
la **dignidad** dignity
la **diligencia** diligence, stagecoach
con diligencia diligently
el **dinero** money
Dios God
diplomático, -a diplomatic
la **dirección** direction, address
en dirección de in the direction of
directamente directly
directo, -a direct
el **director,** la **directora** principal, director
dirigir to direct, lead, to manage, address (a letter)
dirigirse a to go toward; to address (a person)
la **disciplina** discipline
el **discípulo** disciple, pupil
el **disco** phonograph record
disculpar(se) to apologize, excuse
el **discurso** speech
la **discusión** discussion
discutir to discuss
diseñar to draw, design, sketch
disimular to pretend
disparar to shoot, fire
dispense Ud. excuse me
disponer to dispose
disponerse a to get ready to
la **disposición** disposition, arrangement
la **disputa** dispute
la **distancia** distance
distinguido, -a distinguished
distinguir to distinguish
distinto, -a different, distinct
la **diversidad** diversity
divertido, -a amusing, entertaining
divertir (ie) to amuse
divertirse (ie) to enjoy oneself, have a good time
dividir to divide
el **doble** double
doce twelve
la **docena** dozen
el **documento** document
el **dólar** dollar
doler (ue) to ache, hurt
el **dolor** pain, sorrow
doméstico, -a domestic
la **dominación** domination
dominar to dominate, rule
el **domingo** Sunday
el **dominio** domain, dominion
don Don (title used before a man's given name)
donde where
¿dónde? where?
doña Doña (title used before a woman's given name)
El Dorado name given to a legendary and fabulously rich country
dormir (ue) to sleep
dormirse (ue) to fall asleep
el **dormitorio** bedroom
dos two
doscientos, -as two hundred
dramático, -a dramatic

el **dramaturgo** dramatist, playwright
la **droga** drug
la **droguería** drug store, hardware
ducho, -a learned, smart
la **duda** doubt
sin duda undoubtedly, no doubt
dudar to doubt
dudoso, -a doubtful
el **duelo** sorrow
el **dueño** owner, master
los **dulces** candy
durante during
durar to last
duro, -a hard

E

e and (before *i* or *hi*)
la **economía** economy
echar to throw
echar de menos to miss
echar al correo to mail
la **edad** age
de más edad older
la **Edad Media** Middle Ages
edificar to build
el **edificio** building
la **educación** education
el **educador** educator
educar to educate
el **efecto** effect
en efecto in fact, as a matter of fact
eficaz efficient
la **ejecución** execution
ejecutar to execute
el **ejemplo** example
por ejemplo for example
el **ejercicio** exercise
el **ejército** army
el the
él he, him
la **elección** election
eléctrico, -a electric, electrical
electrizar to electrify
la **elegancia** elegance
con elegancia elegantly
elegante elegant, stylish
elegir (i) to elect, choose
elemental elementary
elevado, -a high
eliminar to eliminate
ella she, her
ellos, -as they, them
el **embajador** ambassador
embarcar to embark, sail
embellecer to beautify
emigrar to emigrate
la **emoción** emotion, excitement
emocionar(se) to move (be moved)
el **emperador** emperor
la **emperatriz** empress
empezar (ie) to begin
el **empleado**, la **empleada** employee
emplear to employ, use
el **empleo** employment, job, position
emprender to undertake
la **empresa** enterprise, undertaking
en in, on
enamorado, -a in love
enamorarse de to fall in love with
encantado, -a enchanted, delighted
encantar to enchant, charm, to delight
el **encanto** enchantment, charm
encerrar (ie) to lock in, enclose
encima de on top of
por encima de over
encontrar(se) (ue) to meet
encontrarse (ue) con to come upon, come across
el **encuentro** encounter, meeting
el **enemigo** enemy
la **energía** energy
enérgico, -a energetic
enero January
enfermo, -a sick, ill
enfrente de in front of
engañar to deceive, fool
engordar to get fat
enojado, -a angry
enojarse to be angry, displeased
enrolarse to enroll
enseñar to show, teach
el **entendedor** one who understands
entender (ie) to understand
el **entendimiento** understanding
entero, -a entire, whole, complete
enterrado, -a buried
el **entierro** burial
entonces then
la **entrada** entrance, admission, ticket (of admission)
entrar to enter, come in, go in
entre between, among
entregar to hand (over), deliver
el **entrenador** trainer, coach
entretanto meanwhile
entretener to entertain, amuse
la **entrevista** interview
entristecer to be sad
el **entusiasmo** enthusiasm
enviar to send
épico, -a epic
el **epigrama** epigram
el **episodio** episode
la **época** epoch, period, time
equipado, -a equipped
el **equipo** team, equipment
equivalente equivalent
equivaler to be equal, to be equivalent
equivocarse to be mistaken
errante errant, wandering
errar to commit an error, to be mistaken
erróneo, -a erroneous, false, incorrect
la **escalera** stairs
el **escándalo** scandal
escaparse to escape
la **escena** scene
la **esclavitud** slavery
el **esclavo**, la **esclava** slave
escoger to choose, select
escolar school (*adj.*)
esconder to hide
El Escorial monastery near Madrid built by Philip II; it includes a palace, church, and burial place for Spanish kings

escribir to write
  escribir a máquina to type
el **escritor,** la **escritora** writer
el **escritorio** desk
la **escritura** penmanship, handwriting
la **escuadra** squadron, fleet
escuchar to listen (to)
el **escudero** squire
el **escudo** coat of arms
la **escuela** school
la **escultura** sculpture
ese, esa that; **esos, -as** those
ése, ésa, that (one); **ésos, -as** those
esencialmente essentially
esforzado, -a courageous, strong, valiant
el **esfuerzo** effort
eso that
  a eso de at about (referring to time)
  por eso therefore, for that reason
el **espacio** space
la **espada** sword
España Spain
español, española Spanish, Spaniard
  el **español** Spanish (language)
especial special
especialmente especially
específicamente specifically
específico, -a specific
el **espectáculo** spectacle
el **espectador** spectator
la **esperanza** hope
esperar to hope, expect; to wait (for)
el **espía** spy
el **espíritu** spirit
espiritual spiritual
el **esplendor** splendor
el **esposo** husband
  la **esposa** wife
la **espuela** spur
  dar de espuelas to spur on
la **espuma** spray, foam
la **esquina** corner
la **estabilidad** stability
estable stable
establecer to establish, found
el **establecimiento** establishment
la **estación** station; season
el **estadio** stadium
el **estado** state
los **Estados Unidos** United States
el **estante** shelf
el **estaño** tin
estar to be
la **estatua** statue
este, esta this; **estos, -as** these
éste, ésta this, this (one), the latter;
  éstos, -as these
el **este** east
el **estilo** style
estimado, -a esteemed
esto this
el **estómago** stomach
estrecho, -a narrow, close
el **estrecho** strait
la **estrella** star
estricto, -a strict
el **estudiante** student
estudiar to study
el **estudio** study, studio
estupendo, -a stupendous, magnificent, marvelous
estúpido, -a stupid
eterno, -a eternal
la **etiqueta** etiquette, formality
Europa Europe
europeo, -a European
evitar to avoid
exacto, -a exact
exagerado, -a exaggerated
el **examen** examination
examinar to examine
excavar to dig, excavate
excelente excellent
la **exclamación** exclamation
la **excursión** excursion, outing
excusarse to excuse oneself, apologize
la **exhibición** exhibition
exigir to require, demand
exilado, -a exiled
existir to exist
el **éxito** success
  tener éxito to be successful
la **expedición** expedition
la **experiencia** experience
explicar to explain
la **exploración** exploration
explorar to explore
la **explosión** explosion
la **explotación** exploitation, development
explotar to exploit, develop
exponer to expose
la **exportación** export
exportar to export
expresar to express
la **expresión** expression
expulsar to expel
extenderse (ie) to extend, spread
extendido, -a extended, widespread
la **extensión** extension
extenso, -a extensive
extranjero, -a foreign
  el **extranjero** foreigner
extrañar to wonder at
extrañarse to be surprised
extraordinario, -a extraordinary

F

la **fábrica** factory
fácil easy
la **facilidad** facility, ease
  con facilidad easily
la **facultad** power, faculty
la **falsedad** falsehood
falso, -a false
la **falta** lack; mistake
  a falta de for lack of
faltar to lack, be missing
  faltar a to miss
  le falta he (she) needs
  les falta (n) they need
la **fama** fame
  tener fama to be famous
la **familia** family
familiar family, familiar
  la vida familiar family life

la **familiaridad** familiarity
famoso, -a famous
la **fantasía** fantasy, imagination
fantástico, -a fantastic
la **fascinación** fascination
fascinar to fascinate
la **fase** phase, aspect
fatigar to tire, fatigue
el **favor** favor
  por favor please
favorito, -a favorite
la **faz** face
la **fazenda** hacienda
la **fe** faith
febrero February
la **fecha** date
la **felicidad** happiness
la **felicitación** congratulation
feliz happy
el **fenicio** Phoenician
feo, -a ugly, homely
la **feria** fair
feroz ferocious, fierce
el **ferrocarril** railroad
fértil fertile
fertilísimo, -a very fertile
la **ficción** fiction
la **fiebre** fever
fiel faithful
la **fiesta** fiesta, party, celebration, holiday
la **figura** figure
figurar to represent
fijarse en to notice
la **fila** row
el **film** film
la **filosofía** philosophy
filosófico, -a philosophical
el **fin** end, purpose
  al fin finally, at last
  el fin de semana weekend
  a fines de at the end of
  poner fin a to put an end to
fino, -a fine; nice; refined
firmar to sign
físico, -a physical
flaco, -a thin, skinny
flamenco, -a Andalusian gypsy (song, dance)
la **flaqueza** thinness, weakness
la **flecha** arrow
la **flor** flower, blossom
la **flota** fleet
la **forma** form, shape
formal formal; serious
formar to form
formidable formidable, tremendous
la **fortaleza** fortress
la **fortuna** fortune; fate
forzar (ue) to force, compel
la **foto** photo, photograph
la **fotografía** photograph
el **fragmento** fragment
francés, -esa French
  el **francés** French (language), Frenchman
la **frase** sentence, phrase
la **frecuencia** frequency
  con frecuencia frequently
frecuentar to frequent
frecuente frequent
frecuentemente frequently
el **frenesí** frenzy, madness
frente:
  frente a in front of, facing
fríamente coldly
frío, -a cold
la **frontera** frontier, boundary
el **frontón** three-walled court on which jai alai is played
la **fruta** fruit
el **fuego** fire
la **fuente** fountain
fuera de away from, outside of
fuerte strong; loud
la **fuerza** force, strength, power
fumar to smoke
la **función** performance
funcionar to function, work, run (said of machines)
fundar to found, establish
el **funicular** funicular
la **furia** fury
furioso, -a furious
fusilar shoot, execute
el **fútbol** football, soccer
futuro, -a future

G

las **gafas** eyeglasses
el **galán** suitor
la **galería** gallery
el **galope** gallop
  a todo el galope at full speed or gallop
la **galleta** biscuit
la **ganadería** cattle raising
el **ganado** cattle
la **ganancia** gain, profit, advantage
ganar to earn; to win
las **ganas:**
  tener ganas de to feel like, want to
la **garantía** guarantee, security
garantizar to guarantee
gastar to spend
el **gasto** expense
el **gato** cat
gauchesco, -a relating to gauchos
el **gaucho** Gaucho (cowboy of Argentina and Uruguay)
el **general** general
  por lo general generally
Generalife palace and gardens near the Alhambra in Granada
generalmente generally
generoso, -a generous
la **generosidad** generosity
el **genio** genius
la **gente** people
la **geografía** geography
geográfico, -a geographic
el **gerente** manager
germánico, -a Germanic
Gibraltar Gibraltar
el **gigante** giant
el **gimnasio** gymnasium
la **Giralda** the Moorish tower of the Cathedral of Seville
la **gloria** glory
glorioso, -a glorious
gobernar (ie) to govern, rule
el **gobierno** government
el **gol** touchdown, goal
el **golpe** blow
  de golpe with a bang; suddenly

gordo, -a fat
gótico, -a Gothic
gozar de to enjoy
la **gracia** charm, wit, grace
las **gracias** thanks
gracias a Dios thank Heaven
el **grado** degree, grade, rank
en alto grado to a great extent
de grado willingly
graduarse to graduate
grande (gran) large, big; great
la **grandeza** greatness, grandeur
el **grano** grain, seed
gratis free
grato, -a graceful, pleasing, pleasant
grave serious, grave
gravemente seriously, gravely
Grecia Greece
el **griego** Greek
gris gray
el **grito** shout, cry
el **grupo** group
el **guante** glove
guapo, -a good-looking, handsome
guardar to keep, protect
el **guardia** guard
la **guerra** war
el **guerrero** warrior, soldier
el (la) **guía** guide
guiar to guide; to drive (a car)
la **guitarra** guitar
gustar to be pleasing
le gusta he (she) likes
el **gusto** pleasure; taste
con mucho gusto gladly

H

haber to have (auxiliary verb)
haber de + *inf.,* to be to, have to, must
había there was, there were
la **habilidad** ability, skill
la **habitación** room
el **habitante** inhabitant
habitar to inhabit, live
habitualmente habitually, customarily
el **habla** (*f.*) speech
de habla española Spanish-speaking
hablar to speak, talk
habrá there will be
hacer to do, make
hacer + *inf.* to have something done
hacer calor (frío) to be warm (cold)
hacer la maleta to pack the suitcase
hacer preguntas to ask questions
hace (un año) (a year) ago
hacerse to become
se hace tarde it's getting late
hacia toward
la **hacienda** country estate, large farm
hallar to find
hallarse to be, be found
el **hambre** (*f.*) hunger
hasta until; even
hasta la vista goodby, until I see you again
hasta luego see you later
hasta mañana see you tomorrow
hay there is, there are
hay que + *inf.* one must; whether
hay de todo there is a little of everything
la **hazaña** deed
hechizar to bewitch, enchant
el **hecho** fact
hecho, -a made
la **hembra** female
heredar to inherit
herir (ie) to wound, hurt, harm
el **hermanito** little brother
el **hermano** brother
la **hermana** sister
los **hermanos** brother(s) and sister(s)
hermosísimo, -a very beautiful
hermoso, -a beautiful, handsome
la **hermosura** beauty
el **héroe** hero
la **herramienta** tool
el **hidalgo** nobleman
la **hierba** grass
el **hierro** iron
el **hijo** son
la **hija** daughter
los **hijos** children
Las Hilanderas *The Spinners,* painting by Velázquez
el **hilo** string, thread
el **hipódromo** hippodrome, race track
hispánico, -a Hispanic
Hispanoamérica Spanish America
hispanoamericano, -a Spanish American
histérico, -a hysterical
la **historia** history, story
histórico, -a historic, historical
el **hogar** home
la **hoja** leaf
la **hojalata** tin plate
¡hola! hello!
Holanda Holland
holandés, -esa Dutch
el **hombre** man
el **honor** honor, reputation
honrado, -a honest, honorable
la **hora** hour
¿a qué hora? at what time?
horizontal horizontal
la **hormiga** ant
el **hospital** hospital
el **hotel** hotel
hoy today
hoy día nowadays, today
hubo there was, there were
el **huertano** inhabitant of the Huerta region in Valencia
el **huésped** guest, host
huir to flee
la **humanidad** humanity
humano, -a human
humilde humble
el **humor** humor

I

ibérico, -a Iberian
el **ibero** Iberian
la **idea** idea
el **ideal** ideal
idealizar to idealize

la **identidad** identity
el **idioma** language
el **ídolo** idol
la **iglesia** church
ignorante ignorant, unknowing
ignorar not to know, be ignorant of
igual similar, equal
  ser igual que to be the same as, just as
igualar to equal
la **igualdad** equality
igualmente likewise, similarly
iluminado, -a illuminated
la **ilusión** illusion
ilustre illustrious
la **imagen** image
la **imaginación** imagination
imaginar(se) to imagine
la **imitación** imitation
imitar to imitate
impaciente impatient
impedir (i) to prevent
el **imperio** empire
implícito, -a implied
imponente imposing
la **importancia** importance
importante important
importar to import; to be important
  no importa it doesn't matter
imposible impossible
la **impresión** impression
impresionante impressive
impresionar to impress
imprevisto, -a unexpected, unforeseen
improvisar to improvise
el **inca** Inca
incaico, -a Incan, pertaining to the Incas
el **incendio** fire
  simulacro de incendio fire drill
inclinarse to incline, bend
incluir to include, comprise
increíble unbelievable, incredible
la **independencia** independence
independiente independent
la **indicación** indication
indicar to indicate
la **indiferencia** indifference
indígena native
la **indignación** indignation
el **indio** Indian
indispensable indispensable
el **individuo** individual
indulgente indulgent, lenient
industrioso, -a industrious
la **infancia** infancy
  el **infante** royal prince of Spain, except the heir to the throne
infantil infantile, childlike
infatigable indefatigable, tireless
infeliz unhappy
la **influencia** influence
influir (en) to influence
la **información** information
informar to inform
el **informe** information
el ingeniero engineer
Inglaterra England
inglés, -esa English
  el **inglés** English (language), Englishman
ingrato, -a ungrateful
ingresar to enroll, enter
inherente inherent
iniciar to initiate, begin
la **injusticia** injustice
inmediatamente immediately
inmenso, -a immense, huge
el **inmigrante** immigrant
inmortal immortal
la **inocencia** innocence
inocente innocent
inofensivo, -a inoffensive
inquietarse to become uneasy or restless
inscribir (se) to enroll
el **insecto** insect
insistir en to insist on
inspeccionar to inspect
la **inspiración** inspiration
inspirar to inspire
instalarse to settle
instigar to instigate
la **instrucción** instruction
el **instrumento** instrument
intelectual intellectual
inteligente intelligent
la **intención** intention
intenso, -a intense, intensive
el **intercambio** interchange, exchange
el **interés** interest
interesante interesting
interesar to interest
  interesarse por to be interested in
internacional international
interno, -a internal
interoceánico, -a interoceanic
el **intérprete** interpreter
interrogar to question, interrogate
interrumpir to interrupt
intervenir to intervene, take part
íntimo, -a intimate
la **intolerancia** intolerance
introducir to insert
inundar to inundate, flood
inutilizar to render useless, disable
invadir to invade
la **invasión** invasion
invasor, -ra invading
  el **invasor** invader
invencible invincible
inventar to invent
el **invento** invention
el **invierno** winter
la **invitación** invitation
el **invitado** guest
invitar to invite
ir to go
  irse to go away, leave
irregular irregular
irresoluto, -a hesitating
la **irrigación** irrigation
irritado, -a irritated
la **isla** island
el **istmo** isthmus
italiano, -a Italian
izquierda:
  a la izquierda to *or* on the left

J

el **jai alai** jai alai (Basque game of handball)

jamás never, ever
el **jardín** garden
la **jaula** cage
el **jefe** chief
el **jinete** horseman
la **jota** jota (popular dance and tune of Aragón and Valencia)
joven young
el **joven** young man
la **joven** young lady
la **joya** jewel
la **joyería** jewelry shop
el **joyero** jeweler
el **júbilo** joy, glee
el **juego** game
el **jueves** Thursday
el **jugador** player
jugar (ue) to play (a game)
el **jugo** juice
el **juguete** toy
el **juicio** judgment
perder el juicio to lose one's mind
julio July
junio June
juntar to join, attach, connect, unite
junto a next to, beside, near to
juntos, -as together
el **juramento** oath
jurar to swear
la **justicia** justice
justo, -a just
la **juventud** youth
juzgar to judge

K

el **kilómetro** kilometer (about $5/8$ of a mile)

L

la the; her, you, it
el **laboratorio** laboratory
el **labrador** farmer, peasant
el **lado** side
al lado de beside
al lado derecho to the right side
el **ladrillo** brick
el **ladrón** thief
el **lago** lake
la **lágrima** tear
lamentar to lament, regret, mourn
la **lámpara** lamp
la **lanza** lance, spear
lanzar to throw, hurl
lanzarse to rush forward
el **lápiz** pencil
largo, -a long
a lo largo de along
las the; them, you
la **lástima** pity
es lástima it's a pity, it's too bad
lastimarse to hurt oneself
el **latín** Latin (language)
latino, -a Latin
latinoamericano, -a Latin American
el **lavaplatos** dishwasher
lavar to wash
lavarse to wash oneself
le him, you, to him, to her, to you
leal loyal
la **lealtad** loyalty
la **lección** lesson
el **lector** reader
la **lectura** reading
la **leche** milk
leche malteada malted milk
el **lechero** milkman
leer to read
legendario, -a legendary
la **legitimidad** legitimacy, legality
la **legumbre** vegetable
lejano, -a distant, remote
lejos de far from
a lo lejos at *or* in the distance
la **lengua** language, tongue
lentamente slowly
lento, -a slow
el **león** lion
la **leona** lioness
les to them, to you
la **letra** letter (of the alphabet); words (of a song)
levantarse to get up, stand up
la **ley** law
la **leyenda** legend
la **libertad** liberty
poner en libertad to set free
libertador, -ra liberating
el **libertador** liberator
libertar to liberate, free
la **libra** pound
librar to free, preserve, deliver
libre free
la **librería** bookstore
el **libro** book
la **licencia** license
el **líder** leader
la **liga** league
el **limón** lemon
la **limonada** lemonade
el **limonero** lemon tree
limpiar to clean
limpiarse to clean onself
limpiarse los dientes to brush one's teeth
la **limpieza** cleanliness
limpio, -a clean
lindo, -a pretty
la **línea** line
lingüístico, -a linguistic
la **liquidación** sale
listo, -a ready; clever
literario, -a literary
la **literatura** literature
lo it, him, you; the
lo que what, that which
la **locación** location
la **localidad** locality, location
loco, -a crazy
lógico, -a logical
lograr to succeed in
la **lucha** struggle, fight
luchar to fight, struggle
luego then
hasta luego see you later

el **lugar** place
 tener lugar to take place
el **lugarteniente** lieutenant
el **lujo** luxury
 de lujo deluxe
lujoso, -a lavish, luxurious
la **luna** moon
 luna de miel honeymoon
el **lunes** Monday
la **luz** light

LL

la **llama** llama (South American beast of burden)
llamar to call
 llamar la atención to attract attention
 llamarse to be called or named
el **llano** plain
la **llanta** tire
la **llanura** plain
la **llave** key
la **llegada** arrival
llegar to arrive
 llegar a ser to become
llenar to fill
lleno, -a full
 lleno de filled with
llevar to carry, wear
 llevar a cabo to carry out
 llevarse bien to get along well
llorar to cry, weep
llover (ue) to rain
la **lluvia** rain
lluvioso, -a rainy

M

el **macho** male, masculine
macho masculine, robust, vigorous
la **madera** wood
la **madre** mother
madrileño, -a from or pertaining to Madrid
la **madrina** godmother
 madrina de boda maid of honor
madrugar to rise early
el **maestro,** la **maestra** teacher
magnífico, -a magnificent
el **maíz** corn
mal badly, poorly
el **mal** evil
malagueño, -a from or pertaining to Málaga
la **maldad** evil
la **maleta** suitcase
malo (mal), -a bad
 estar malo, -a to be sick, ill
maltratar to mistreat, treat badly
maltrecho, -a badly hurt, battered
el **mambo** mambo (Cuban dance)
mandar to order, send
el **mandato** order, command
el **mando** command
manejar to drive
la **manera** manner
 de esa manera thus, in that way
la **manga** sleeve
el **mango** mango (a tropical evergreen tree, sweet fruit)
la **mano** hand
mantener to maintain, support
la **mantequilla** butter
la **manzana** apple
el **manzano** apple tree
mañana tomorrow
la **mañana** morning
 por la mañana in the morning
el **mapa** map
la **máquina** machine
 máquina lavadora washing machine
 escribir a máquina to type
la **maquinaria** machinery
el (la) **mar** sea
la **maravilla** marvel
maravillosamente marvelously
maravilloso, -a marvelous
marcado, -a marked
marcar to mark, designate
la **marcha** march
 marchar hacia to go toward(s)
 marcharse to leave, go away
la **margen** margin, border
el **mármol** marble
el **martes** Tuesday
marzo March
mas but
más more
matar to kill
las **matemáticas** mathematics
la **materia** matter, subject
 materias generales academic subjects
el **matrimonio** marriage
mayo May
mayor older, greater, larger; oldest, greatest, largest
 la **mayor parte de** most of, the majority of
la **mayoría** majority
me me, to me, myself
el **mecánico** mechanic
la **mecanografía** typing
la **medicina** medicine
el **médico** doctor
medida:
 a medida que as
medieval medieval
medio, -a half, middle
 medianoche midnight
 (las dos) y media half past (two)
 en medio de in the midst, in the middle of
 por medio de by means of
los **medios** means
el **mediodía** noon
meditar to meditate
el **Mediterráneo** Mediterranean Sea
mejicano, -a Mexican
Méjico Mexico
mejor better, best
mejorar to better, improve
melancólico, -a melancholy
la **melodía** melody
mencionar to mention
mendicar to beg
Las Meninas painting by Velázquez
menor younger, youngest; lesser, least
menos less, except
 a menos que unless
 al menos at least

por lo menos at least
el **mensaje** message
el **mensajero** messenger
mental mental, intellectual
la **mente** mind, sense, meaning, judgment
la **mentira** lie
el **mercado** market
mercantil mercantile
merced:
Vuestra Merced Your Honor
merecer to deserve, merit
merendar to have a light repast in the afternoon (snack)
el **mérito** merit, worth
el **mes** month
la **mesa** table, desk
la **mesera** waitress
la **meseta** highland, plateau
la **mesita** small table
mestizo, -a of mixed blood
el **metal** metal
meter to put in, insert
meterse to interfere
el **metro** subway
la **metrópoli** metropolis
mexicano, -a Mexican
México Mexico
mezclar(se) to mix, mingle
La Mezquita Moorish mosque in Córdoba
mi, mis my
mí me
el **miedo** fear
tener miedo to be afraid
miedoso, -a afraid, scared
el **miembro** member
mientras while
mientras que while
mientras tanto in the meantime, meanwhile
el **miércoles** Wednesday
mil thousand
el **milagro** miracle
milagroso, -a miraculous, marvelous
miles thousands
militar military
el **militar** soldier
el **millón** million
el **millonario** millionaire
la **mina** mine
el **mineral** mineral
la **minería** mining
mínimo, -a minimum
el **ministerio** ministry
Ministerio de Gobernación Ministry of the Interior
el **minuto** minute
mío, -a my, (of) mine
la **mirada** look, glance
el **mirador** watchtower
mirar to look (at), watch, see
miserable miserable
mísero, -a miserable, wretched
misionero, -a missionary
mismo, -a same; very
él mismo he himself
lo mismo que the same as
sí mismo -a himself, herself, yourself; *pl.* themselves
ahora mismo right now
místico, -a mystic
la **mitad** half, middle
Moctezuma emperor of the Aztecs
la **moda** style
el **modelo** model
modernizar to modernize
modesto, -a modest
el **modo** way, manner, mode
la **molestia** bother, trouble, discomfort
el **molino** mill
molino de viento windmill
el **momento** moment
el **monarca** monarch, king
la **monarquía** monarchy
el **monasterio** monastery
la **moneda** coin, money
mono, -a cute
el **mono** monkey
la **monotonía** monotony, uniformity
la **montaña** mountain
montañoso, -a mountainous
montar to mount, climb
montar a caballo to ride horseback
el **montón** pile, heap, great number
el **monumento** monument
moreno, -a brown, dark, brunette
morir (ue) to die
mosaico, -a mosaic
mostrar (ue) to show
el **motivo** cause, reason
el **motor** motor
mover (ue) to move
movible movable
el **movimiento** movement
la **moza** young girl, maid
moza labradora peasant girl
el **mozo** youth, manservant, waiter, porter
el **muchacho** boy
la **muchacha** girl
mucho, -a much, a great deal
muchos, -as many
el **mueble** piece of furniture
los **muebles** furniture
la **muerte** death
la **muestra** sign, sample
dar muestras de to show signs of
la **mujer** woman, wife
la **multitud** crowd, multitude
mundial world
la **guerra mundial** World War
el **mundo** world
todo el mundo everybody, everyone
el **murmullo** murmur
el **museo** museum
la **música** music
músico, -a musical
el **músico** musician
musulmán, -ana Moorish
el **musulmán** Moor
mutual mutual
muy very

N

nacer to be born
el **nacimiento** birth
la **nación** nation
nada nothing, not . . . anything

nadie no one, nobody, not . . . anyone (anybody)
la **naranja** orange
el **naranjo** orange tree
la **narración** narration
narrativo, -a narrative
natural natural, native
el **naturalista** naturalist
naturalmente naturally
el **navegante** navigator
navegar to sail
la **Navidad** Christmas
el **navío** ship
necesario, -a necessary
la **necesidad** necessity
necesitar to need
negar (ie) to deny
negarse (ie) a to refuse
los **negocios** business
nervioso, -a nervous
neutral neutral
nevado, -a snowy, snowcapped
nevar (ie) to snow
ni . . . ni neither . . . nor
el **nieto** grandson
la **nieta** granddaughter
los **nietos** grandchildren
la **nieve** snow
ninguno (ningún), -a no, none, no one, not . . . any
la **niñez** childhood, infancy
el **niño** little boy, child
la **niña** little girl, child
los **niños** children
el **nivel** level
el **nivel de vida** standard of living
no no, not
el **noble** nobleman
la **nobleza** nobility
la **noche** night
esta noche tonight
el **nombramiento** nomination, appointment
nombrar to name
el **nombre** name
la **norma** guide
nos us, to us, ourselves
nosotros, -as we, us
la **nostalgia** nostalgia, homesickness
la **nota** grade, mark
notable notable, prominent; good (school grade)
notar to notice, note
las **noticias** news
novecientos, -as nine hundred
la **novedad** novelty
tienda de novedades novelty shop
la **novela** novel
el (la) **novelista** novelist
noveno, -a ninth
noventa ninety
noviembre November
el **novio** sweetheart, fiancé, bride groom
la **novia** sweetheart, fiancée, bride
la **nube** cloud
el **núcleo** nucleus
nuestro, -a our, ours
nueve nine
nuevo, -a new
¿qué hay de nuevo? what's new?
el **número** number, numeral
numeroso, -a numerous
nunca never

O

o or **ó** (*between vowels or numerals*) or, either
obedecer to obey
el **objeto** object, purpose
la **obligación** obligation
obligar to compel, force, oblige
obligatorio, -a compulsory
la **obra** work, musical composition
obra maestra masterpiece
el **obrero** worker, laborer
observar to observe, notice
el **obstáculo** obstacle
obtener to obtain
la **ocasión** opportunity, occasion
el **océano** ocean
octavo, -a eighth
octubre October
ocultar(se) to hide
oculto, -a hidden
la **ocupación** occupation
ocupado, -a busy, occupied
ocupar to occupy
ocuparse to occupy oneself with
ocurrir to occur, happen
ochenta eighty
ocho eight
el **oeste** west
ofenderse to be offended
oficial official
la **oficina** office
el **oficio** trade
ofrecer to offer
el **ofrecimiento** offer, offering
la **ofrenda** offering
oír to hear
oír decir que to hear that
¡ojalá! I hope so!
ojalá que I hope that
el **ojo** eye
oliva:
aceite de oliva olive oil
el **olivo** olive tree
olvidar to forget
olvidarse de to forget
el **ombú** large shade tree found on the pampas
omitir to omit
once eleven
la **onza** ounce
la **opinión** opinion
oponer to oppose
la **oportunidad** opportunity
la **oposición** opposition
la **opresión** oppression
oprimido, -a oppressed
opuesto, -a opposite; opposed
la **orden** order
ordenar to order, command
organizar to organize
el **órgano** organ
orgulloso, -a proud
oriental oriental
el **origen** origin
original original, beginning
la **originalidad** originality
el **ornamento** ornament
el **oro** gold

la **orquesta** orchestra
la **orquídea** orchid
os you, to you
osado, -a daring, bold
ostentoso, -a ostentatious, showy
el **otoño** autumn, fall
otro, -a other, another
unos de otros one another

P

la **paciencia** patience
paciente passive, patient
pacífico, -a peaceful, calm, pacific
el **padre** father; priest
los **padres** parents
el **padrino** godfather
padrino de boda best man
pagar to pay
la **página** page
el **país** country
el **paisaje** landscape, scenery
el **pájaro** bird
la **palabra** word
el **palacio** palace
el **palo** stick, timber, log
el **palo brasil** brazilwood
la **pampa** pampas (vast plains of South America)
el **pan** bread
pan dulce sweet roll
pan tostado toast
panameño, -a Panamanian
la **pandereta** tambourine
el **panecillo** roll
el **panorama** panorama
el **papel** paper
el **paquete** package
el **paquetito** small package
el **par** pair
para for; to; in order to
¿para qué? what for? why?
el **paraíso** paradise
paralelo, -a parallel
pardo, -a brown, dark gray
parecer to seem, appear
¿qué le parece(n)...? what do you think (of)...?
a mi parecer in my opinion
parecerse a to resemble, look like
la **pared** wall
la **pareja** couple, pair
el **pariente** relative
el **parque** park
Parque del Retiro famous park in Madrid
la **parte** part
por parte de on behalf of
por ninguna parte nowhere
por todas partes everywhere
el **parte metereológico** weather report
participar to participate
particular particular
nada de particular nothing in particular
el **partido** game, contest
partir to leave, depart; to divide
pasado, -a past
(el año) pasado last (year)
el **pasaporte** passport
pasar to pass; to spend (time); to happen
¿qué pasa? what's the matter?
¡pase Ud.! come in!
el **pasatiempo** pastime, amusement
el **paseo** walk, ride, drive, boulevard
dar un paseo to take a walk, ride, or drive
la **pasión** passion
el **paso** step, footstep
abrir paso to open a passage
el **pastor** shepherd
el **patio** patio
la **patria** native country
el **patriota** patriot
el (la) **patrón (-ona)** patron, protector
el **pedazo** piece
pedir (i) to ask for, order (something)
peinarse to comb one's hair
pelear to fight, quarrel
la **película** movie, film
el **peligro** danger
peligroso, -a dangerous
el **pelo** hair
la **pelota** ball
juego de pelota handball
la **pena** penalty, pain, grief, punishment
valer la pena to be worthwhile
penetrar to penetrate
la **península** peninsula
el **pensamiento** thought
pensar (ie) to think, intend (to)
pensar en to think about
pensar de to think of, have an opinion of
peor worse, worst
pequeño, -a small, little
percibir to perceive
perder (ie) to lose, drop, miss
perder el tiempo to waste time
la **pérdida** loss, damage
el **perdón** pardon
perdonar to pardon
perecer to perish, die
perezoso, -a lazy
perfecto, -a perfect
perfumar to perfume
periódicamente periodically
el **periódico** newspaper
el (la) **periodista** journalist
el **período** period
la **perla** pearl
permanecer to remain
el **permiso** permission
permitir to permit
pero but
perpetuo, -a perpetual
el **perro** dog
perseguir (i) to pursue
la **persona** person
el **personaje** character, person
personal personal
la **personalidad** personality
pertenecer to belong
la **perturbación** perturbation, agitation

el **Perú** Peru
peruano, -a Peruvian
pesado, -a heavy
el **pésame** condolence
pesar to weigh
  a pesar de in spite of
la **pesca** fishing
  ir de pesca to go fishing
el **peso** peso (monetary unit)
la **petición** petition, request
el **petróleo** petroleum
el **pico** peak
el **pie** foot
la **piedra** stone
la **pierna** leg
la **pieza** piece, fragment
la **pila** pile, heap
pintar to paint
el **pintor** painter
  pintor de cámara court painter
pintoresco, -a picturesque
la **pintura** painting
la **piñata** decorated clay or paper container filled with candy, nuts, toys
la **pirámide** pyramid
el **pirata** pirate
el **piropo** compliment
el **piso** floor, story (of a building)
la **pistola** pistol
la **pizarra** blackboard
el **placer** pleasure
el **plan** plan
la **plancha** metallic board, ironing board
la **planicie** plain
la **planta** plant
la **plantación** plantation
plantar to plant
la **plata** silver
la **plataforma** platform
el **plato** plate, dish
la **playa** beach
la **plaza** plaza, public square
el **plazo** time
  a plazo on time, on credit
pluguiese (imperfect subjunctive of **placer,** to please)
la **pluma** pen, feather
el **plumaje** plumage
la **población** population, town
poblado, -a populated, inhabited
pobre poor
la **pobreza** poverty
poco -a little, small, few
  poco a poco little by little
poder (ue) to be able, can
el **poder** power
el **poderío** power
poderoso, -a powerful
el **poema** poem
la **poesía** poetry
el **poeta** poet
la **poetisa** poetess
la **policía** police (force)
  el **policía** policeman
la **política** politics
político, -a political
  el **político** politician
el **polvo** dust, powder
la **pólvora** gunpowder
poner to put, set
  ponerse to become
  ponerse a to begin to
popular popular
la **popularidad** popularity
por by, for, through, per, along
¿por qué? why?
porque because
portugués, -esa Portuguese
  el **portugués** Portuguese (lang.)
el (la) **poseedor (-ra)** possessor
poseer to possess, own
la **posesión** possession
posible possible
posterior later, posterior
el **postre** dessert
postal postal
la **potencia** power
la **práctica** practice
practicar to practice
práctico, -a practical
la **pradera** meadow
el **Prado** museum in Madrid
la **precaución** precaution
preceder to precede, go before
precedido, -a preceded
el **precio** price
el **precipicio** precipice
precipitarse to rush
preciso, -a necessary
preferido, -a preferred, favorite
preferir (ie) to prefer
la **pregunta** question
preguntar to ask
prehistórico, -a prehistoric
preliminar preliminary
el **premio** prize, reward
la **prensa** newspaper, press
preocupado, -a worried
preocuparse por to be worried (concerned) about
preparar to prepare
los **preparativos** preparations
la **presa** prey
la **presencia** presence
presenciar to witness, see
la **presentación** presentation, introduction
presentar to present, introduce
  presentarse to appear
presidencial presidential
el **presidente** president
preso, -a arrested, imprisoned
  quedar preso to be under arrest
el **prestamista** moneylender
prestar to lend
  prestar atención to pay attention
el **pretexto** pretext; motive
primario, -a primary
  escuela primaria elementary school
la **primavera** spring
primero (primer), -a first
primitivo, -a primitive
el (la) **primo** la (-a) cousin
la **princesa** princess
principal principal, main
el **príncipe** prince
el **principio** beginning
  al principio at first
la **prisa** haste
  con prisa quickly
  tener prisa to be in a hurry
la **prisión** prison
el **prisionero** prisoner

privilegiado, -a privileged
el **privilegio** privilege
la **probabilidad** probability, likelihood
probable probable
probar (ue) to prove, test, try
el **problema** problem
proceder to proceed, originate
la **procesión** procession
proclamar to proclaim
prodigioso, -a marvelous, prodigious
producir to produce
el **producto** product
la **proeza** feat, prowess
la **profesión** profession
profesional professional
el **profesor,** la **profesora** teacher, professor
profundamente profoundly, deeply
profundo, -a profound, deep
el **programa** program
progresista progressive
progresivo, -a progressive
el **progreso** progress
prohibir to prohibit
la **promesa** promise
prometer to promise
el (la) **prometido, (-a)** betrothed
pronto soon, promptly, quickly
  de pronto all of a sudden, suddenly
  hasta pronto see you soon
la **propiedad** property
el **propietario** owner, proprietor
propio, -a own
proponer to propose
proporcionar to provide
el **propósito** purpose
  a propósito by the way
la **protección** protection
proteger to protect
la **protesta** protest
el **protestante** Protestant
el **protestantismo** Protestantism
protestar to protest
proverbial proverbial
el **proverbio** proverb
la **provisión** provision
provisto, -a provided
próximo, -a next
  próximo a close to, near
la **proyección** slide
proyectar to project
el **proyecto** plan, project
el **proyector** projector
la **prueba** sample, proof
Prusia Prussia
la **publicación** publication, proclamation
el **pueblecito** small town
el **pueblo** town, people
puede ser it can be
el **puente** bridge
la **puerta** door, gate
el **puerto** port, harbor
pues then, well
puesta:
  la puesta del sol sunset
la **punta** point, tip
la **pupila** pupil (of eye)

Q

que that, which, who, whom
  el que he who, the one which
  es que the fact is that
  la que she who, the one which
  lo que what
  ¿qué? what? what a...! which?
  ¡qué (bonito)! how (pretty)!
quedar(se) to remain, stay
  quedarse con to take, keep
  queda por verlo it remains to be seen
los **quehaceres** chores
quejarse to complain
quemar to burn
la **quena** Indiana flute
querer (ie) to want, wish, desire, love
  querer decir to mean
querido, -a dear, beloved
quien who, whom
  ¿quién? who? whom?
químico, -a chemical
quince fifteen
quinientos, -as five hundred
la **quinina** quinine
el **quino** cinchona tree
quinto, -a fifth
los **quipos** knotted cords used by Peruvian Indians
quisiera I (he) should like
quitar(se) to take off, remove
quizás perhaps

R

la **rabia** rage
el *or* la **radio** radio
la **rama** branch
el **rancho** ranch
rápidamente rapidly
la **rapidez** speed, rapidity
rápido, -a rapid, swift
la **raqueta** racket
raro, -a strange, rare
  raras veces rarely, seldom
el **rastro** trace
el **rato** little while, short time
el **ratón** mouse
la **raza** race
  Día de la Raza Columbus Day
la **razón** reason
  tener razón to be right
  con razón rightly
real royal
la **realidad** reality, truth, fact
el **realismo** realism
realista realistic
realizar to fulfill, perform, accomplish
el **rebaño** flock, herd
rebelar(se) to rebel
la **recepción** reception
recibir to receive
el **recibo** receipt
reciente recent
  recién recently
recoger to gather, collect, pick up
la **recomendación** recommendation
reconocer to recognize
el **reconocimiento** recognition
la **reconquista** reconquest
recordar (ue) to remember, recall

recorrer to travel over, cover (distance)
los **recuerdos** regards
los **recursos** resources, means
la **red** net; network
la **redacción** editing, wording
reducir to reduce
la **referencia** reference
referir (ie) to refer
reflejar to reflect
reflexionar to think, consider
la **reforma** reform
el **refrán** popular saying, proverb
refrescar to refresh, cool
el **refresco** refreshment, soft drink
refugiarse to take refuge
regalar to give as a present or gift
el **regalo** gift, present
la **regata** regatta, boat race
el **regente** regent
la **región** region
regional regional
regir (i) to rule, govern, direct
la **regla** ruler, rule
el **regocijo** rejoicing, merrymaking, joy
regresar to return
regular regular; moderate, fair
la **regularidad** regularity
  con regularidad regularly
la **reina** queen
el **reinado** reign
el **reino** kingdom
reír (i) to laugh
  reírse (i) de to laugh at
la **relación** relation; story, account
relacionarse to be related to
relatar to relate, tell
religioso, -a religious
el **reloj** clock, watch
remoto, -a remote, distant
la **rendición** surrender
La Rendición de Breda *The Surrender of Breda,* painting by Velázquez
reñir (i) to quarrel; to scold
la **renta** rent, rental
repasar to review
el **repaso** review
repente:
  de repente suddenly
la **repetición** repetition
repetir (i) to repeat
el **reportero** reporter
reprender to chide, scold
la **representación** representation
el **representante** representative
representar to represent
requerir (ie) to require
rescatar to save, rescue
reservar to reserve
reservado, -a reserved
el **resfriado** cold
la **resignación** resignation
la **resistencia** resistance
resolver (ue) to resolve, determine, solve (a problem)
respectivamente respectively
el respecto:
  con respecto a with respect to, with regard to
respetar to respect
el **respeto** respect
responder to reply, answer
la **responsabilidad** responsibility
la **respuesta** answer, reply, response
el **restaurante** restaurant
el **resto** rest, remainder
  los **restos** remains
la **restricción** restriction
el **resultado** result, final score
resumir to give a résumé
retener to retain, keep
retirarse to withdraw
retornar to return, come back
el **retratista** portrait painter
el **retrato** portrait, picture
retumbar to resound
la **reunión** meeting
reunirse to meet, get together
revelar to reveal
la **revista** magazine, journal
la **revolución** revolution
el **rey** king
rico, -a rich
ridículo, -a ridiculous
el **riego** irrigation
rigoroso, -a *see* **riguroso**
riguroso, -a rigorous, severe
la **rima** rhyme
  rimas poems
Rimac river in Peru
el **rincón** corner
el **río** river
la **riqueza** wealth, riches
el **rival** rival
rivalizar to rival
robar to rob, steal
rocoso, -a rocky
rodar (ue) to roll
rodeado, -a, de surrounded by
rodear to surround
el **rodeo** rodeo, roundup
rogar (ue) to beg
el **romance** ballad
romano, -a Roman
romper to break, tear
rondar to serenade
la **ropa** clothes, clothing
el **ropero** locker, wardrobe
el **rostro** face
roto, -a broken, torn
rubio, -a blond
el **ruego** request, petition
el **ruido** noise
la **ruina** ruin
la **rumba** rumba (Cuban dance and music)
rumbo:
  con rumbo a bound for, in the direction of
el **rumor** rumor; murmur
rural rural
ruso Russian
la **ruta** route, course, way

S

el **sábado** Saturday
saber to know, know how, find out
sabio, -a wise
  el **sabio** wise man, scholar
el **sabor** taste, flavor
sacar to take out
el **sacerdote** priest
sacrificar to sacrifice

el **sacrificio** sacrifice
el **Sacro Monte** mountain in Granada across from the Alhambra
la **sal** salt
la **sala** living room, hall
el **salario** salary
la **salida** departure, exit
salir to leave, go out
el **salón** salon, meeting room, hall
el **salón de actos** auditorium
salón de fiestas social hall
saltar to jump
saludar to greet
salvaje savage
salvar to save
salvo, -a safe, saved, expected
la **sandalia** sandal
el **sandwich (sándwich)** sandwich
sano, -a healthy
Santiago Saint James, patron saint of Spain
santo (san), -a saint
santo patrono Patron Saint
el **santuario** sanctuary
saquear to plunder, loot
la **sardana** typical dance of Catalonia
satirizar satirize
satisfecho, -a satisfied
se himself, herself, yourself, themselves; each other, one another;
to him, to her, to them, to you
la **secadora** clothes dryer
secar to dry
la **sección** section
la **secretaria** secretary
el **secreto** secret
secundario, -a secondary
la **sed** thirst
tener sed to be thirsty
la **seda** silk
seguido, -a continued
en seguida immediately, at once
seguido, -a de followed by
el (la) **seguidor, (-ra)** follower
seguir (i) to continue, follow
según according to
segundo, -a second
seguramente surely
la **seguridad** security
seguro, -a sure, secure
de seguro que surely
seis six
seleccionar to choose
la **selva** jungle
el **sello** stamp
la **semana** week
semanalmente weekly
semejante similar
el **semestre** semester, term
sencillo, -a simple
la **sensación** sensation
sensible sensitive
sentarse (ie) to sit down
el **sentido** sense
sentimental sentimental
el **sentimiento** sentiment, feeling
sentir (ie) to feel, feel sorry, regret
sentirse (ie) to feel
la **señal** sign, signal, mark
señalar to point out, mark
el **señor** Mr., sir, gentleman
la **señora** Mrs., madam, lady
la **señorita** Miss, young lady
separado, -a separate
separar(se) to separate
septiembre September
séptimo, -a seventh
el **sepulcro** sepulcher, tomb, grave
ser to be
el **ser** being
la **serenidad** serenity
la **serie** series
serio, -a serious
en serio seriously
la **serranilla** popular song of the highlands of Castile
el **servicio** service
servir (i) to serve
servir de to serve as
no sirve para nada he (it) is not good for anything
¿en qué puedo servirle? what can I do for you?
servirse (i) de to use, make use of
sesenta sixty
la **sesión** session, meeting
setenta seventy
setecientos, -as seven hundred
severamente severely
severo, -a severe
sexo sex
sexto, -a sixth
si if, whether
sí yes; himself, herself, yourself, themselves
siciliano, -a Sicilian
siempre always
la **sierra** mountain range
la **siesta** afternoon nap
dormir (ue) la siesta to take a nap
siete seven
el **siglo** century
el **significado** significance
significar to mean
el **signo** sign
siguiente:
el (al) día siguiente (on) the following day
el **silencio** silence
silenciosamente silently
silencioso, -a silent
la **silla** chair
el **sillón** armchair
similar similar
simbolizar to symbolize
la **simiente** seed
simpático, -a nice, charming
simple simple, plain
sin without
sin embargo however, nevertheless
sin que without
sino but
siquiera:
ni siquiera not even
el **sirviente,** la **sirvienta** servant
el **sistema** system
el **sitio** place, spot
poner sitio to lay siege
la **situación** situation, position
situado, -a situated
el **soberano** sovereign
sobre on, upon
sobre todo above all, especially

el **sobre** envelope
sobrentender (sobreentender) (ie) to imply
sobresaliente outstanding; excellent (school grade)
(school grade)
el **sobrino** nephew
la **sobrina** niece
social social
la **sociedad** society
el **socio** member
el **sofá** sofa, couch
el **sol** sun
ponerse (el sol) to set (sun)
solamente only
el **soldado** soldier
solitario, -a solitary
solo, -a alone
sólo only
no sólo . . . sino también not only . . . but also
el **soltero** bachelor
la **soltera** spinster, unmarried woman
la **sombra** shade, shadow
el **sombrero** hat
someter(se) to submit, surrender
sonar (ue) to sound, ring
el **sonido** sound
sonreír (i) to smile
la **sonrisa** smile
soñar (ue) to dream
la **sopa** soup
el **soporte** support
sorprendido, -a surprised
sospechar to suspect
sospechoso, -a suspicious
el **sostén** support, maintenance
sostener to support, maintain
su, sus his, her, your, its, their
la **subida** ascent, elevation
subir to go up, climb
subir a to get on or into (a vehicle)
suceder to happen
el **suceso** event
sucio, -a dirty
Sudamérica South America
el **sueldo** salary
el **suelo** floor, soil
el **sueño** sleep, dream
tener sueño to be sleepy
la **suerte** fate, luck
tener suerte to be lucky
suficiente sufficient
el **sufrimiento** suffering
sufrir to suffer
Suiza Switzerland
la **suma** sum, addition
sumo, -a great, high
superior superior, upper
supersticioso, -a superstitious
suponer to suppose
la **supremacía** supremacy
supremo, -a supreme
supuesto:
¡por supuesto! of course!
el **sur** south
suspirar to sigh
sustentar to sustain, feed
sustituir to substitute
suyo, -a yours, his hers, theirs

T

la **tabla de madera** wooden board
el **tacto** touch, feeling, dexterity
tal such, such a
tal caso such a case
tal como just as
tal vez perhaps
¿qué tal? how are you?
con tal (de) que provided that
el **talento** talent
el **tamaño** size, stature
también also
el **tambor** drum
el **tamborito** rural dance of Panama
tampoco neither, not . . . either
tan so
tan . . . como as . . . as
el **tango** tango (Argentine dance)
tanto, -a so much
tanto como as well as, as much as
tanto por ciento percentage
tantos, -as so many, as many
la **taquigrafía** shorthand
tardar en + *inf.,* to delay in, take long in
tarde late
la **tarde** afternoon
por la tarde in the afternoon
la **tarea** homework, task
la **tarjeta** card
la **taza** cup
te you, to you, yourself
el **té** tea
el **teatro** theater
la **técnica** technique
técnico, -a technical
el **techo** ceiling, roof
la **tela** cloth, fabric
la **tele** T.V.
el **teléfono** telephone
el **telegrama** telegram
la **televisión** television
el **televisor** television set
el **tema** theme, subject
temer to fear
el **temor** fear, dread, apprehension
el **temperamento** temperament
la **tempestad** storm, tempest
el **templo** temple
temprano early
tener to have
tener lugar to take place
tener miedo (de) to be afraid (of)
tener que + *inf.,* to have to, must
el **tenis** tennis
tercero (tercer), -a third
terminar to end, finish
la **ternura** tenderness
el **terrateniente** landowner
la **terraza** terrace
el **terreno** land, ground, soil
el **territorio** territory
la **tertulia** party, social gathering
el **tesorero** treasurer

el **tesoro** treasure
testarudo, -a stubborn, obstinate
textil textile
el **texto** text, textbook
el **tiempo** time; weather; tense
a tiempo on (in) time
mucho tiempo long time
la **tienda** store; tent
tienda de comestibles grocery store
la **tierra** land, ground, earth, soil
el **tigre** tiger
el **timbre** bell (electric)
tímido, -a timid, shy
las **tinieblas** utter darkness, night
la **tinta** ink
el **tío** uncle
la **tía** aunt
el **tipo** type
la **tiranía** tyranny
tirar to throw
titulado, -a entitled
los **titulares** headlines
el **título** title; heading
tocar to touch; to play (an instrument); to ring (a bell)
todavía still, yet
todo everything
todo, -a all, every
todos everybody
todos los días every day
tolerante tolerant
tomar to take; to drink
tonto, -a foolish, stupid
torcer (ue) to turn, twist
el **torero** bullfighter
la **tormenta** storm
tornar to return, turn
el **toro** bull
la **torre** tower
tostado:
pan tostado toast
totalmente totally, completely
el **trabajador** worker, laborer
el **trabajo** work
la **tradición** tradition
tradicional traditional
la **traducción** translation
traducir to translate
traer to bring, carry
el **tráfico** traffic
trágico, -a tragic
el **traje** dress, suit, costume
el **tramo** section
la **tranquilidad** tranquillity
tranquilo, -a tranquil, peaceful
la **transacción** transaction
la **transformación** transformation
transformar to transform
transparentarse to be transparent, shine through
transportar to transport
el **transporte** transportation
el **tranvía** streetcar
trasladar to move
tratar de + *inf.,* to try to; to treat of, deal with
el **trato** treatment
través:
a través de through, across
trece thirteen
treinta thirty
el **tren** train
tres three
la **tribu** tribe
el **tribunal** court
el **tributo** tribute, tax
el **trigo** wheat
la **trilla** threshing
triste sad
la **tristeza** sadness, grief, sorrow
triunfar to triumph
el **triunfo** triumph
el **trono** throne
la **tropa** troop
tropical tropical
tu, tus your
tú you
turco, -a Turkish
el **turco** Turk
el **turista** tourist
turístico, -a tourist
tuyo, -a yours

U

u or (*before* o *or* ho)
últimamente recently, lately
último, -a last, latest
un, una a, an, one
unos, -as some
únicamente only, solely
único, -a only, sole
unificar to unify
la **unión** union
unir to unite, join
unirse to join, unite, combine
universal universal
la **universidad** university
universitario, -a university
uno one
uruguayo, -a Uruguayan
usar to use, wear
el **uso** use
usted, ustedes you
el (la) **usurero (a)** money-lender, usurer
el **utensilio** utensil, instrument
útil useful
utilizar to use, utilize
la **uva** grape

V

la **vaca** cow
las **vacaciones** vacation
dar las vacaciones to go on vacation
vaciar to empty
vacilar to hesitate
vacío, -a empty
vagar to roam
valenciano, -a Valencian
valer to be worth, to cost
valiente brave
la **valentía** valor, courage
con valentía valiantly
valioso, -a valuable
el **valor** value; courage
el **valle** valley
vano, -a vain
en vano in vain
el **vaquero** cowboy
variado, -a varied
la **variedad** variety
varios, -as several, various
el **vasallo** vassal

el **vaso** glass
vasto, -a vast
el **vecino,** la **vecina** neighbor
la **vegetación** vegetation
el **vegetal** vegetable
veinte twenty
la **vejez** old age
la **velocidad** speed
veloz swift
el **vencedor** conqueror
vencer to conquer, overcome, defeat
vender to sell
venerar to venerate
venezolano, -a Venezuelan
venir to come
la **venta** inn
  en venta for sale
la **ventaja** advantage
la **ventana** window
el **ventero** innkeeper
la **ventura** luck, fortune
ver to see
  a ver let's see
el **verano** summer
veras:
  de veras really, truly
el **verbo** verb
la **verdad** truth
  ¿verdad? is that so? isn't it true? aren't you? didn't you? *etc.*
verdadero, -a true, real
verde green
la **vergüenza** shame
el **verso** verse
el **vestido** dress, clothing
vestir(se) (i) to dress, get dressed
la **vez** time
  a la vez at the same time
  a su vez in turn
  de vez en cuando from time to time
  en vez de instead of
  otra vez again
  tal vez perhaps
  una vez once
  a veces at times
  dos veces twice
  raras veces seldom, rarely
  una y otra vez once again
la **vía** road
viajar to travel
el **viaje** trip
  ir de viaje to go on a trip
  hacer un viaje to take a trip
el **viajero** traveler
el **vicepresidente** vice president
el **vicio** vice, bad habit, excess
la **víctima** victim
la **victoria** victory
la **vida** life
  vida familar family life
el **viejecito** little old man
viejo, -a old
el **viernes** Friday
la **vigilancia** vigilance
vigoroso, -a vigorous
vil vile
la **villa** villa, country house, town
la **viña** vine
violento, -a violent
la **violeta** violet
el **violín** violin
la **virgen** virgin
el **virrey** viceroy
la **virtud** virtue
visible visible
el **visigodo** Visigoth
la **visión** vision
la **visita** visit
  estar de visita to be on a visit
visitar to visit
la **vista** view, sight
el **viudo** widower
  la **viuda** widow
¡viva! long live!
vívido, -a vivid, bright
vivir to live
vivo, -a bright, lively, alive
volar (ue) to fly
volcánico, -a volcanic
voltear to turn, revolve
la **voluntad** volition, will
volver (ue) to return (to a place)
  volver a + *inf.* (to do) again
  volverse (ue) to become
vosotros, -as you
el **voto** vote; vow
la **voz** voice
  en voz alta aloud, out loud
  en voz baja in a low voice, softly
  dar voces to shout
la **vuelta** turn, return
  a la vuelta de la esquina around the corner
el **vuelo** flight
vuestro, -a your, yours

Y

y and
ya already, now
  ya lo veremos we shall see
  ya que since
la **yarda** yard (measure)
yo I

Z

la **zapatería** shoestore
el **zapatero** shoemaker, seller of shoes
el **zapato** shoe
la **zona** zone
el **zumo** juice

INGLÉS—ESPAÑOL

A

a un, una
to **abandon** abandonar
able:
to be able poder (ue)
about de, acerca de
at about a eso de
absent ausente
to **accept** aceptar
to **accompany** acompañar
account:
on account of por, a causa de
accustom:
to become accustomed to acostumbrarse a
to be accustomed to soler (ue)
across a través de
to **accuse** acusar
act el acto
actor el actor, la actriz
address la dirección
to address (*a letter*) dirigir; (*a person*) dirigirse a
to **admire** admirar
advanced adelantado, -a
advantage:
to take advantage of aprovechar, aprovecharse de
adventure la aventura
advice el consejo
to **advise** aconsejar
affair el asunto
affection el cariño, el afecto
affectionate cariñoso, -a
afraid:
to be afraid tener miedo, temer
after después de
afternoon la tarde
in the afternoon por (en) la tarde
afterwards después
again otra vez
to do again volver (ue) a + *inf.*
against contra
age la edad
to reach the age of cumplir . . . años
Middle Ages la Edad Media
ago:
(a year) ago hace (un año)
to **agree** estar de acuerdo
to agree to convenir en
agreeable agradable
agreement el acuerdo
agricultural agrícola
agriculture la agricultura
aid la ayuda
to aid ayudar
airmail correo aéreo
airplane el avión, el aeroplano
airport el aeropuerto
alive vivo, -a
all todo, -a; todos, -as; todo el mundo
to **allow** permitir
almond la almendra
almost casi
alone solo, -a
along a lo largo de
already ya
also también
although aunque
always siempre
America la América
North America Norteamérica
South America Sudamérica
Central America Centroamérica
Spanish America Hispanoamérica
Latin America Latinoamérica
American americano, -a; norteamericano, -a
among entre
amusing divertido, -a
an un, una
ancient antiguo, -a; viejo, -a
and y, (*before words beginning with* i *or* hi) e
anecdote la anécdota
angry enojado, -a
to be angry estar enojado, -a
animal el animal
anniversary el aniversario
another otro, -a
answer la respuesta
to answer contestar, responder
any cualquier(a), alguno (algún), -a
not . . . any ninguno (ningún), -a
anybody alguien
not . . . anybody nadie
anyone alguien
not . . . anyone nadie
anything algo
not . . . anything nada
apartment el apartamento
to **appear** aparecer
apple la manzana
appointment la cita, el compromiso
to **approach** acercarse(a)
April abril
architect el arquitecto
Argentina la Argentina
Argentine argentino, -a
arm el brazo; (*weapon*) el arma (*f.*)
armchair el sillón
army el ejército
around alrededor de
around here por aquí
arrival la llegada
to **arrive** llegar

art el arte
article el artículo
artist el (la) artista
as como, tan
  as . . . as tan . . . como
  as much . . . as tanto, -a . . . como
  as many . . . as tantos, -as . . como
  as for en cuanto a
to **ask** preguntar
  ask a question hacer una pregunta
  ask for pedir (i)
  ask about preguntar por
asleep:
  to fall asleep dormirse (ue)
to **astonish** asombrar
at a, en
  at about (two o'clock) a eso de (las dos)
to **attack** atacar
to **attain** alcanzar
to **attend** asistir a
attention la atención
  to pay attention prestar atención
attentively atentamente, con atención
to **attract** atraer
  to attract attention llamar la atención
attractive atractivo, -a
auditorium el salón de actos
August agosto
aunt la tía
author el (la) autor (-a)
automobile el automóvil
autumn el otoño
avenue la avenida
to **avoid** evitar
away:
  to go away irse, marcharse

B

back:
  in back of detrás de
background el fondo
bad malo (mal), -a
  it's too bad es (una) lástima
badly mal
band la banda
bath el baño
  to take a bath bañarse
battle la batalla
bay la bahía
to **be** ser, estar
beach la playa
beautiful bello, -a, hermoso, -a
beauty la belleza
because porque
  because of a causa de
to **become** llegar a ser, hacerse, ponerse, volverse
bed la cama
  to go to bed acostarse (ue)
bedroom el dormitorio, la alcoba, la recámara
before antes (de), antes (de) que
to **beg** rogar (ue)
to **begin** comenzar (ie), empezar (ie) a + *inf.*, ponerse a
behind detrás de
being:
  human being el ser humano
to **believe** creer
bell la campana; (*electric*) el timbre
to **belong** pertenecer
benefit el bien
beside al lado de, junto a
besides además
best mejor
better mejor
  to better mejorar
between entre
bilingual bilingüe
bill la cuenta
birthday el cumpleaños
black negro, -a
blind ciego, -a
blond rubio, -a
blue azul
boat el barco
body el cuerpo
bold atrevido, -a
book el libro
bookstore la librería
boring aburrido, -a
born:
  to be born nacer
both ambos, -as, los (las) dos
to **bother** molestar
bottom el fondo
boulevard el paseo, la avenida
boundary la frontera
box la caja
  mailbox el buzón
boy el muchacho
bracelet la pulsera, el brazalete
branch la rama
brave valiente
Brazil el Brasil
to **break** romper
breakfast el desayuno
  to eat *or* **have breakfast** desayunar(se)
bride la novia
bridegroom el novio
bridge el puente
bright vivo, -a
to **bring** traer, llevar
brother el hermano
brown pardo, -a; moreno, -a; color café
to **build** construir
building el edificio
to **burn** quemar
bus el autobús
business el negocio
businessman hombre de negocios
busy ocupado, -a
but pero, sino (in negative sentences)
  not only . . . but also no sólo . . sino también
butter la mantequilla
to **buy** comprar
by por, en, (*time limit*) para
  by 8:00, 9:00 o'clock, etc. para las ocho, las nueve, etc.
  by tomorrow para mañana

C

cage la jaula
calendar el calendario

to **call** llamar
  to **be called** llamarse
camera la cámara
can (*tin can*) la lata; (*to be able*) poder (ue); (*to know how*) saber
canal el canal
  Canal Zone la Zona del Canal
candy los dulces
capable capaz
capital la capital
captain el capitán
car el coche, el automóvil
card la tarjeta; (*playing*) la carta
  to play cards jugar (ue) a las cartas
cardboard el cartón
care el cuidado
  to take care (of) cuidar (a)
careful:
  to be careful tener cuidado
carefully con cuidado, cuidadosamente
case el caso
  in case (that) en caso (de que)
Castile Castilla
castle el castillo
catalogue el catálogo
to **catch** coger, tomar
cathedral la catedral
Catholic católico, -a
Catholicism el catolicismo
cause el motivo, la causa
cave la cueva
ceiling el techo
to **celebrate** celebrar
cent el centavo
center el centro
century el siglo
certain cierto, -a
certainly por cierto, seguramente
chair la silla
championship el campeonato
to **change** cambiar
character el carácter; el personaje
to **charge** cobrar
to **charm** encantar
charming simpático, -a
to **chat** charlar
cheap barato, -a
check el cheque
checkroom la consigna
chief el jefe, el caudillo, el líder
child el niño, la niña
children los niños
Chile Chile
chocolate el chocolate
to **choose** escoger, elegir (i)
Christian cristiano, -a
Christmas la Navidad
church la iglesia
city la ciudad
class la clase
classroom la sala de clase
clean limpio, -a
  to clean limpiar
clerk el dependiente, la dependienta
clever listo, -a
climate el clima
to **climb** subir
clock el reloj
to **close** cerrar (ie)
closet el armario, el ropero
clothes la ropa
clothes dryer la secadora
clothing la ropa
cloud la nube
club el club
coach el entrenador
coast la costa
coat el abrigo
coffee el café
cold frío, -a
  to be cold (*weather*) hacer frío; (*person*) tener frío
to **collect** coleccionar, recoger
to **comb one's hair** peinarse
to **come** venir
  to come in entrar
  to come up subir
comedy la comedia
comical cómico, -a
command la orden
  to command mandar, ordenar
commerce el comercio
common común
company la compañía
to **compare** comparar
to **complain** quejarse
completely completamente
composition la composición; (*music*) obra
concern:
  to be concerned about preocuparse por
concert el concierto
to **conclude** concluir
to **condemn** condenar
condition la condición
confidence la confianza
to **conquer** conquistar, vencer
conqueror el conquistador
conquest la conquista
to **consent (to)** consentir (ie) (en)
consequently por consiguiente
to **constitute** constituir
constitution la constitución
to **construct** construir
consul el cónsul
to **consult** consultar
to **contain** contener
contemporary contemporáneo, -a
continent el continente
to **continue** continuar, seguir (i)
contrast el contraste
to **contribute** contribuir
to **convert** convertir (ie)
to **convince** convencer
cook el cocinero, la cocinera
  to cook cocinar
corn el maíz
corner el rincón; (*of a street*) la esquina
to **correct** corregir (i)
to **cost** costar (ue), valer
costume el traje
to **count** contar (ue)
country el país, la nación; (*native*) la patria; (*as contrasted with city*) el campo
couple la pareja
course el curso, la asignatura
  of course! ¡claro! ¡por supuesto!
court la corte, el tribunal
cousin el primo, la prima
to **cover** cubrir
  covered with cubierto, -a de

crazy loco, -a
criminal el criminal
to **criticize** criticar
to **cross** atravesar (ie), cruzar
crowd la multitud
cruel cruel
cry el grito
  to cry llorar
to **cultivate** cultivar
culture la cultura
cup la taza
custom la costumbre

D

dance el baile
  to dance bailar
danger el peligro
dangerous peligroso, -a
to **dare (to)** atreverse (a)
daring atrevido, -a
date (*fruit*) el dátil; (*calendar*) la fecha; (*appointment*) la cita
daughter la hija
day el día
to **deal with** tratar de
  a great deal mucho
dear querido, -a; (*expensive*) caro, -a
death la muerte
to **deceive** engañar
December diciembre
to **decide** decidir; decidirse a; resolver (ue)
to **declare** declarar
to **dedicate** dedicar
deep profundo, -a
to **defeat** vencer
to **defend** defender (ie)
to **delay (in)** tardar (en)
delicious delicioso, -a
to **delight** encantar
  I am delighted me encanta(n)
to **demand** exigir
to **deny** negar (ie)
to **depart** irse, partir, salir
departure la salida
to **depend on (upon)** depender de
to **descend** bajar
to **describe** describir
description la descripción
desert el desierto
deserted desierto, -a
to **deserve** merecer
desire el deseo
  to **desire** desear
desk el escritorio, la mesa
to **destroy** destruir
detail el detalle
to **develop** desarrollar
to **devote** dedicar
diamond el diamante
dictator el dictador
to **die** morir (ue)
diet la dieta
  to be on a diet estar a dieta
different diferente, distinto, -a
difficult difícil
difficulty la dificultad
diligent diligente, aplicado, -a
dining room el comedor
diploma el diploma
to **direct** dirigir
dirty sucio, -a
to **disappear** desaparecer
discipline la disciplina
to **discover** descubrir
discovery el descubrimiento
to **discuss** discutir
dishwasher el lavaplatos
dispute la disputa
distance la distancia
  at a distance a lo lejos
to **distinguish** distinguir
distinguished distinguido, -a
to **distribute** distribuir
district el distrito, el barrio
to **divide** dividir
to **do** hacer
doctor el médico, el (la) doctor, (-a)
dog el perro
dollar el dólar, el peso
donkey el burro
don't you? don't they? *etc.* ¿verdad? ¿no es verdad?
door la puerta
doorbell el timbre
doubt la duda
  to doubt dudar
  no doubt sin duda
doubtful dudoso, -a
down:
  to come *or* **go down** bajar
  to sit down sentarse (ie)
downstairs abajo
downtown el centro
dozen la docena
drama el drama
dramatist el dramaturgo
drawing el dibujo
dream el sueño
  to dream (of) soñar (ue) (con)
dress el vestido, el traje
  to dress vestir(se) (i)
drink la bebida
  soft drink el refresco
  to drink beber, tomar
to **drive** manejar, conducir
to **drop** dejar caer
dull aburrido, -a; pesado, -a
during durante
dust el polvo

E

each cada
early temprano
to **earn** ganar
earrings los aretes, los pendientes
earth la tierra
east el este
easily fácilmente, con facilidad
easy fácil
to **eat** comer
  to eat breakfast desayunar(se)
  to eat lunch almorzar (ue)
  to eat supper cenar
economy la economía
to **educate** educar
education la educación
educator el educador
effort el esfuerzo
egg el huevo
eight ocho
  eight hundred ochocientos, -as

eighteen diez y ocho (dieciocho)
eighth octavo, -a
eighty ochenta
either . . . or o . . . o
  not . . . either tampoco
to **elect** elegir (i)
elegant elegante
eleven once
embassy la embajada
emperor el emperador
empire el imperio
to **employ** emplear
employee el empleado
employment el empleo
empty vacío, -a
end el fin
  to end terminar, acabar
  at the end of a fines de
  to put an end to poner fin a
enemy el enemigo
engagement el compromiso
engineer el ingeniero
England Inglaterra
English inglés, -esa
to **enjoy** gozar de
  to enjoy oneself divertirse (ie)
enough bastante
to **enter** entrar (en)
entertaining divertido, -a
entitled titulado, -a
entrance la entrada
envelope el sobre
equal igual
to **escape** escaparse
especially especialmente, sobre todo
to **establish** establecer, fundar
Europe Europa
even aun, hasta
  not even ni siquiera
evening la noche
  in the evening por (en) la noche
event el suceso
ever jamás
every cada, todos los, todas las
everybody todo el mundo
everything todo
everywhere por todas partes
examination el examen
example el ejemplo
  for example por ejemplo
excellent excelente
excitement la emoción
exciting emocionante
to **excuse** perdonar, dispensar
exercise el ejercicio
to **exist** existir
exit la salida
to **expect** esperar
expensive caro, -a
experience la experiencia
to **explain** explicar
to **explore** explorar
to **export** exportar
to **extend** extenderse (ie)
extraordinary extraordinario, -a
eye el ojo
eyeglasses las gafas, los anteojos

F

face la cara
facing frente a
fact el hecho
  in fact en efecto
  as matter of fact en efecto
factory la fábrica
faith la fe
faithful fiel
fall (*season*) el otoño
  to fall caer
  to fall in love with enamorarse de
fame la fama
family la familia
famous famoso, -a, célebre
  to be famous tener fama
fan el aficionado
  to be a fan of ser aficionado, -a a
far lejos
farmer el campesino, el agricultor
fast aprisa; rápido, -a
fat gordo, -a
fate la suerte
father el padre
fault la culpa
favor el favor
favorite favorito, -a, preferido, -a
to **fear** temer, tener miedo
February febrero
to **feel** sentir(se) (ie)
  to feel sorry sentir (ie)
few pocos, -as
fiancé el novio; **fiancée,** la novia
field el campo
fierce feroz
fifteen quince
fifth quinto, -a
fifty cincuenta
fig el higo
fight la lucha
  to fight luchar
to **fill** llenar
  filled with lleno, -a de
film la película
finally al fin, por fin, finalmente
to **find** hallar, encontrar (ue)
fine fino, -a
to **finish** terminar, concluir, acabar
fire el fuego
first primero (primer), -a
  at first al principio
fishing la pesca
  to go fishing ir de pesca
five cinco
  five hundred quinientos, -as
to **flee** huir
floor el suelo; (*story*) el piso
flower la flor
to **fly** volar (ue)
to **follow** seguir (i)
following:
  the following day el (al) día siguiente
fond:
  to be fond of ser aficionado, -a a
to **fool** engañar
foot el pie
football el fútbol
for por, para, durante
to **forbid** prohibir
force la fuerza
  to force obligar, forzar (ue)
foreign extranjero, -a
foreigner el (la) extranjero (-a)

forest el bosque
to **forget** olvidar, olvidarse (de)
to **form** formar
former antiguo, -a
fortunate afortunado, -a
fortune la fortuna
forty cuarenta
to **found** fundar
fountain la fuente
four cuatro
fourteen catorce
fourth cuarto, -a
France Francia
French francés, -esa
free libre, (*of charge*) gratis
  to free libertar
  to set free poner en libertad, librar
friendship la amistad
frequently con frecuencia, frecuentemente
Friday el viernes
friend el amigo, la amiga
from de
  from . . . to desde . . . hasta
front:
  in front of delante de, frente a, enfrente de
fruit la fruta
to **fulfill** cumplir
full lleno, -a
fun:
  to make fun of burlarse de
funny cómico, -a
furious furioso, -a
furniture los muebles

G

game el partido, el juego
  football game partido de fútbol
garden el jardín
to **gather** recoger
gay alegre
general general
  in general por lo general
generally generalmente
generous generoso, -a
generously generosamente
genius el genio
gentle suave
German alemán, -ana
to **get** obtener, conseguir (i)
  to get into *or* **on (a vehicle)** subir a
  to get together reunirse
  to get up levantarse
giant el gigante
gift el regalo
  to give as a gift regalar
girl la muchacha, la niña, la joven
to **give** dar
glad alegre, contento, -a
  to be glad alegrarse de
glad to know you mucho gusto, tanto gusto
gladly con mucho gusto
glass el vaso; el vidrio
glasses (*see* **eyeglasses)**
glove el guante
to **go** ir
  to go in entrar (en)
  to go out salir (de)
  to go away irse, marcharse
  to go toward dirigirse a
  to go down bajar (de)
  to go up subir (a)
  to go to bed acostarse (ue)
God Dios
gold el oro
good bueno (buen), -a
goodby adiós
  to say goodby to despedirse (i) de
good-looking guapo, -a
to **govern** gobernar (ie)
government el gobierno
grade la nota
to **graduate** graduarse
grandchildren los nietos
granddaughter la nieta
grandfather el abuelo
grandmother la abuela
grandparents los abuelos
grandson el nieto
grape la uva
grass la hierba, el césped
grateful agradecido, -a
  to be grateful (for) agradecer
gray gris
great grande (gran)
  a great deal mucho
greatly mucho
green verde
to **greet** saludar
grocery store la tienda de comestibles
ground el terreno, el suelo
to **grow** crecer, cultivar
guest el huésped, el invitado
gymnasium el gimnasio
gypsy el gitano, la gitana

H

habit:
  to be in the habit of soler (ue)
hair el pelo, el cabello
  to comb one's hair peinarse
half medio, -a; la mitad
hall el corredor, el pasillo, la sala
hand la mano
  to hand (over) entregar
handsome guapo, -a
to **hang (up)** colgar (ue)
to **happen** pasar, suceder, ocurrir
happiness la felicidad
happy feliz, contento, -a, alegre
hard duro, -a
hardly apenas
hard-working trabajador, -ora
to **hasten (to)** acudir (a)
hat el sombrero
to **have** tener; haber
  to have breakfast desayunar(se)
  to have (something done) hacer + *inf.*
  to have just acabar de + *inf.*
  to have a good time divertirse (ie)
he él
  he who el que
head la cabeza

to **hear** oír
to hear that oír decir que
to hear about oír hablar de
heart el corazón
heat el calor
heaven el cielo
good heavens! ¡Dios mío!
heavy pesado, -a
hello! ¡hola!
help la ayuda
to help ayudar
her su, sus; la
(to) her le, se
here aquí, acá
hero el héroe
hers el suyo, la suya, los suyos, las suyas
hi (*see* **hello**)
to **hide** esconder
high alto, -a, elevado, -a
high school la escuela superior
highway la carretera
him le, lo
(to) him le, se
his su, sus; el suyo, la suya, los suyos, las suyas
history la historia
holiday el día de fiesta
home la casa, el hogar
at home en casa
(to go) home (ir) a casa
homely feo, -a
homework la tarea
honeymoon la luna de miel
to **hope** esperar
I hope so ojalá, espero que sí
horse el caballo
hospital el hospital
host el huésped
hot caliente
hotel el hotel
hour la hora
house la casa
how? ¿cómo?
how much? ¿cuánto, -a?
how many? ¿cuántos, -as?
how nice! ¡qué bueno!, (bien)
however sin embargo
huge enorme, inmenso, -a
human humano, -a
humor el humor
hundred ciento (cien)
to **hurry** apresurarse
to be in a hurry tener prisa
to **hurt** doler (ue)
to hurt oneself lastimarse
husband el esposo

I

I yo
idea la idea
ideal el ideal
if si
ill enfermo, -a
image la imagen
imagination la imaginación
to **imagine** imaginarse
immediately en seguida, inmediatamente
important importante
impossible imposible
impression la impresión
to **improve** mejorar
in en, de
to **include** incluir
to **increase** crecer, aumentar
indeed:
yes, indeed! ¡ya lo creo!
independence la independencia
Indian indio, -a
industrious aplicado, -a, diligente, trabajador, -ora
inexpensive barato, -a
to **influence** influir (en)
to **inform** avisar
information los informes, la información
inhabitant el habitante
to **inherit** heredar
injustice la injusticia
inside of dentro de
to **insist (on)** insistir (en)
instead of en vez de, en lugar de
intelligent inteligente
to **intend** pensar (ie)
interest el interés
to interest interesar
to be interested in interesarse por
interested interesado, -a
interesting interesante
international internacional
to **interrupt** interrumpir
to **introduce** presentar
to **invade** invadir
invitation la invitación
to **invite** invitar
iron el hierro, (*metal*) la plancha (*appliance*)
island la isla
isthmus el istmo
it lo, la; él, ella
its su, sus

J

Jane Juanita
January enero
jewel la joya
jeweler el (la) joyero (-a)
jewelry la joyería
job el empleo, el puesto, el trabajo
joke el chiste
journalist el (la) periodista
joy la alegría
judge el juez
to judge juzgar
judgment el juicio
juice el jugo, el zumo
orrange juice jugo de naranja
July julio
to **jump** saltar
June junio
jungle la selva
just:
to have just acabar de + *inf.*
just as así como
justice la justicia

K

to **keep** conservar, guardar
to keep (a promise) cumplir
to keep quiet callarse

key la llave
to **kill** matar
kind la clase
to be kind ser amable
kindness la bondad
king el rey
kingdom el reino
kiss el beso
to kiss besar
kitchen la cocina
to **know** saber; (*a person*) conocer
to know how saber + *inf.*
not to know ignorar

L

lack la falta
to lack, be lacking faltar
lady la señora, la mujer, la dama
young lady la joven, la señorita
lake el lago
lamp la lámpara
land la tierra, el terreno
landscape el paisaje
language la lengua, el idioma
large grande
last último, -a, pasado, -a
to last durar
at last por fin
last night anoche
late tarde
it is late es tarde
to be late llegar tarde
to be late in tardar en
later más tarde
see you later hasta luego
latest último, -a
latin el latín
Latin America Latinoamérica, la América Latina
to **laugh** reír (i)
law la ley, el derecho
lawyer el abogado
lazy perezoso, -a
to **lead** conducir, llevar
leader el caudillo, el jefe, el líder
leaf la hoja
to **learn** aprender
least menor, menos
at least por lo menos, al menos
to **leave** salir, irse, marcharse; dejar
to take leave of despedirse (i) de
lecture la conferencia
left:
to the left a la izquierda
leg la pierna
legend la leyenda
lemon el limón
lemonade la limonada
to **lend** prestar
less menos
lesser menor
lesson la lección
to **let** permitir, dejar
let's see! ¡a ver!
let us vamos a + *inf.*
to let someone know avisar
letter la carta la letra (*alphabet*)
liberty la libertad
librarian el (la) bibliotecario(a)
library la biblioteca
lie la mentira
to **lie down** acostarse (ue)
life la vida
light la luz
to light encender (ie)
to **like** gustar
I like me gusta(n)
I (he) should like quisiera
likewise igualmente
lion el león
to **listen (to)** escuchar
literature la literatura
little (*size*) pequeño, -a; (*quantity*) poco
little by little poco a poco
to **live** vivir
long live! ¡viva!
lively animado, -a, vivo, -a
living room la sala
long largo, -a
to **look (at)** mirar
to look for buscar
to look like parecerse a
to **lose** perder (ie)
loud:
out loud en voz alta
Louisiana Luisiana
love el amor, el cariño
to love querer, amar
to be in love with estar enamorado, -a de
to fall in love with enamorarse de
low bajo, -a
loyal leal
luck la suerte
lucky afortunado, -a
to be lucky tener suerte
lunch el almuerzo
to lunch almorzar (ue)

M

magazine la revista
magnificent magnífico, -a
maid la criada
mail el correo
to **mail** echar al correo
mailbox el buzón
mailman el cartero
main principal
to **maintain** mantener
majority la mayoría
to **make** hacer
man el hombre, el señor
young man el joven
manager el gerente
manner el modo, la manera
many muchos, -as
so many tantos, -as
as many . . . as tantos, -as . . . como
how many? ¿cuántos, -as?
marble el mármol
march la marcha
March marzo
mark la nota, la señal
to mark señalar
marriage el matrimonio, el casamiento
to **marry** casarse (con)

marvelous maravilloso, -a
masterpiece la obra maestra
matter el asunto
what's the matter? ¿qué pasa?
what is the matter with you? ¿qué le pasa? ¿qué tiene Ud.?
it doesn't matter no importa
May mayo
Mayan maya
me me, mí
to me me
with me conmigo
meal la comida
to **mean** significar, querer decir
means los medios
meanwhile entretanto, mientras tanto
to **meet** encontrarse (ue); reunirse; conocer
meeting la reunión; el encuentro
melody la melodía
member el socio, el miembro
to **mention** mencionar
merchant el comerciante
merry alegre
message el recado, el mensaje
Mexican mexicano, -a
Mexico México (Méjico)
Mexico City la Ciudad de México
middle medio, -a
in the middle of en medio de
Middle Ages la Edad Media
midnight la medianoche
midst:
in the midst of en medio de
mile la milla
milk la leche
million el millón
mind:
to change one's mind cambiar de opinión
to lose one's mind perder (ie) el juicio
never mind no importa
mine el mío, la mía, los míos, las mías
a friend of mine un (-a) amigo (-a) mío (-a)
to **mingle** mezclar(se)
minute el minuto
miracle el milagro
misfortune la desgracia
to **miss** echar de menos; faltar a
to miss (the train) perder (ie) (el tren)
Miss señorita
Mississippi el Misisipí
mistake la falta, el error
mistaken:
to be mistaken equivocarse
to **mix** mezclar(se)
modern moderno, -a
moment el momento
monarchy la monarquía
monastery el monasterio
Monday el lunes
money el dinero
monkey el mono
month el mes
monument el monumento
moon la luna
more más
moreover además
morning la mañana
in the morning por (en) la mañana
tomorrow morning mañana por la mañana
good morning buenos días
most más
most of la mayor parte de
mother la madre
mountainous montañoso, -a
mouth la boca
to **move** mover (ue)
movie la película
movies el cine
moving emocionante
Mr. señor (Sr.)
Mrs. señora (Sra.)
much mucho, -a
so much tanto, -a
too much demasiado
very much muchísimo
as much . . . as tanto, -a . . . como
music la música
must tener que + *inf.*, deber, deber de
one must hay que + *inf.*
my mi, mis

N

name el nombre
to name nombrar
to be named llamarse
narrow estrecho, -a
nation la nación
national nacional
near cerca (de)
necessary necesario, -a, preciso, -a
necklace el collar
to **need** necesitar, faltar
neighbor el vecino, la vecina
neither tampoco
neither . . . nor ni . . . ni
nephew el sobrino
never nunca, jamás
nevertheless sin embargo
new nuevo, -a
what's new? ¿qué hay de nuevo?
New York Nueva York
news la(s) noticia(s)
newspaper el periódico
next próximo, -a
next day el día siguiente
next to junto a, al lado de
nice simpático, -a
how nice! ¡qué bonito! ¡qué bueno!
niece la sobrina
night la noche
at night por la noche
last night anoche
nine nueve
nine hundred novecientos, -as
nineteen diez y nueve (diecinueve)
nineteen hundred mil novecientos
ninety noventa
ninth noveno, -a
no no
no one nadie, ninguno
noble noble

nobody nadie
noise el ruido
none ninguno, -a
noon el mediodía
nor ni
north el norte
not no
notebook el cuaderno
nothing nada
to **notice** notar, fijarse en
to **notify** avisar
noun el nombre
novel la novela
novelist el (la) novelista
November noviembre
now ahora, ya
  right now ahora mismo
nowadays hoy día
number el número
numerous numeroso, -a
nut la nuez

O

to **obey** obedecer
object el objeto
obstacle el obstáculo
to **obtain** obtener, conseguir (i)
occupation el oficio, el trabajo
ocean el océano
o'clock:
  it is one o'clock es la una
  it is two o'clock son las dos
October octubre
of de
off:
  to take off quitarse
offended:
  to be offended ofenderse
to **offer** ofrecer
office la oficina
often a menudo, muchas veces
oh oh
oil el aceite
O.K. está bien
old viejo, -a; anciano, -a
  to be . . . years old tener . . . años
  how old are you? ¿cuántos años tiene Ud.?
older, oldest mayor
olive la aceituna
on en, sobre
  on (leaving) al (salir)
once una vez
  at once en seguida
one uno (un), -a
  no one nadie
  the one who el que, la que
only sólo, solamente; (*adj.*) único, -a
open abierto, -a
  to open abrir
opportunity la oportunidad
opposite contrario, -a, opuesto, -a
or o: (*between vowels or numerals*) ó, (*before* o *or* ho) u
  either . . . or o . . . o; (*negative*) ni . . . ni
orange la naranja
order el orden
to **order** mandar, pedir (i)
  in order to para
  in order that para que
to **organize** organizar
origin el origen
other otro, -a
others los demás, los (las) otros (-as)
ought to deber
our nuestro, -a, -os, -as
ours el nuestro, la nuestra, los nuestros, las nuestras
outside afuera
  outside of fuera de
overcoat el abrigo, el sobretodo
to **overcome** vencer
to **owe** deber
own propio, -a
owner el dueño

P

Pacific Ocean el océano Pacífico
page la página
pain el dolor
  to pain doler (ue)
to **paint** pintar
painter el pintor
painting la pintura, el cuadro
pair el par; la pareja
palace el palacio
Panama Panamá
paper el papel; el periódico
to **pardon** perdonar
parents los padres
park el parque
part la parte
party la fiesta, la tertulia
to **pass** pasar
  to pass (*exam*) salir
passenger el pasajero
patriot el patriota
to **pay** pagar
  to pay attention prestar atención
peasant el campesino
pen la pluma
pencil el lápiz
people la gente, el pueblo
  people say se dice
per por
perfect perfecto, -a
performance la función
perhaps tal vez, quizás
period el período, la época
to **permit** permitir
person la persona
Peru el Perú
to **phone** llamar por teléfono
piano el piano
to **pick** coger
  to pick up recoger
picture el cuadro, el retrato, la fotografía, el dibujo
picturesque pintoresco, -a
piece el pedazo
pirate el pirata
pity:
  it's a pity es lástima
  what a pity! ¡qué lástima!
place el lugar, el sitio
  to place colocar
  to take place tener lugar, celebrarse

plan el plan, el proyecto
plane el avión, el aeroplano
plate el plato
play la comedia, la obra dramática
to **play** jugar (ue) (*instrument*) tocar (*game*) jugar (ue) a
player el jugador
plaza la plaza
pleasant agradable, simpático, -a
please por favor, haga Ud. el favor de + *inf.*, tenga Ud. la bondad de + *inf.*
pleasure el gusto, el placer
pocket el bolsillo
pocketbook la cartera
poem el poema
poetry la poesía
to **point out** señalar
police la policía
policeman el policía
political político, -a
politics la política
poor pobre
popular popular
population la población
port el puerto
portrait el retrato
to **possess** poseer
possible posible
post(al) card la tarjeta postal
poster el cartel
pound la libra
powder el polvo
power el poder
powerful poderoso, -a
practical práctico, -a
to **practice** practicar
to **praise** alabar
precious precioso, -a
to **prefer** preferir (ie)
to **prepare** preparar
present el regalo; (*adj.*) presente
  to give as a present regalar
  present-day actual
president el presidente
press la prensa
pretty bonito, -a, lindo, -a
to **prevent** impedir (i)
price el precio
pride el orgullo
priest el cura, el sacerdote, el padre
primitive primitivo, -a
prince el príncipe
princess la princesa
principal el director; (*adj.*) principal
prisoner el prisionero
privilege el privilegio
prize el premio
probable probable
probably probablemente
problem el problema
to **produce** producir
product el producto
profession la profesión, la carrera
professional profesional
to **profit by** aprovechar(se) de
program el programa
progress el progreso
progressive progresista, progresivo, -a
to **prohibit** prohibir
project el proyecto
projector el proyector
promise la promesa
  to promise prometer
proprietor el propietario, el dueño
to **protect** proteger
protection la protección
to **protest** protestar
proud orgulloso, -a (de)
provided that con tal que
to **punish** castigar
pupil el alumno, la alumna
purpose el fin, el objeto
purse la bolsa
to **pursue** perseguir (i)
to **put** poner
  to put on ponerse
  to put out apagar
  to put (in) meter
pyramid la pirámide

Q

quantity la cantidad
to **quarrel** reñir (i)
quarter cuarto
queen la reina
question la pregunta
  to ask a question hacer una pregunta
quickly aprisa, rápidamente, pronto
quite bastante

R

race la raza
racket la raqueta
railroad el ferrocarril
rain la lluvia
  to rain llover (ue)
rare raro, -a
rarely raras veces, rara vez
to **reach** alcanzar
to **read** leer
ready listo, -a dispuesto, -a
  to get ready to disponerse a
real verdadero, -a
really de veras
reason el motivo, la razón
  for that reason por eso
to **receive** recibir
recently recientemente
reception la recepción
to **recognize** reconocer
record el disco
red rojo, -a, colorado, -a
Red Cross la Cruz Roja
reference la referencia
refreshment el refresco
to **refuse to** negarse (ie) a
regards recuerdos, saludos
  as regards en cuanto a
region la región
to **regret** sentir (ie)
relative el (la) pariente
religious religioso, -a
to **remain** quedarse, permanecer
to **remember** recordar (ue), acordarse (ue) (de)
remote remoto, -a, lejano, -a
to **remove** quitar
to **repeat** repetir (i)

to **reply** contestar, responder
reporter el reportero
representative el representante
republic la república
to **request** rogar (ue)
to **require** exigir
to **resemble** parecerse a
to **reserve** reservar
respect el respeto
  with respect to con respecto a
  to respect respetar
to **rest** descansar
  the rest los demás
restaurant el restaurante
to **return** volver (ue), regresar (to a place) devolver (ue) (something)
review el repaso
  to **review** repasar
reward el premio
rice el arroz
ride el paseo
  to take a ride dar un paseo, pasearse
  to take an automobile ride dar un paseo en automóvil
ridiculous ridículo, -a
right el derecho
  to be right tener razón
  right now ahora mismo
  to the right a la derecha
  all right está bien
to **ring** sonar (ue), tocar
rival el rival
river el río
road el camino, la carretera
to **rob** robar
Roman romano, -a
roof el techo, el tejado
room el cuarto, la habitación
  dining room el comedor
  living room la sala
round redondo, -a
to **rout** derrotar
row la fila
rug la alfombra
to **rule** gobernar (ie), dominar
to **run** correr; (*machine*) funcionar

S

sad triste
sadness la tristeza
to **sail** navegar
saint Santo (San), Santa
salad la ensalada
salary el sueldo
sale, for sale en venta
salt la sal
same mismo, -a
  the same as lo mismo que
sand la arena
sandwich el sandwich (el sándwich)
satisfied satisfecho, -a
Saturday el sábado
to **save** salvar; ahorrar
to **say** decir
  that is to say es decir
  you don't say! ¡no me diga!
  I should say so! ¡ya lo creo!
  it is said se dice
scarcely apenas
scene la escena
scenery el paisaje
school la escuela
science la ciencia
to **scold** reñir (i), reprender
sea el (la) mar
to **search** buscar
  in search of en busca de
season la estación; la temporada
seat el asiento
second segundo, -a
  in a second en un momento
secretary la secretaria
to **see** ver
  see you later hasta luego
  let's see a ver
to **seem** parecer
to **seize** coger
seldom raras veces, rara vez
to **select** escoger, elegir (i)
to **sell** vender
to **send** enviar, mandar
sense el sentido
sentence la frase, la oración
September septiembre
serious serio, -a, grave
servant el criado, la criada, la sirvienta
to **serve** servir (i)
service el servicio
set el aparato
  television set aparato de televisión
  to set poner
  to set (*sun*) ponerse (el sol)
  to set free poner en libertad
seven siete
  seven hundred setecientos, -as
seventeen diez y siete (diecisiete)
seventh séptimo, -a
seventy setenta
several varios, -as
severe severo, -a
to **sew** coser
shade la sombra
shadow la sombra
shame la vergüenza
  it's a shame es (una) lástima
she ella
shelf el estante
ship el barco, el buque
shirt la camisa
shoe el zapato
shop la tienda
shopping:
  to go shopping ir de compras
short corto, -a
to **shout** gritar, dar voces
to **show** mostrar (ue), enseñar
shy tímido, -a
sick enfermo, -a
side el lado
sidewalk la acera
to **sign** firmar
silk la seda
silver la plata
similar semejante, parecido, -a, igual
simple sencillo, -a
since desde; ya que
to **sing** cantar
sir señor
sister la hermana
to **sit down** sentarse (ie)

situated situado, -a
six seis
six hundred seiscientos, -as
sixteen diez y seis (dieciséis)
sixth sexto, -a
sixty sesenta
skirt la falda
sky el cielo
slave el esclavo
sleep el sueño
to sleep dormir (ue)
to fall asleep dormirse (ue)
sleepy:
to be sleepy tener sueño
slowly despacio, lentamente
small pequeño, -a, chico, -a
smile la sonrisa
to smile sonreír (i)
to **smoke** fumar
so tan, así
so much tanto, -a
so many tantos, -as
so that para que
isn't that so? ¿verdad? ¿no es verdad?
society la sociedad
soft suave
softly en voz baja
soil el suelo, la tierra
soldier el soldado
sole único, -a
to **solve** resolver (ue)
some alguno (algún), -a, unos, -as
somebody alguien
someone alguien
something algo
sometimes algunas veces
somewhat algo
son el hijo
song la canción
soon pronto
see you soon hasta pronto
as soon as en cuanto, tan pronto como
sorrow el dolor
sorry: to be *or* **feel sorry** sentir (ie)
soul el alma (*f.*)
soup la sopa
south el sur
South America Sudamérica, Sud América, la América del Sur
South American sudamericano, -a
souvenir el recuerdo
Spain España
Spaniard el español
Spanish español, española; (*language*) el español, el castellano
Spanish America Hispanoamérica
Spanish American hispanoamericano, -a
to **speak** hablar
speaking:
Spanish-speaking de habla española
speech el discurso
to **spend** (*time*) pasar; (*money*) gastar
spirit el espíritu
spite:
in spite of a pesar de
sport el deporte
spot el sitio, el lugar
spring la primavera
square la plaza
stadium el estadio
stairs la escalera
stamp el sello, la estampilla
stand el puesto
to stand (up) levantarse
star la estrella
state el estado
United States los Estados Unidos
station la estación
statue la estatua
to **stay** quedarse, permanecer
to **steal** robar
steel el acero
still todavía, aún
stockings las medias
stone la piedra
to **stop** parar, cesar, dejar de + *inf.*
store la tienda
grocery store tienda de comestibles, tienda de abarrotes
storm la tempestad
story el cuento, la historia; (*of a building*) el piso
strange raro, -a, extraño, -a
street la calle
streetcar el tranvía
strength la fuerza
strict estricto, -a
strong fuerte
struggle la lucha
to struggle luchar
student el alumno, la alumna, el (la) estudiante
study el estudio
to study estudiar
stupendous estupendo, -a
style la moda
stylish elegante
subject (*school*) la asignatura
to **substitute** sustituir
to **succeed in** lograr + *inf.*
success el éxito
successful:
to be successful tener éxito
such tal
suddenly; all of a sudden de pronto, de repente
to **suffer** sufrir
sufficient suficiente, bastante
sugar el azúcar
suitcase la maleta
summer el verano
sun el sol
Sunday el domingo
supper la cena
to eat *or* **have supper** cenar
to **support** sostener, mantener
to **suppose** suponer
sure seguro, -a
for sure sin duda
surprise la sorpresa
to surprise sorprender
to **surround** rodear
surrounded by rodeado, -a de
to **suspect** sospechar
to **swear** juarar
sweet dulce
sweetheart el novio, la novia

to **swim** nadar
swimming:
swimming pool la piscina
Switzerland Suiza
sword la espada

T

table la mesa
to **take** tomar, llevar, coger
to take a picture sacar una fotografía
to take a walk dar un paseo
to take leave of despedirse (i) de
to take off quitarse
to take out sacar
to take place tener lugar, celebrarse
to take a trip hacer un viaje
to **talk** hablar
tall alto, -a
task la tarea
taxi el taxi
tea el té
to **teach** enseñar
teacher el profesor, la profesora, el maestro, la maestra
team el equipo
tear la lágrima
to **tear** romper
telegram el telegrama
television la televisión, el televisor
to **tell** decir, contar (ue)
ten diez
tenth décimo, -a
term el semestre
territory el territorio
than que, de
to **thank (for)** agradecer, dar las gracias
thank **you very much** muchas gracias
that que; ese, esa; aquel, aquella; eso, aquello
that (one) ése, ésa aquél, aquélla
that of el (la) de
the el, la, los, las; lo
their su, sus
their(s) el suyo, la suya, los suyos, las suyas
them los, las; ellos, -as
(to) them les, se
theme el tema
then luego, pues, entonces
so then conque
there allí, allá
there is, there are hay
there was, there were había, hubo
there will be habrá
there would be habría
therefore por eso
these estos, -as; (*pron.*) éstos, -as
they ellos, -as
thief el ladrón
thin flaco, -a, delgado, -a
thing la cosa
to **think** pensar (ie), creer
to think of pensar de, pensar en
what do you think of . . . ? ¿qué le parece(n) . . . ?
I think so creo que sí
I don't think so creo que no
third tercero (tercer), -a
thirsty:
to be thirsty tener sed
thirteen trece
thirty treinta
this este, esta; esto
this (one) éste, ésta
those esos, -as; aquellos, -as; (*pron.*) ésos, -as, aquéllos, -as
those who los (las) que
those of los (las) de
thought el pensamiento
thousand mil
three tres
three hundred trescientos, -as
through por
throughout en todas partes
to **throw** tirar, lanzar, arrojar, echar
Thursday el jueves
thus así
ticket el billete, el boleto
tie la corbata
time la hora; el tiempo; la época; la vez
on time a tiempo
at times a veces
at the same time a la vez, al mismo tiempo
from time to time de vez en cuando
have a good time divertirse(ie)
tired cansado, -a
to a; para
toast el pan tostado
today hoy
together juntos, -as
to get together reunirse
tomorrow mañana
tomorrow morning mañana por la mañana
tonight esta noche
too también; demasiado
too much demasiado
tooth el diente
top:
on top of encima de
to **touch** tocar
tourist el (la) turista
toward hacia
town el pueblo, la población
toy el juguete
trade el oficio; el comercio
traffic el tráfico
train el tren
to **translate** traducir
transportation el transporte, la transportación
to **travel** viajar
to travel over recorrer
traveler el viajero
treasure el tesoro
to **treat** tratar
tree el árbol
trip el viaje
to take a trip hacer un viaje
to go on a trip ir de viaje
to be on a trip estar de viaje
true verdadero, -a
it's true es cierto, es verdad

truth la verdad
to **try to** tratar de
Tuesday el martes
to **turn:**
to turn on (*light*) encender (ie); (*radio*) poner
to turn off (*light, radio*) apagar
twelve doce
twenty veinte
twice dos veces
two dos
two hundred doscientos, -as
to **type** escribir a máquina
typical típico, -a

U

ugly feo, -a
uncle el tío
under bajo, debajo de
to **understand** comprender, entender (ie)
undoubtedly sin duda
unfortunate infeliz, desgraciado, -a
unfortunately desgraciadamente
unhappy infeliz
to **unite** unir
United States los Estados Unidos
university la universidad
unless a menos que
until hasta (que)
upon sobre, en
upon (leaving) al (salir)
upstairs arriba
us nos, nosotros, -as
(to) us nos
to **use** usar, emplear, servirse (i) de
useful útil

V

vacation las vacaciones
vacuum cleaner la aspiradora de polvo
valley el valle
value el valor
variety la variedad
vegetable la legumbre, la verdura
very muy
very much muchísimo
victory la victoria
view la vista
village la aldea
virtue la virtud
visit la visita
to visit visitar
to be on a visit estar de visita
voice la voz
vote el voto

W

to **wait (for)** esperar
waiter el mesero, el mozo, el camarero
waitress la mesera, la camarera
to **wake up** despertarse (ie)
walk el paseo
to walk andar, caminar
to take a walk dar un paseo, pasearse
wall la pared
to **want** querer, desear
war la guerra
warm caliente
to be warm (*weather*) hacer calor; (*person*) tener calor
to **warn** advertir (ie)
to **wash** lavar
to wash oneself lavarse
washing machine la máquina lavadora
to **waste:**
to waste time perder (ie) el tiempo
watch el reloj
way la manera, el modo
this way por aquí
by the way a propósito
we nosotros, -as
weak débil
wealth la riqueza
to **wear** llevar
weather el tiempo
weather report el parte metereológico
wedding la boda
Wednesday el miércoles
week la semana
weekend el fin de semana
welfare el bien
well bien; pues
as well as tanto como, así como
west el oeste
what lo que
what? ¿qué?
what a . . . ! ¡qué . . . !
wheat el trigo
when cuando
when? ¿cuándo?
where donde
where? ¿dónde? ¿adónde?
whether si
which que
which? ¿cuál, -es? ¿qué?
which one? ¿cuál?
which ones? ¿cuáles?
while mientras (que)
a while un rato
in a little while dentro de poco
white blanco, -a
who quien, -es, que
he who el que
those who los que
who? ¿quién, -es?
whom que, a quien
whom? ¿a quién, -es?
whose cuyo, -a
whose? ¿de quién, -es?
why? ¿por qué?
wide ancho, -a
wife la esposa, la mujer
wild feroz; salvaje
willing dispuesto, -a
to **win** ganar
window la ventana
wine el vino
winter el invierno
wise sabio, -a
to **wish** desear, querer
wit la gracia
with con
with me conmigo
with you contigo
to **withdraw** retirarse

within dentro de
without sin, sin que
woman la señora, la mujer
wonderful maravilloso, -a
wood la madera
woods el bosque
word la palabra
work el trabajo, la obra
  to work trabajar; (*machine*) funcionar
worker el obrero, el trabajador
working:
  working class la clase trabajadora
world el mundo
worried preocupado, -a
to **worry** preocuparse
worse, worst peor
worth:
  to be worth valer
worthwhile:
  to be worthwhile valer la pena
worthy digno
to **write** escribir
writer el escritor, la escritora
wrong:
  to be wrong no tener razón

Y

year el año
  to be . . . years old tener . . . años
yellow amarillo, -a
yes sí
  yes, indeed! ¡ya lo creo!
yesterday ayer
yet aún, todavía
you tú, Ud., Uds.; te, le, lo, la, los, las
  (to) you te, le, les, se
young joven
  young man el joven
  young lady la joven
younger, youngest menor
youngster el chico, la chica
your su, sus, tu, tus
yours el suyo, la suya, los suyos, las suyas; el tuyo, la tuya, los tuyos, las tuyas
youth la juventud

Indice

Q

R

S

T

V